2

뜯어먹는 초등 필수 영단어 이렇게 만들었어요!

초등학교 교과서를 분석하여 교육부 권장 영단어 800개와 교과서 필수 영단어 200개를 엄선하여 총 1,000단어를 제시했습니다. (1, 2권 전체)

말하기에 필요한 초등 필수 문장 90개를 뽑아서 단어와 연계 학습할 수 있게 만들었습니다.

보고, 듣고, 말하고, 쓰고 언어의 4영역을 통합 활용하여 영어 사용 능력을 키울 수 있습니다.

이렇게 활용하세요!

1 오늘의 단어 학습

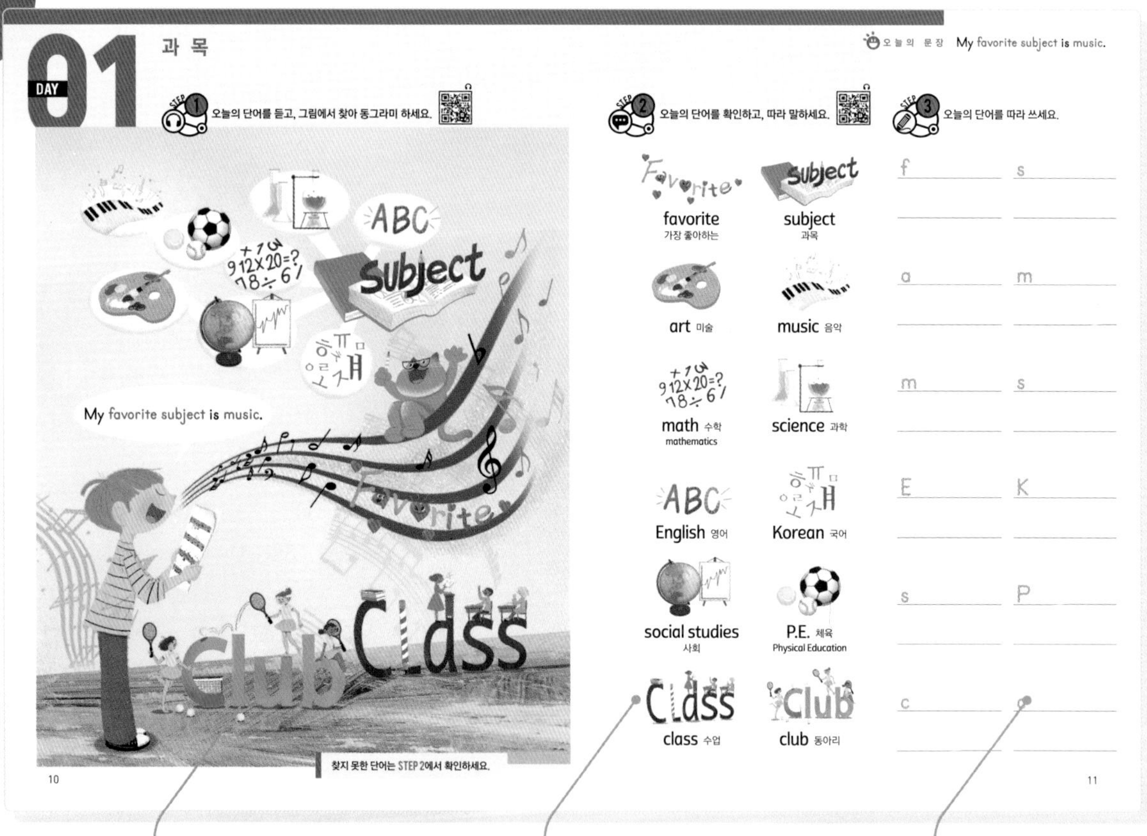

DAY 01 과 목

오늘의 문장 My favorite subject is music.

STEP 1 오늘의 단어를 듣고, 그림에서 찾아 동그라미 하세요.

찾지 못한 단어는 STEP 2에서 확인하세요.

STEP 2 오늘의 단어를 확인하고, 따라 말하세요.

favorite 가장 좋아하는	subject 과목
art 미술	music 음악
math 수학 mathematics	science 과학
English 영어	Korean 국어
social studies 사회	P.E. 체육 Physical Education
class 수업	club 동아리

STEP 3 오늘의 단어를 따라 쓰세요.

f s a m m s E K s P c c

10 11

Step 1 오늘의 단어 찾기

QR코드로 바로 음원을 들으면서 오늘의 단어 12개를 그림 속에서 찾으세요.

Step 2 오늘의 단어 확인

그림 속에서 단어를 맞게 찾았는지 확인하고 큰 소리로 따라 말하세요.

Step 3 오늘의 단어 쓰기

눈으로만 익혀서는 정확히 외우기 힘들어요. 단어를 하나하나 쓰면서 익히세요.

2 TEST

단어를 제대로 익혔는지 테스트를 통해 확인하고,
초등 필수 문장으로 단어가 어떻게 활용되는지 연습합니다.

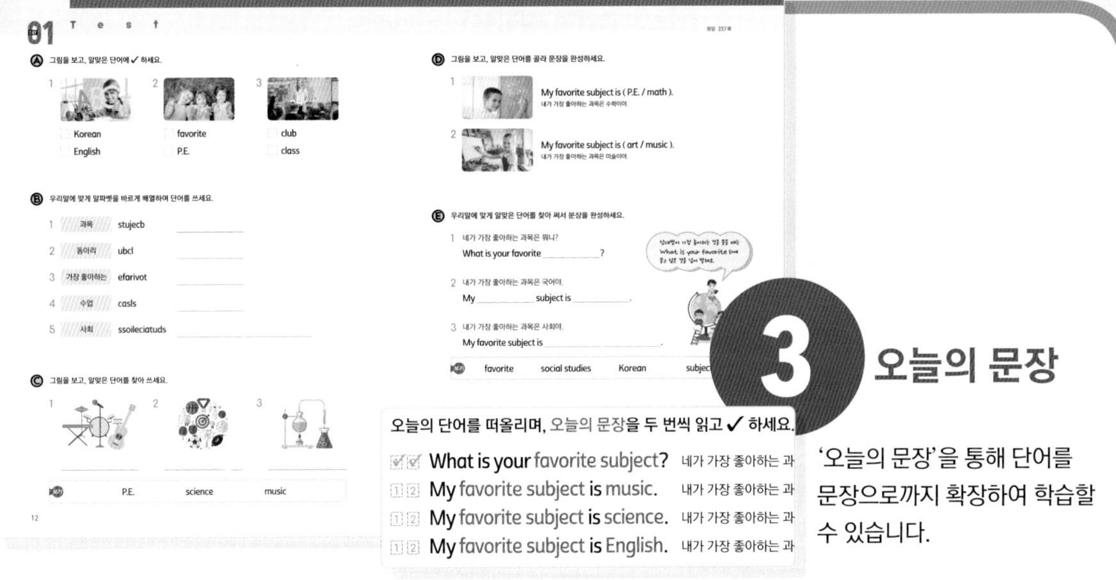

3 오늘의 문장

오늘의 단어를 떠올리며, 오늘의 문장을 두 번씩 읽고 ✓ 하세요.

What is your favorite subject? 네가 가장 좋아하는 과
My favorite subject is music. 내가 가장 좋아하는 과
My favorite subject is science. 내가 가장 좋아하는 과
My favorite subject is English. 내가 가장 좋아하는 과

'오늘의 문장'을 통해 단어를 문장으로까지 확장하여 학습할 수 있습니다.

4 뜯어먹는 쓰기 노트

쓰기노트 DAY 02 영단어 쓰기 1
1 world
2 Korea
3 China
4 France

쓰기노트 DAY 01 영단어 쓰기 1
1 favorite
2 subject
3 art
4 music

최종 마무리!
'뜯어먹는 쓰기 노트'에 '오늘의 단어'를 써 보세요. 단어를 제대로 다 썼으면 쓰기 노트를 뜯어서 미니 단어장으로 만들 수 있습니다. 하나하나 뜯다보면 초등 필수 영단어가 내 머릿속에 들어 있어요.

한 번 더!+

며칠 지나니까 단어가 가물가물해요.
4일간 누적된 단어를 Review Test를 통해 복습하면서 한 번 더 확실히 외울 수 있습니다.

Review Test

A 다음 단어의 우리말 뜻을 쓰세요.

1 corn, 2 nature, 3 India, 4 art, 5 carrot, 6 lake, 7 world, 8 Korean, 9 pig, 10 cave, 11 language, 12 stone, 13 P.E., 14 flag, 15 beach, 16 farm, 17 subject, 18 the U.S., 19 grow, 20 club, 21 nation, 22 mountain, 23 cow, 24 science

B 다음 우리말 뜻에 해당하는 단어를 쓰세요.

1 수학, 2 숲, 3 문화, 4 울타리, 5 한국, 6 수업, 7 ~에 살다, 8 말, 9 사회, 10 나뭇잎, 11 모래, 12 대문, 출입구, 13 프랑스, 14 지붕, 15 물, 16 영어, 17 나뭇가지, 18 오리, 19 수도, 20 가장 좋아하는, 21 강, 22 고구마, 23 중국, 24 음악

C 우리말에 맞게 알맞은 단어를 찾아 써서 문장을 완성하세요.

1 호수에 가요. Let's go to the ______.
2 내가 가장 좋아하는 과목은 음악이야. My ______ is music.
3 저것은 고구마인가요? Is that a ______?
4 민호는 한국 출신이야. Minho is from ______.

보기: Korea, favorite, lake, subject, sweet potato

D 주어진 단어를 바르게 배열하여 문장을 쓰세요.

1 Is / horse / a / this / ? 이것은 말인가요?
2 Let's / the forest / go to / . / together 함께 숲에 가요.
3 the United States / from / They are / . 그들은 미국 출신이야.
4 favorite subject / . / My / is / science 내가 가장 좋아하는 과목은 과학이야.

다음 순서로 공부해요!

자신에게 알맞은 **진도표를 선택하세요.**

뜯어먹는 초등 필수 영단어 표준 진도표는 **하루하루 진도표** 입니다. 매일 12단어씩 공부해서 50일 만에 단어 학습을 완성합니다. 좀 더 꼼꼼하게 학습하고 싶은 학생에게는 **꼼꼼 진도표** 를, 좀 더 빠르게 학습하고 싶은 학생에게는 **빠른 진도표** 를 추천합니다.

하루하루 진도표

하루에 **12개씩**
전체 **600단어** 학습

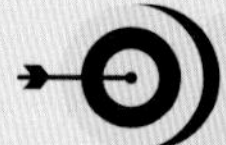

하루하루 꾸준히!
50일 완성!

1주	DAY 01	DAY 02	DAY 03	DAY 04 / RT	DAY 05	DAY 06
2주	DAY 07	DAY 08 / RT	DAY 09	DAY 10	DAY 11	DAY 12 / RT
3주	DAY 13	DAY 14	DAY 15	DAY 16 / RT	DAY 17	DAY 18
4주	DAY 19	DAY 20 / RT	DAY 21	DAY 22	DAY 23	DAY 24 / RT
5주	DAY 25	DAY 26	DAY 27	DAY 28 / RT	DAY 29	DAY 30
6주	DAY 31	DAY 32 / RT	DAY 33	DAY 34	DAY 35	DAY 36 / RT
7주	DAY 37	DAY 38	DAY 39	DAY 40 / RT	DAY 41	DAY 42
8주	DAY 43	DAY 44 / RT	DAY 45	DAY 46	DAY 47 / RT	DAY 48
9주	DAY 49	DAY 50 / RT	* RT = Review Test			

꼼꼼 진도표

하루에 **6개씩**
전체 **600단어** 학습

절반씩 꼼꼼히!
100일 완성!

1주	DAY 01	DAY 01	DAY 02	DAY 02	DAY 03	DAY 03
2주	DAY 04	DAY 04 / RT	DAY 05	DAY 05	DAY 06	DAY 06
3주	DAY 07	DAY 07	DAY 08	DAY 08 / RT	DAY 09	DAY 09
4주	DAY 10	DAY 10	DAY 11	DAY 11	DAY 12	DAY 12 / RT
5주	DAY 13	DAY 13	DAY 14	DAY 14	DAY 15	DAY 15
6주	DAY 16	DAY 16 / RT	DAY 17	DAY 17	DAY 18	DAY 18
7주	DAY 19	DAY 19	DAY 20	DAY 20 / RT	DAY 21	DAY 21
8주	DAY 22	DAY 22	DAY 23	DAY 23	DAY 24	DAY 24 / RT
9주	DAY 25	DAY 25	DAY 26	DAY 26	DAY 27	DAY 27
10주	DAY 28	DAY 28 / RT	DAY 29	DAY 29	DAY 30	DAY 30
11주	DAY 31	DAY 31	DAY 32	DAY 32 / RT	DAY 33	DAY 33
12주	DAY 34	DAY 34	DAY 35	DAY 35	DAY 36	DAY 36 / RT
13주	DAY 37	DAY 37	DAY 38	DAY 38	DAY 39	DAY 39
14주	DAY 40	DAY 40 / RT	DAY 41	DAY 41	DAY 42	DAY 42
15주	DAY 43	DAY 43	DAY 44	DAY 44 / RT	DAY 45	DAY 45
16주	DAY 46	DAY 46	DAY 47	DAY 47 / RT	DAY 48	DAY 48
17주	DAY 49	DAY 49	DAY 50	DAY 50 / RT		

빠른 진도표

하루에 **24개씩** 전체 **600단어** 학습

두 배 빠르게!
26일 완성!

1주	DAY 01~02	DAY 03~04 / RT	DAY 05~06	DAY 07~08 / RT	DAY 09~10	DAY 11~12 / RT
2주	DAY 13~14	DAY 15~16 / RT	DAY 17~18	DAY 19~20 / RT	DAY 21~22	DAY 23~24 / RT
3주	DAY 25~26	DAY 27~28 / RT	DAY 29~30	DAY 31~32 / RT	DAY 33~34	DAY 35~36 / RT
4주	DAY 37~38	DAY 39~40 / RT	DAY 41~42	DAY 43~44 / RT	DAY 45~46	DAY 47 / RT
5주	DAY 48~49	DAY 50 / RT				

진도표를 참고하여 자신만의
학습 계획표를 만들어 보세요.

- 3단계 진도표 중 본인이 고른 진도표를 참고하여 학습 계획표를 만드세요.
- 학습 계획표에 학습할 단원과 날짜를 쓰세요.
- 학습 계획표에 맞추어 공부하고, 잘한 만큼 메달에 동그라미 하세요.

주	단원	학습 날짜	성취도	단원	학습 날짜	성취도
	DAY 01	___월 ___일			___월 ___일	
1주		___월 ___일			___월 ___일	
		___월 ___일			___월 ___일	
		___월 ___일			___월 ___일	
2주		___월 ___일			___월 ___일	
		___월 ___일			___월 ___일	
		___월 ___일			___월 ___일	
3주		___월 ___일			___월 ___일	
		___월 ___일			___월 ___일	
		___월 ___일			___월 ___일	
4주		___월 ___일			___월 ___일	
		___월 ___일			___월 ___일	
		___월 ___일			___월 ___일	
5주		___월 ___일			___월 ___일	
빠른 진도표		___월 ___일			___월 ___일	
		___월 ___일			___월 ___일	
6주		___월 ___일			___월 ___일	
		___월 ___일			___월 ___일	
		___월 ___일			___월 ___일	
7주		___월 ___일			___월 ___일	
		___월 ___일			___월 ___일	

학습 계획표

주	단원	학습 날짜	성취도	단원	학습 날짜	성취도
8주		___월 ___일			___월 ___일	
		___월 ___일			___월 ___일	
		___월 ___일			___월 ___일	
9주		___월 ___일			___월 ___일	
		___월 ___일			___월 ___일	
		___월 ___일			___월 ___일	
10주		___월 ___일			___월 ___일	
		___월 ___일			___월 ___일	
		___월 ___일			___월 ___일	
11주		___월 ___일			___월 ___일	
		___월 ___일			___월 ___일	
		___월 ___일			___월 ___일	
12주		___월 ___일			___월 ___일	
		___월 ___일			___월 ___일	
		___월 ___일			___월 ___일	
13주		___월 ___일			___월 ___일	
		___월 ___일			___월 ___일	
		___월 ___일			___월 ___일	
14주		___월 ___일			___월 ___일	
		___월 ___일			___월 ___일	
		___월 ___일			___월 ___일	

하루하루 진도표

주	단원	학습 날짜	성취도	단원	학습 날짜	성취도
15주		____월 ____일			____월 ____일	
		____월 ____일			____월 ____일	
		____월 ____일			____월 ____일	
16주		____월 ____일			____월 ____일	
		____월 ____일			____월 ____일	
		____월 ____일			____월 ____일	
17주		____월 ____일			____월 ____일	
		____월 ____일			____월 ____일	
		____월 ____일			____월 ____일	

꼼꼼 진도표

이렇게 학습해 보세요.

1. **Step 1**의 QR코드를 통해 오늘의 단어를 들으면서 그림 속에서 '오늘의 단어'를 찾으세요. (2분)
2. **Step 2**에서 단어를 맞게 찾았는지 확인하고 큰 소리로 따라 말하세요. (3분)
3. **Step 3**에서 '오늘의 단어'를 쓰면서 암기하세요. (10분)
4. **Test**를 풀면서 단어를 확인하고 '오늘의 문장'을 읽으며 단어를 활용하면서 암기하세요. (10분)
5. 채점하고 틀린 것을 골라내어 다시 학습하세요. (5분)

▶ 총 학습 시간: 약 30분

DAY 01

과 목

STEP 1 오늘의 단어를 듣고, 그림에서 찾아 동그라미 하세요.

ABC

+ 7 3
9 12 X 20 = ?
78 ÷ 6 /

Subject

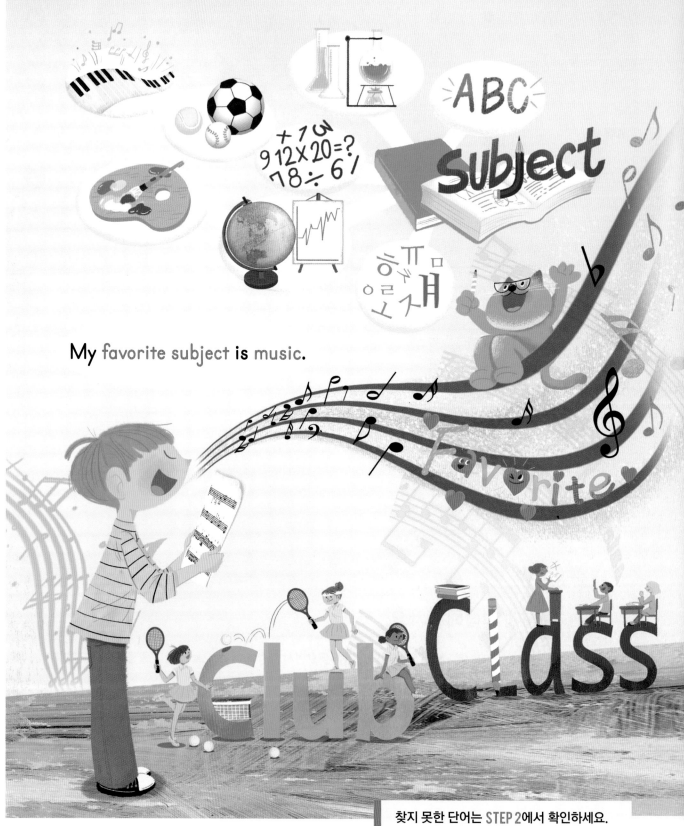

My favorite subject is music.

Favorite

Club Class

찾지 못한 단어는 STEP 2에서 확인하세요.

STEP 2 오늘의 단어를 확인하고, 따라 말하세요.

STEP 3 오늘의 단어를 따라 쓰세요.

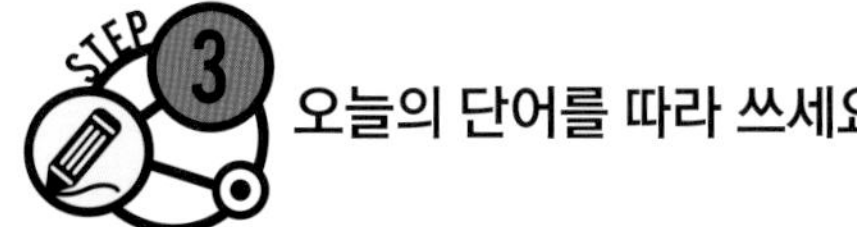
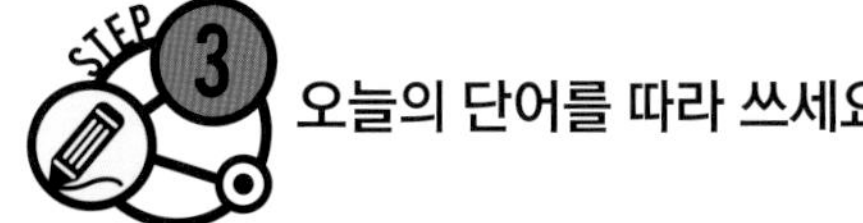

favorite
가장 좋아하는

subject
과목

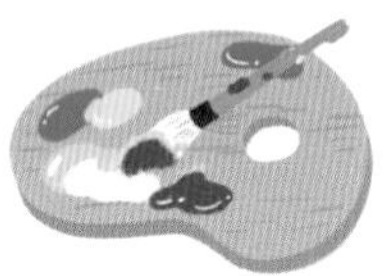

art 미술

music 음악

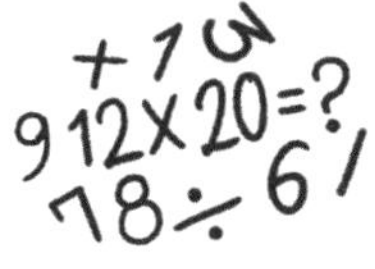

math 수학
mathematics

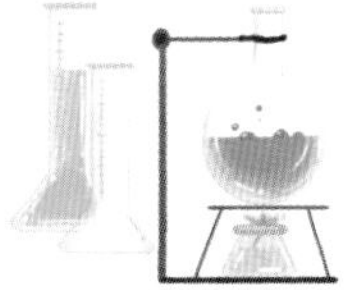

science 과학

English 영어

Korean 국어

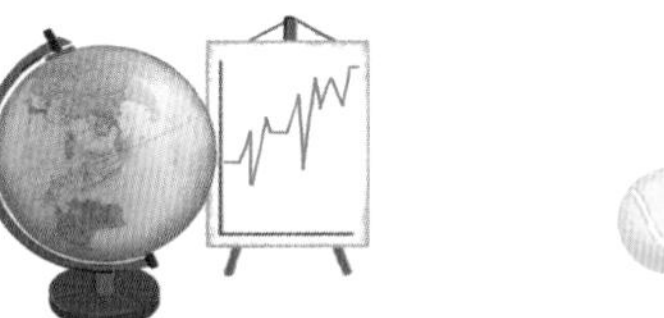

social studies
사회

P.E. 체육
Physical Education

class 수업

club 동아리

f ______ s ______

a ______ m ______

m ______ s ______

E ______ K ______

s ______ P ______

c ______ c ______

DAY 01 Test

Ⓐ 그림을 보고, 알맞은 단어에 ✓ 하세요.

1 ☐ Korean ☐ English

2 ☐ favorite ☐ P.E.

3 ☐ club ☐ class

Ⓑ 우리말에 맞게 알파벳을 바르게 배열하여 단어를 쓰세요.

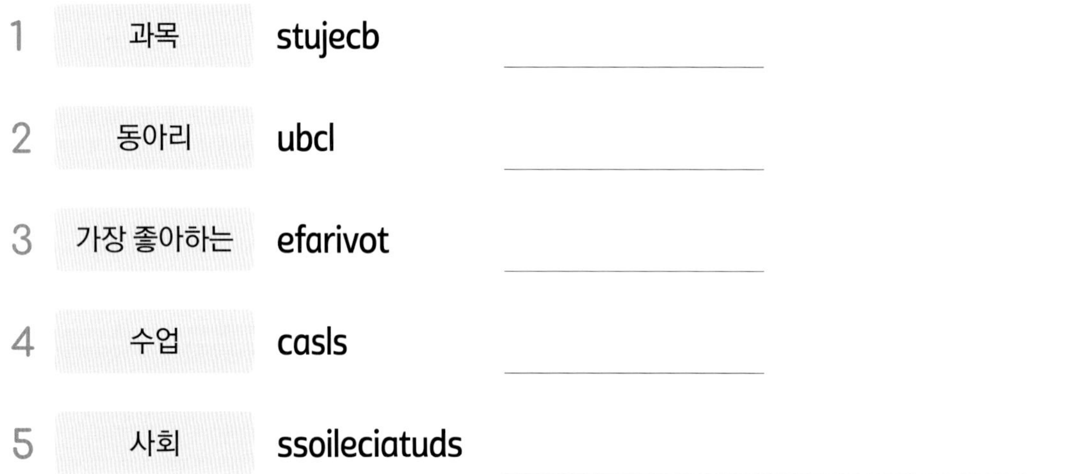

1 과목 stujecb ____________

2 동아리 ubcl ____________

3 가장 좋아하는 efarivot ____________

4 수업 casls ____________

5 사회 ssoileciatuds ____________ ____________

Ⓒ 그림을 보고, 알맞은 단어를 찾아 쓰세요.

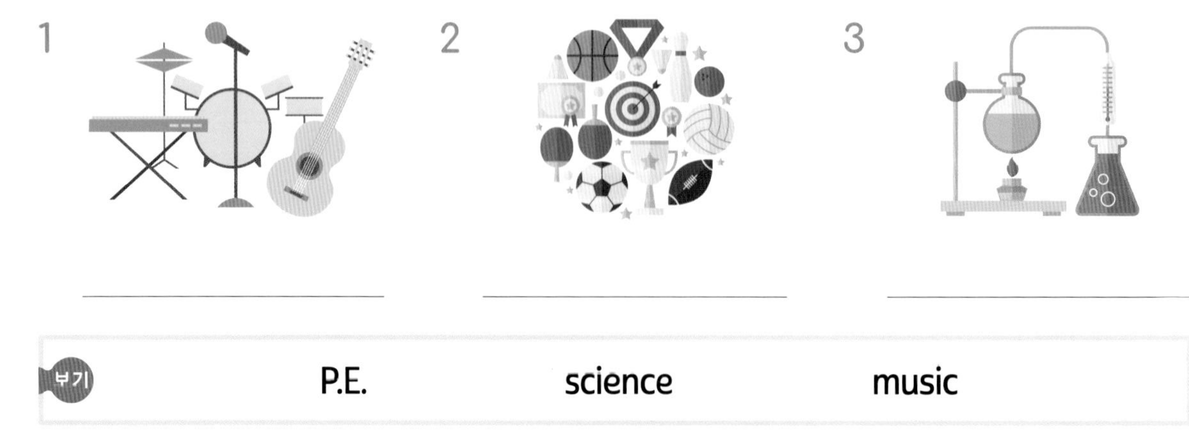

1 ____________

2 ____________

3 ____________

보기 P.E. science music

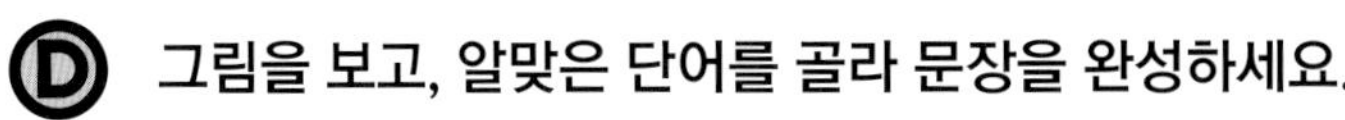

D 그림을 보고, 알맞은 단어를 골라 문장을 완성하세요.

1 

My favorite subject is (P.E. / math).
내가 가장 좋아하는 과목은 수학이야.

2 

My favorite subject is (art / music).
내가 가장 좋아하는 과목은 미술이야.

E 우리말에 맞게 알맞은 단어를 찾아 써서 문장을 완성하세요.

1 네가 가장 좋아하는 과목은 뭐니?

What is your favorite ____________?

2 내가 가장 좋아하는 과목은 국어야.

My ____________ subject is ____________.

3 내가 가장 좋아하는 과목은 사회야.

My favorite subject is ____________ ____________.

상대방이 가장 좋아하는 것을 물을 때는 What is your favorite 뒤에 묻고 싶은 것을 넣어 말해요.

favorite	social studies	Korean	subject

 오늘의 단어를 떠올리며, 오늘의 문장을 두 번씩 읽고 ✓ 하세요.

☑☑ What is your favorite subject? 네가 가장 좋아하는 과목은 뭐니?
1 2 My favorite subject is music. 내가 가장 좋아하는 과목은 음악이야.
1 2 My favorite subject is science. 내가 가장 좋아하는 과목은 과학이야.
1 2 My favorite subject is English. 내가 가장 좋아하는 과목은 영어야.

DAY 02 나 라

STEP 1 오늘의 단어를 듣고, 그림에서 찾아 번호를 쓰세요.

찾지 못한 단어는 STEP 2에서 확인하세요.

STEP 2 오늘의 단어를 확인하고, 따라 말하세요.

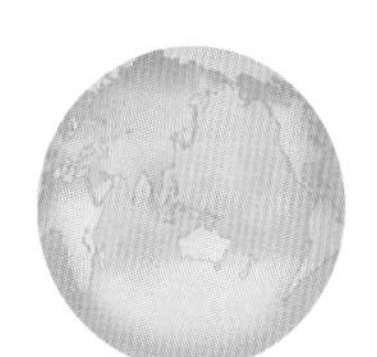

world 세계

Korea 한국

China 중국

France 프랑스

the U.S. 미국
the United States

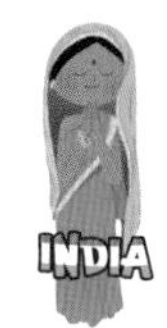

India 인도

nation 국가, 나라

capital 수도

language 언어

culture 문화

flag 깃발

live in ~에 살다

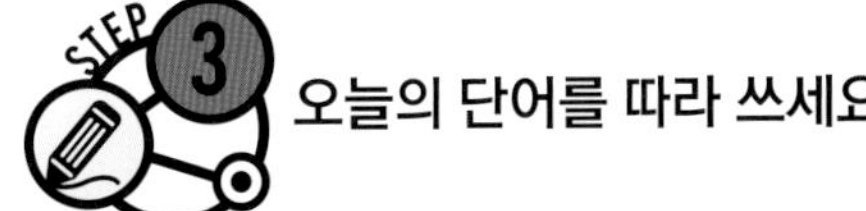

STEP 3 오늘의 단어를 따라 쓰세요.

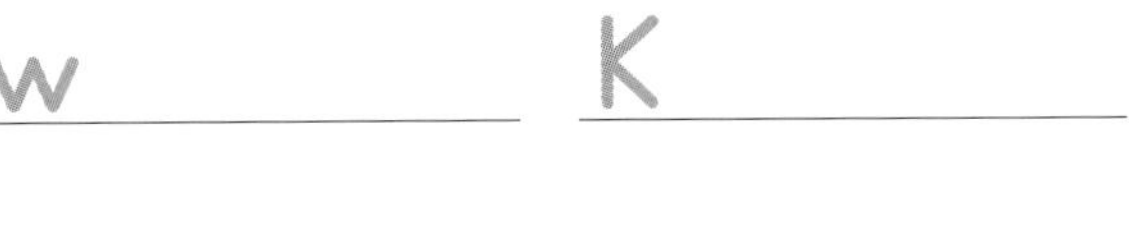

w K

C F

t I

n c

l c

f l

DAY **02** Test

Ⓐ 그림을 보고, 알맞은 단어를 고르세요.

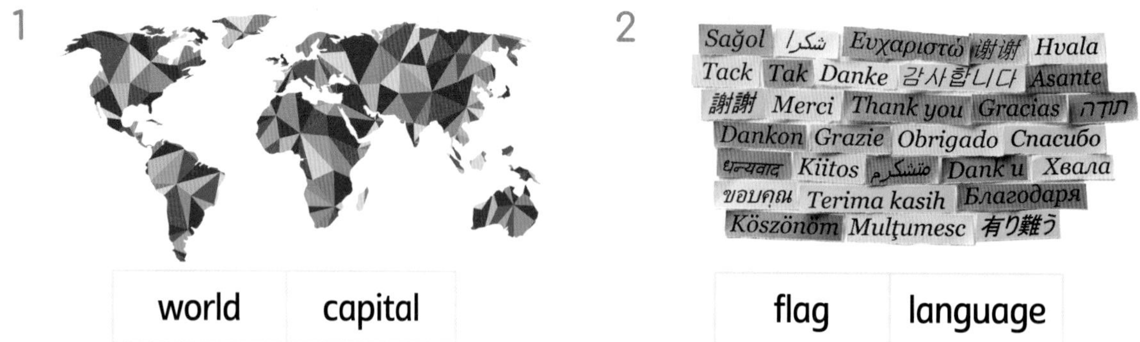

1 world / capital

2 flag / language

Ⓑ 우리말에 맞게 빈칸에 알맞은 알파벳을 써서 단어를 완성하세요.

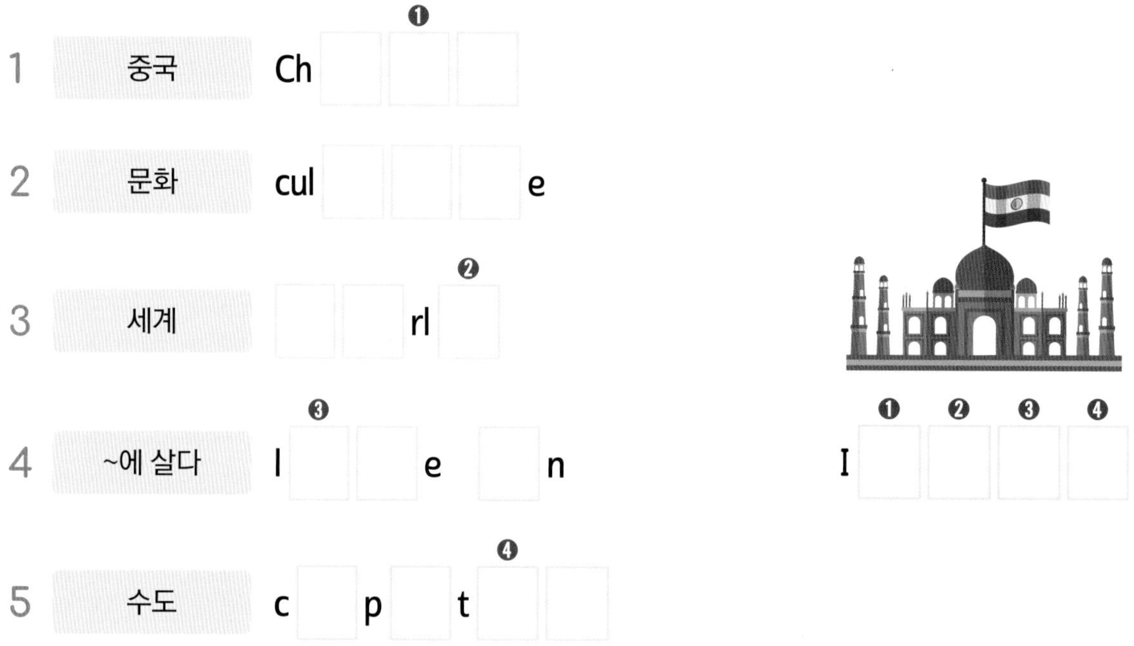

1 중국 Ch _ ❶_ _

2 문화 cul _ _ _ e

3 세계 _ _ rl ❷_

4 ~에 살다 l ❸_ _ e _ n

5 수도 c _ p _ t ❹_ _

I ❶_ ❷_ ❸_ ❹_

Ⓒ 그림을 보고, 주어진 알파벳으로 시작하는 단어를 쓰세요.

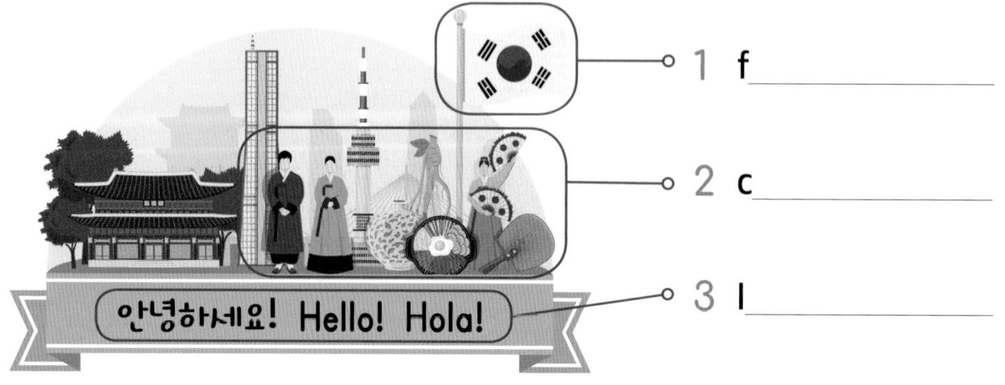

1 f__________

2 c__________

3 l__________

정답 237쪽

D 그림을 보고, 알맞은 단어를 찾아 쓰세요.

1 

____

2 

____

3 

____

보기 France　　nation　　live in

E 우리말에 맞게 알맞은 단어를 써서 문장을 완성하세요.

1 나는 미국 출신이야.

I am from ____________ ____________.

2 그녀는 인도 출신이야.

She is from ____________.

3 우리는 한국 출신이야.

We are from ____________.

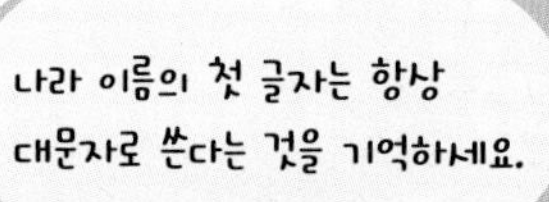

나라 이름의 첫 글자는 항상
대문자로 쓴다는 것을 기억하세요.

 오늘의 단어를 떠올리며, 오늘의 문장을 두 번씩 읽고 ✓ 하세요.

- ☑☑ I am from Korea. 나는 한국 출신이야.
- 1 2 He is from France. 그는 프랑스 출신이야.
- 1 2 She is from the U.S. 그녀는 미국 출신이야.
- 1 2 They are from China. 그들은 중국 출신이야.

DAY 03

자 연

오늘의 단어를 듣고, 그림에서 찾아 번호를 쓰세요.

nature

Let's go to the beach.

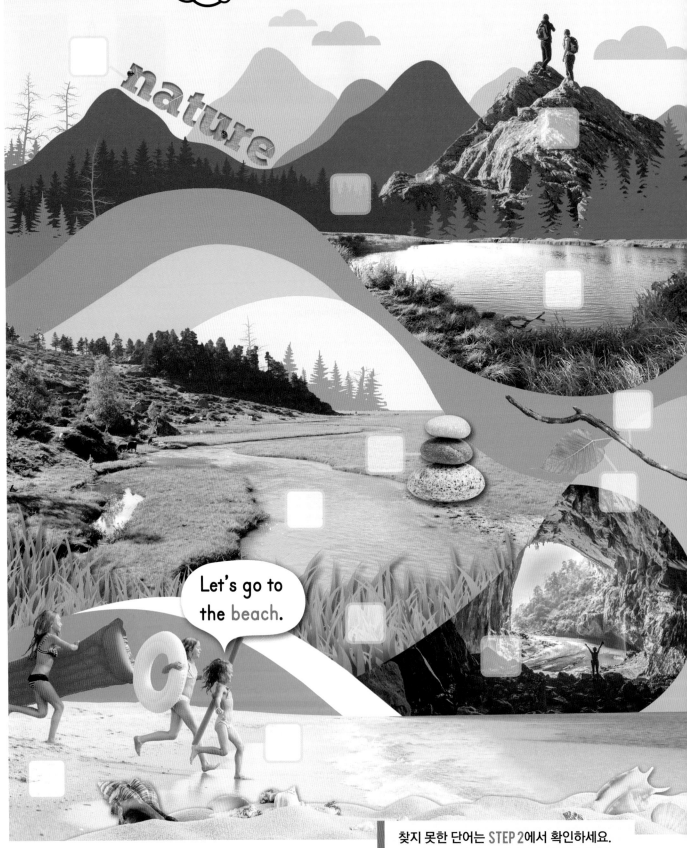

찾지 못한 단어는 STEP 2에서 확인하세요.

STEP 2 오늘의 단어를 확인하고, 따라 말하세요.

nature

nature 자연

lake 호수

river 강

beach 바닷가

leaf 나뭇잎
둘 이상일 때는 leaves

branch 나뭇가지

forest 숲

mountain 산

cave 동굴

stone 돌

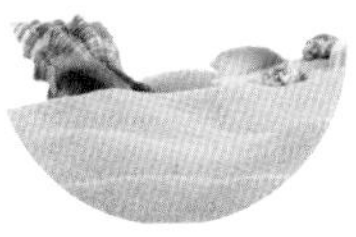

sand 모래

grass 풀

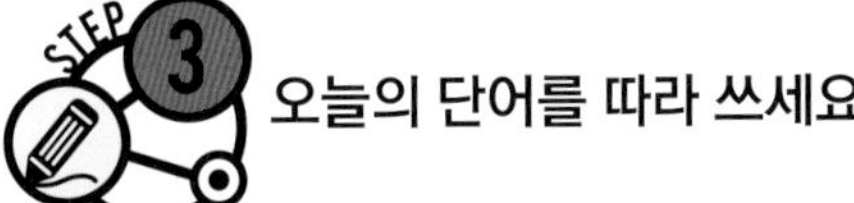

STEP 3 오늘의 단어를 따라 쓰세요.

n ______ l ______

r ______ b ______

l ______ b ______

f ______ m ______

c ______ s ______

s ______ g ______

DAY 03 Test

Ⓐ 그림을 보고, 알맞은 단어를 골라 기호를 쓰세요.

보기 ⓐ sand ⓑ grass ⓒ leaf ⓓ stone

Ⓑ 우리말에 맞게 알맞은 단어를 찾아 쓰세요.

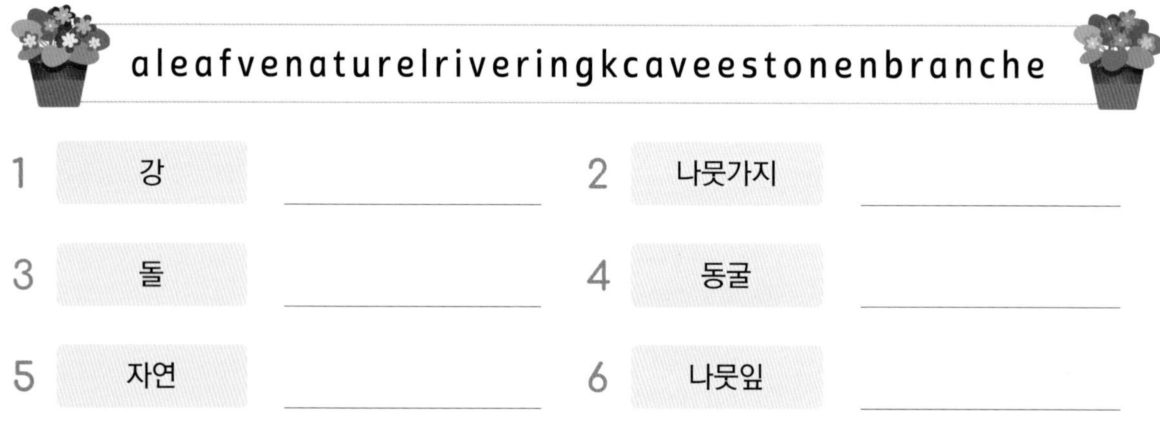

1 강 ________ 2 나뭇가지 ________

3 돌 ________ 4 동굴 ________

5 자연 ________ 6 나뭇잎 ________

Ⓒ 그림을 보고, 빈칸에 알맞은 알파벳을 써서 단어를 완성하세요.

1 □ a □ e

2 fo □ e □ □

3 b □ an □ □

4 r □ □ er

D 그림을 보고, 알맞은 문장에 ✓ 하세요.

1
- [ ] Let's go to the forest. 숲에 가요.
- [ ] Let's go to the beach. 바닷가에 가요.

2
- [ ] Let's go to the mountain. 산에 가요.
- [ ] Let's go to the river. 강에 가요

E 주어진 단어를 바르게 배열하여 문장을 쓰세요.

1 go to | the cave | . | Let's

동굴에 가요.

→ ______________________________

2 Let's | . | together | the lake | go to

함께 호수에 가요.

→ ______________________________

3 the river | Let's | together | go to | .

함께 강에 가요.

→ ______________________________

오늘의 단어를 떠올리며, 오늘의 문장을 두 번씩 읽고 ✓ 하세요.

☑ ☑ Let's go to the beach. 바닷가에 가요.
1 2 Let's go to the forest. 숲에 가요.
1 2 Let's go to the mountain. 산에 가요.
1 2 Let's go to the cave together. 함께 동굴에 가요.

DAY 04

농 장

STEP 1 오늘의 단어를 듣고, 그림에서 찾아 동그라미 하세요.

찾지 못한 단어는 STEP 2에서 확인하세요.

STEP 2 오늘의 단어를 확인하고, 따라 말하세요.

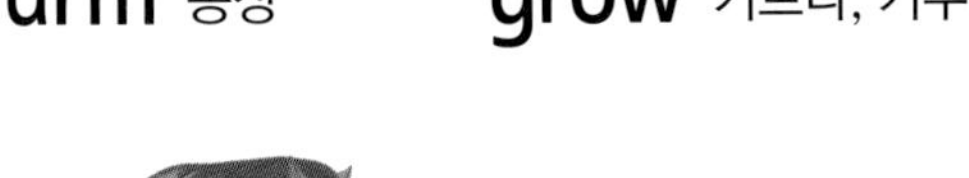

farm 농장

grow 기르다, 키우다

horse 말

duck 오리

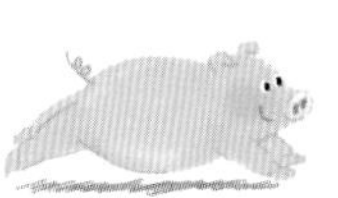

pig 돼지

cow 소

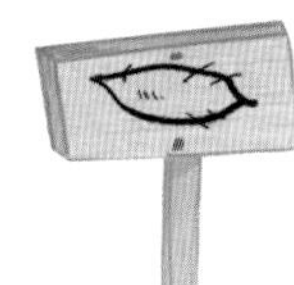

sweet potato 고구마

carrot 당근

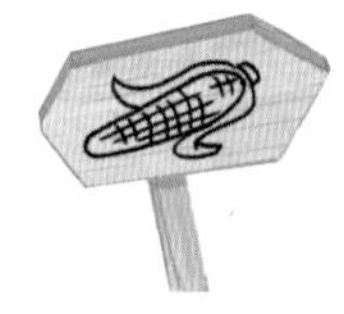

corn 옥수수

fence 울타리

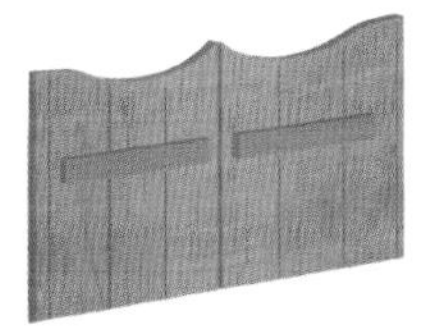

gate 대문, 출입구

roof 지붕

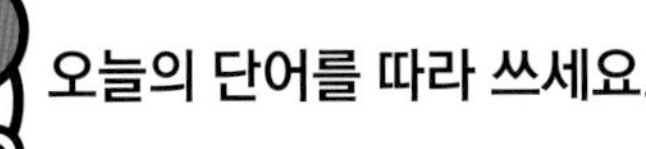

STEP 3 오늘의 단어를 따라 쓰세요.

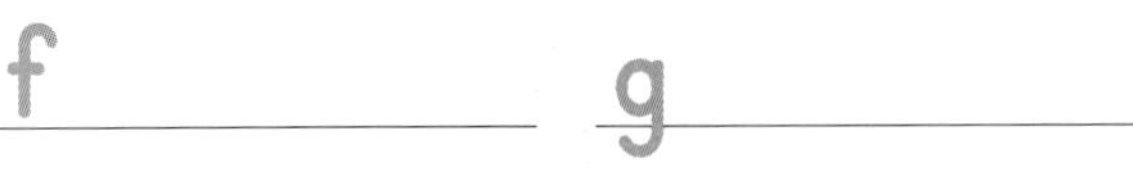

f ______ g ______

h ______ d ______

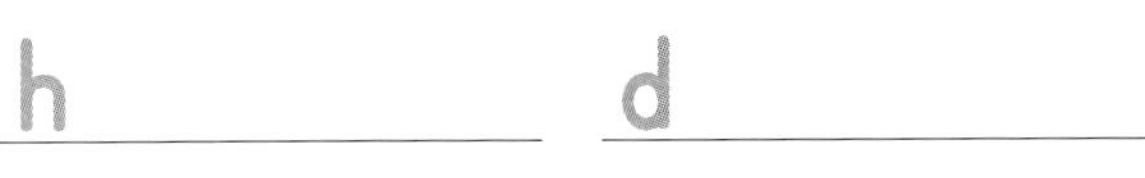

p ______ c ______

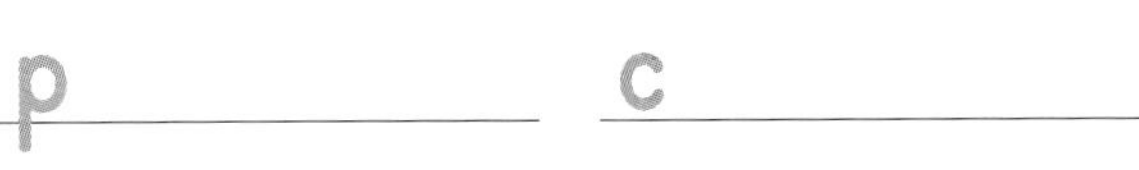

s ______ c ______

c ______ f ______

g ______ r ______

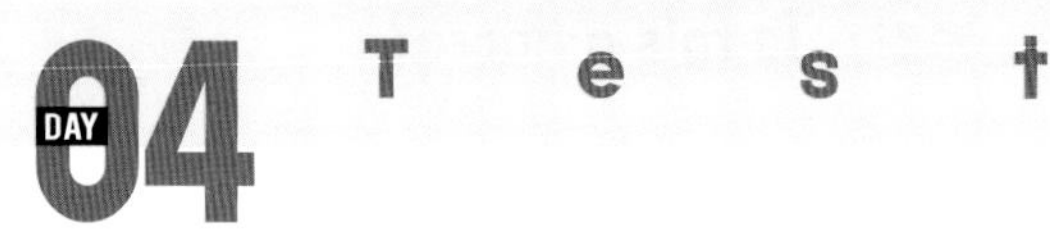

DAY 04 Test

Ⓐ 그림을 보고, 알맞은 단어를 고르세요.

1 roof / gate

2 pig / duck

3 farm / fence

Ⓑ 그림을 보고, 빈칸에 알맞은 알파벳을 써서 단어를 완성하세요.

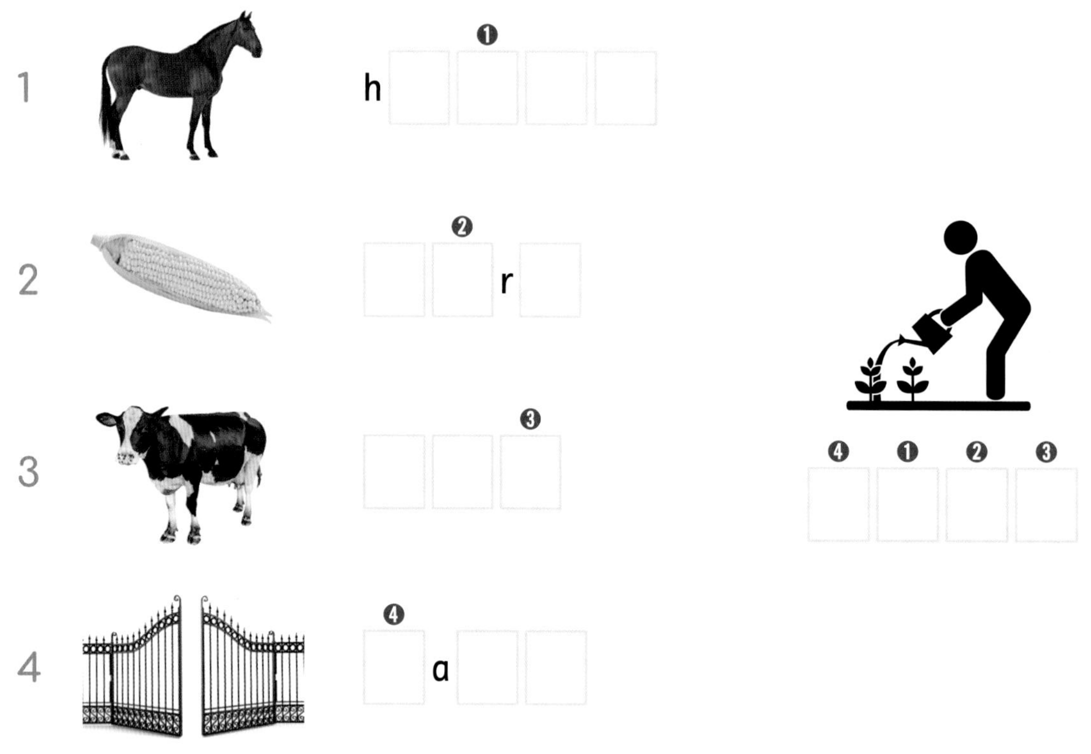

1 h _ ❶_ _ _

2 _ ❷_ r _

3 _ _ ❸_

4 ❹_ a _ _

❹ ❶ ❷ ❸
_ _ _ _

Ⓒ 우리말에 맞게 주어진 알파벳으로 시작하는 단어를 쓰세요.

1 농장 f________

2 당근 c________

3 기르다, 키우다 g________

4 오리 d________

정답 238쪽

D 우리말에 맞게 알맞은 단어를 써서 대화를 완성하세요.

1 이것은 오리인가요? Is this a ____________?

네, 맞아요. Yes, it is.

2 저것은 돼지인가요? Is that a ____________?

아니요. 말이에요. No, it is not. It is a ____________.

어떤 것이 맞는지 아닌지 확인할 때는 Is this/that ~ ?으로 질문해요. 맞으면 Yes, it is. 맞지 않으면 No, it is not이라고 답합니다.

E 그림을 보고, 알맞은 단어를 써서 문장을 완성하세요.

1 Is this a ____________?
이것은 당근인가요?

2 Is this a ____________ ____________?
이것은 고구마인가요?

3 Is that a ____________?
저것은 옥수수인가요?

오늘의 단어를 떠올리며, 오늘의 문장을 두 번씩 읽고 ✓ 하세요.

☑ ☑	Is this a horse?	이것은 말인가요?
1 2	Is this a cow?	이것은 소인가요?
1 2	Is that a fence?	저것은 울타리인가요?
1 2	Is that a sweet potato?	저것은 고구마인가요?

Review Test

A 다음 단어의 우리말 뜻을 쓰세요.

1 corn ____________
2 nature ____________
3 India ____________
4 art ____________
5 carrot ____________
6 lake ____________
7 world ____________
8 Korean ____________
9 pig ____________
10 cave ____________
11 language ____________
12 stone ____________
13 P.E. ____________
14 flag ____________
15 beach ____________
16 farm ____________
17 subject ____________
18 the U.S. ____________
19 grow ____________
20 club ____________
21 nation ____________
22 mountain ____________
23 cow ____________
24 science ____________

B 다음 우리말 뜻에 해당하는 단어를 쓰세요.

1 수학 ____________
2 숲 ____________
3 문화 ____________
4 울타리 ____________
5 한국 ____________
6 수업 ____________
7 ~에 살다 ____________
8 말 ____________
9 사회 ____________
10 나뭇잎 ____________
11 모래 ____________
12 대문, 출입구 ____________
13 프랑스 ____________
14 지붕 ____________
15 풀 ____________
16 영어 ____________
17 나뭇가지 ____________
18 오리 ____________
19 수도 ____________
20 가장 좋아하는 ____________
21 강 ____________
22 고구마 ____________
23 중국 ____________
24 음악 ____________

정답 262쪽

C 우리말에 맞게 알맞은 단어를 찾아 써서 문장을 완성하세요.

보기: Korea / favorite / lake / subject / sweet potato

1 호수에 가요.

Let's go to the ______________.

2 내가 가장 좋아하는 과목은 음악이야.

My ______________ ______________ is music.

3 저것은 고구마인가요?

Is that a ______________ ______________?

4 민호는 한국 출신이야.

Minho is from ______________.

D 주어진 단어를 바르게 배열하여 문장을 쓰세요.

1 Is / horse / a / this / ?

이것은 말인가요?

→ ______________________________

2 Let's / the forest / go to / . / together

함께 숲에 가요.

→ ______________________________

3 the United States / from / They are / .

그들은 미국 출신이야.

→ ______________________________

4 favorite subject / . / My / is / science

내가 가장 좋아하는 과목은 과학이야.

→ ______________________________

DAY 05 물 건 의 주 인

STEP 1 오늘의 단어를 듣고, 숨은 그림을 찾아 동그라미 하세요.

찾지 못한 단어는 STEP 2에서 확인하세요.

STEP 2 오늘의 단어를 확인하고, 따라 말하세요.

key 열쇠

wallet 지갑

cell phone
휴대 전화

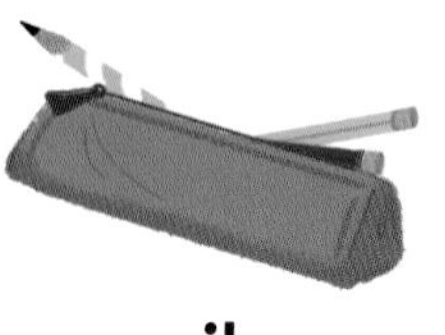

pencil case
필통

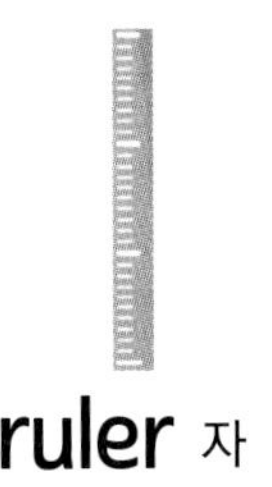

ruler 자

fan 선풍기

umbrella 우산

toothbrush 칫솔

ring 반지

whose 누구의

mine 나의 것

yours 너의 것

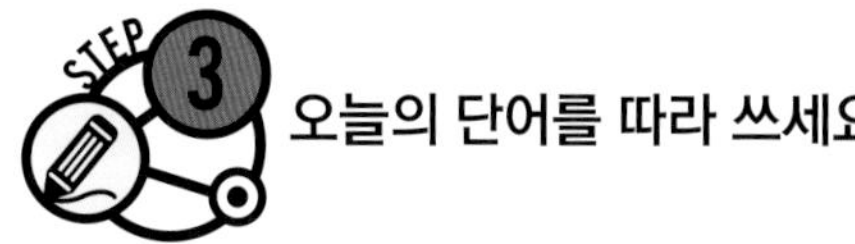

STEP 3 오늘의 단어를 따라 쓰세요.

k ________ w ________

c ________ p ________

r ________ f ________

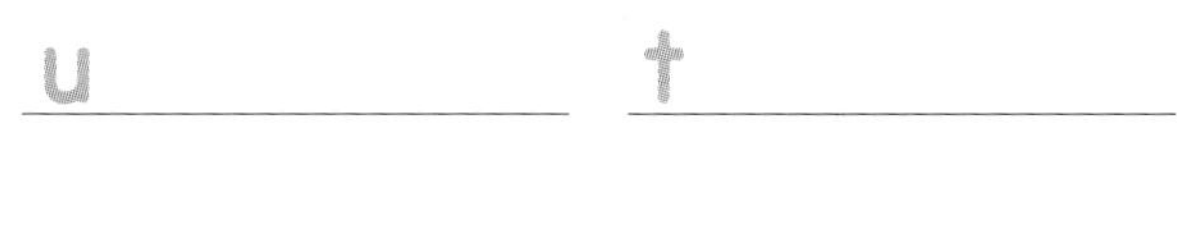

u ________ t ________

r ________ w ________

m ________ y ________

DAY 05 Test

A 그림을 보고, 알맞은 단어에 ✓ 하세요.

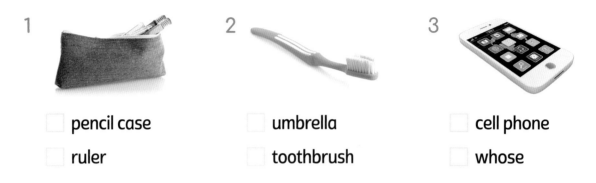

1
- ☐ pencil case
- ☐ ruler

2
- ☐ umbrella
- ☐ toothbrush

3
- ☐ cell phone
- ☐ whose

B 그림을 보고, 알맞은 단어를 찾아 쓰세요.

1 ____________

2 ____________

3 ____________

4 ____________

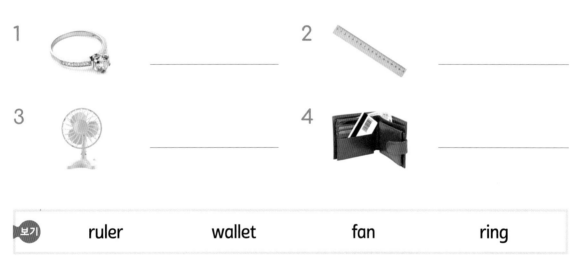

보기	ruler	wallet	fan	ring

C 우리말에 맞게 빈칸에 알맞은 단어를 쓰세요.

1 who 누구 → ______ 누구의

2 my 나의 → ______ 나의 것

3 your 너의 → ______ 너의 것

정답 239쪽

D 그림을 보고, 알맞은 문장과 연결하세요.

1 

2 

3 

Whose key is this?	Whose ring is this?	It is mine.
이것은 누구의 열쇠일까?	이것은 누구의 반지일까?	그건 내 거야.

E 우리말에 맞게 알맞은 단어를 써서 문장을 완성하세요.

1 이것은 누구의 우산일까?

Whose ______________ is this?

2 저것은 누구의 지갑일까?

Whose ______________ is that?

3 그건 네 거야.

It is ______________.

누구의 물건인지 물을 때는 「Whose+물건+is this/that?」으로 말해요. 대답은 It is 뒤에 mine, yours 등을 넣어 말할 수 있어요.

 오늘의 단어를 떠올리며, 오늘의 문장을 두 번씩 읽고 ✓ 하세요.

- ☑ ☑ Whose key is this? 이것은 누구의 열쇠일까?
- 1 2 Whose toothbrush is this? 이것은 누구의 칫솔일까?
- 1 2 Whose cell phone is that? 저것은 누구의 휴대 전화일까?
- 1 2 It is mine. 그건 내 거야.

DAY 06

순 서

오늘의 단어를 듣고, 그림에서 찾아 동그라미 하세요.

I am the first!

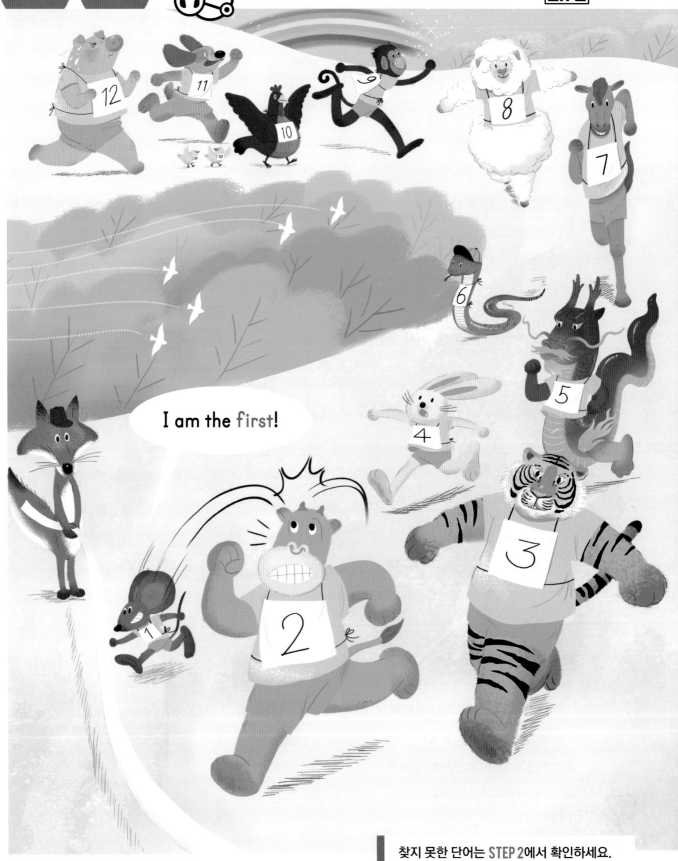

찾지 못한 단어는 STEP 2에서 확인하세요.

STEP 2 오늘의 단어를 확인하고, 따라 말하세요.

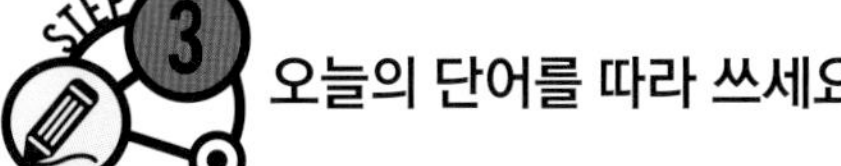

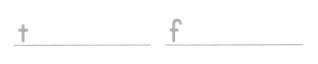

STEP 3 오늘의 단어를 따라 쓰세요.

first 첫 번째 (1st)

second 두 번째 (2nd)

third 세 번째 (3rd)

fourth 네 번째 (4th)

fifth 다섯 번째 (5th)

sixth 여섯 번째 (6th)

seventh
일곱 번째 (7th)

eighth
여덟 번째 (8th)

ninth
아홉 번째 (9th)

tenth
열 번째 (10th)

eleventh
열한 번째 (11th)

twelfth
열두 번째 (12th)

f ____ s ____

t ____ f ____

f ____ s ____

s ____ e ____

n ____ t ____

e ____ t ____

Ⓐ 그림을 보고, 알맞은 단어를 고르세요.

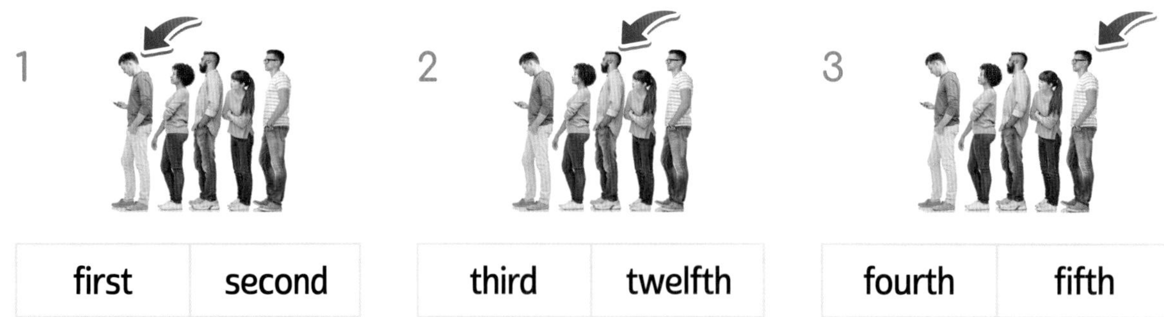

1		2		3	
first	second	third	twelfth	fourth	fifth

Ⓑ 그림을 보고, 알맞은 단어와 우리말 뜻을 연결하세요.

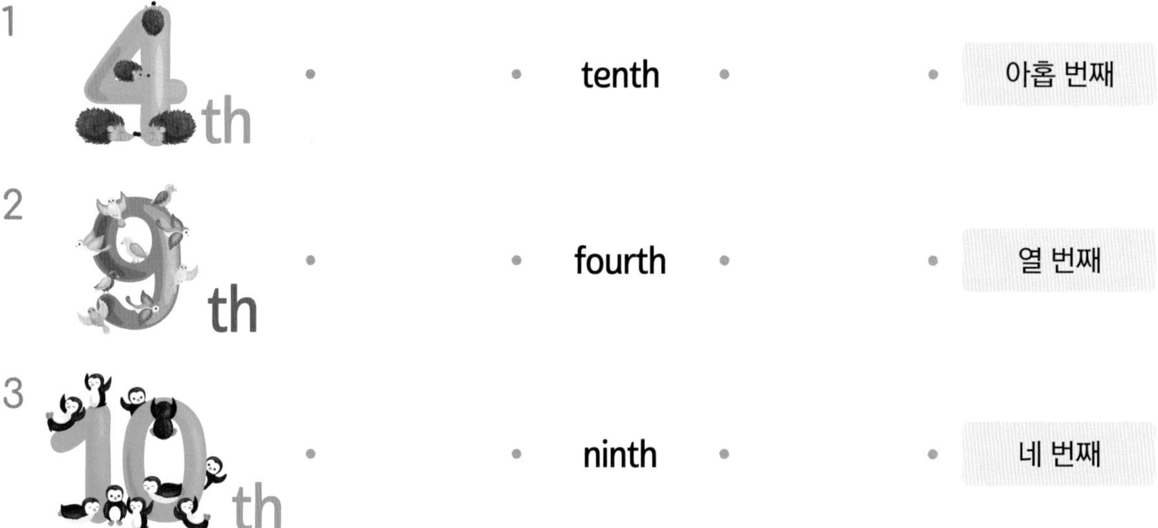

1 4th	tenth	아홉 번째
2 9th	fourth	열 번째
3 10th	ninth	네 번째

Ⓒ 그림을 보고, 알맞은 단어를 찾아 쓰세요.

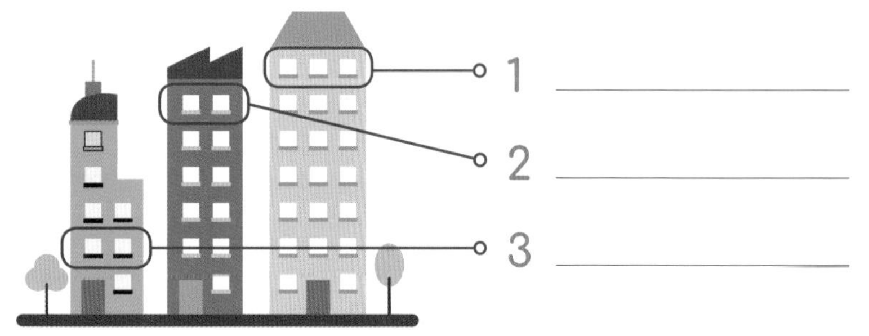

1 ____________

2 ____________

3 ____________

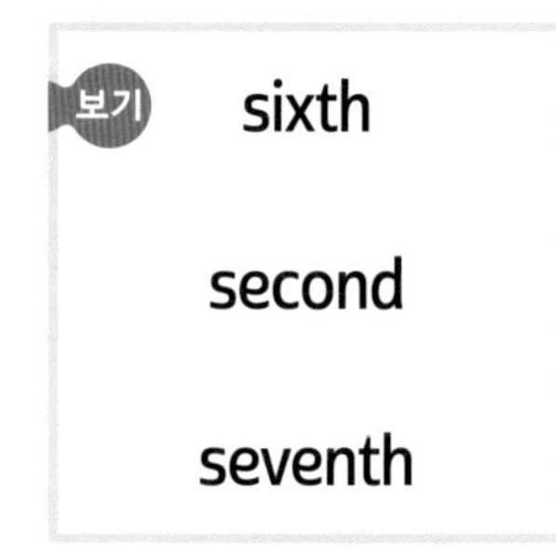

보기 sixth second seventh

D 우리말에 맞게 빈칸에 알맞은 알파벳을 써서 단어를 완성하세요.

1 여섯 번째 ❶ □□□ th

2 여덟 번째 ❷ □□ ght □

3 아홉 번째 n □ ❸ □□ h

4 열한 번째 ele ❹ □□ n □□

5 열두 번째 □□ ❺ □□□ th

❶ ❷ ❹ ❺ ❸ □□□□□ th

E 우리말에 맞게 알맞은 단어를 써서 문장을 완성하세요.

1 나는 첫 번째야.

I am the ______________.

2 나는 두 번째야.

I am the ______________.

3 나는 세 번째야.

I am ______________ ______________.

순서를 말할 때 쓰는 숫자를 서수라고 부릅니다. 서수를 문장에서 쓸 때는 서수 앞에 the가 붙습니다.

 오늘의 단어를 떠올리며, 오늘의 문장을 두 번씩 읽고 ✓ 하세요.

☑ ☑ I am the first! 나는 첫 번째야!

1 2 He is the fifth! 그는 다섯 번째야!

1 2 She is the eleventh! 그녀는 열한 번째야!

DAY 07 요 청 하 기

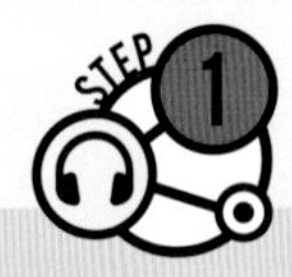

오늘의 단어를 듣고, 길을 따라가세요.

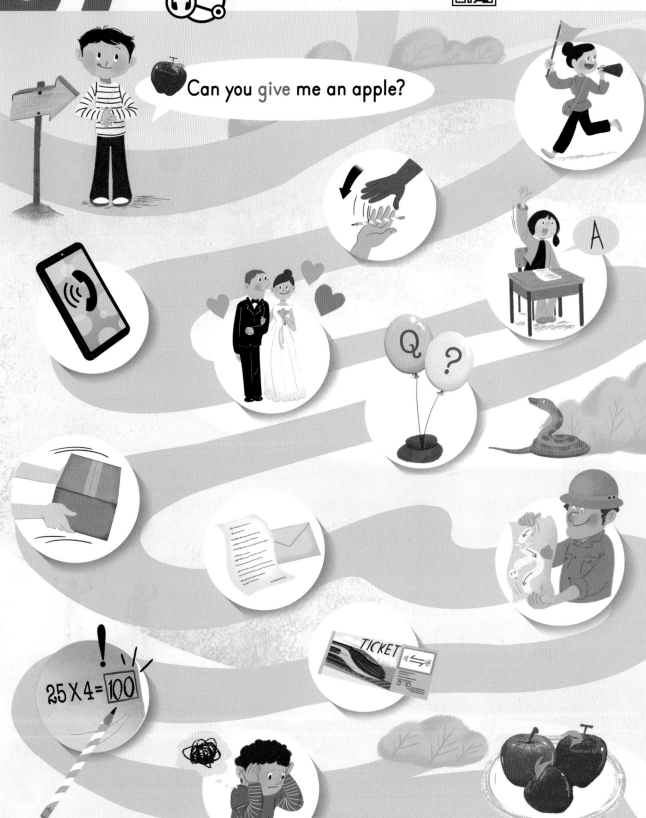

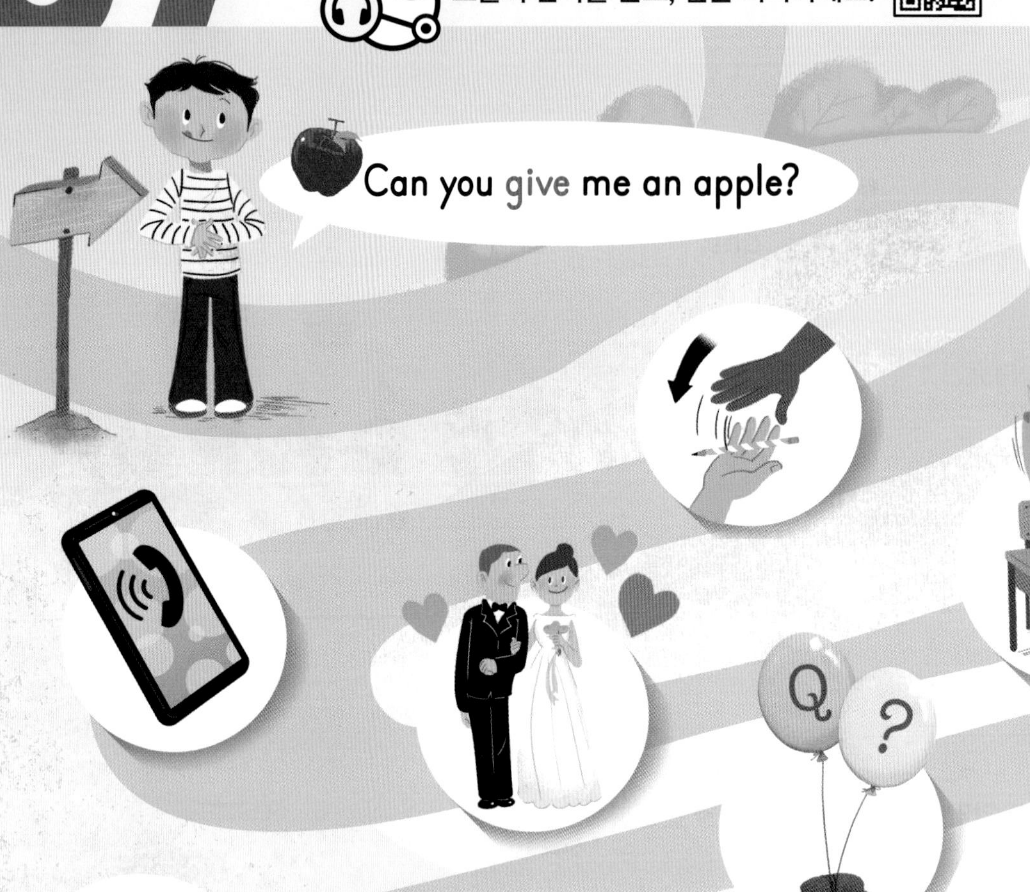

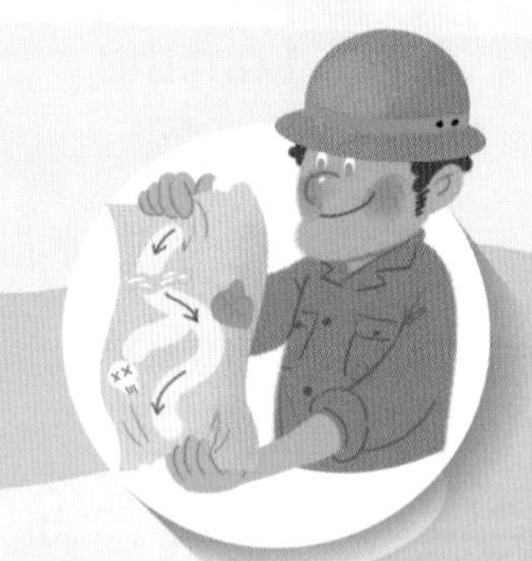

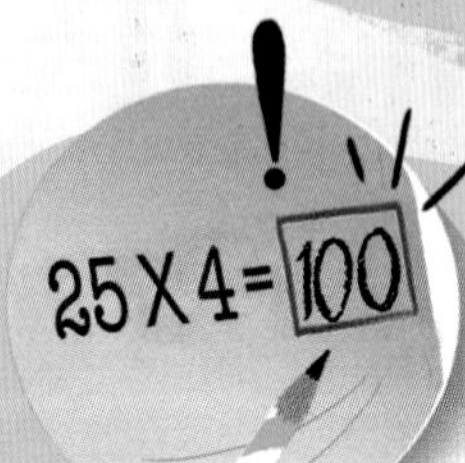

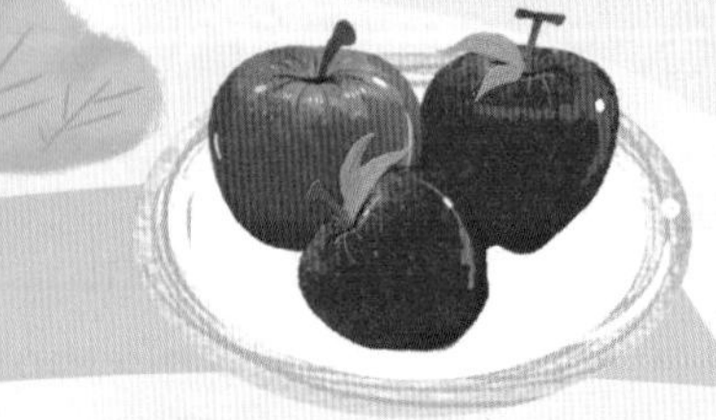

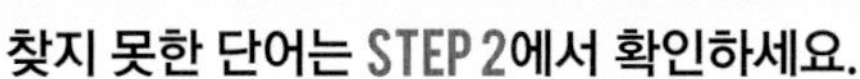

찾지 못한 단어는 STEP 2에서 확인하세요.

STEP 2 오늘의 단어를 확인하고, 따라 말하세요.

call 전화하다

give 주다

guide 안내하다

marry 결혼하다

send 보내다

show 보여 주다

solve 해결하다, 풀다

problem 문제

answer 대답하다

question 질문

letter 편지

ticket 티켓, 표

STEP 3 오늘의 단어를 따라 쓰세요.

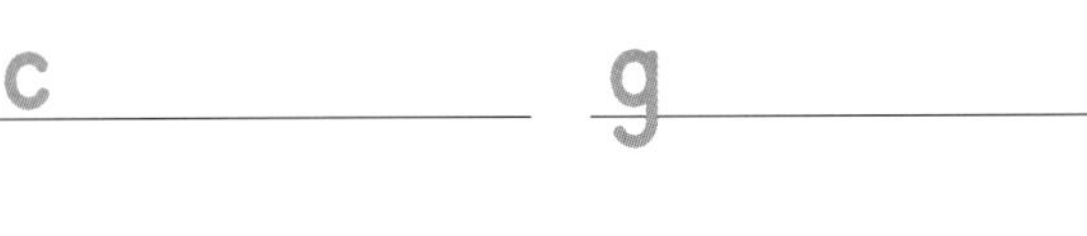

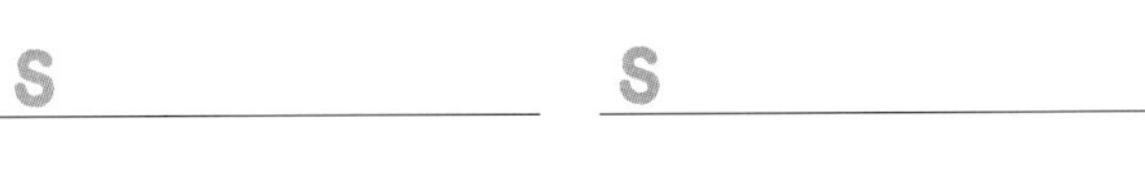

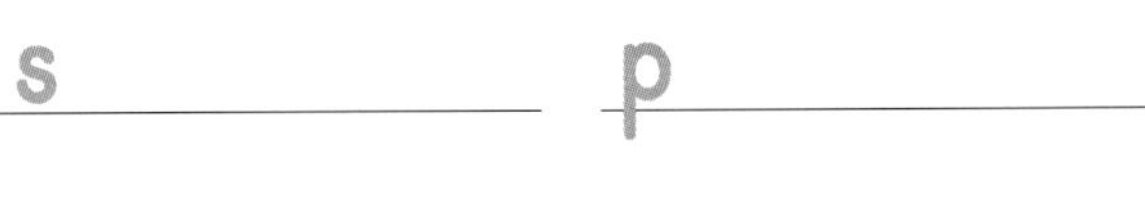

a ______ q ______

l ______ t ______

DAY 07 Test

Ⓐ 그림을 보고, 알맞은 단어를 고르세요.

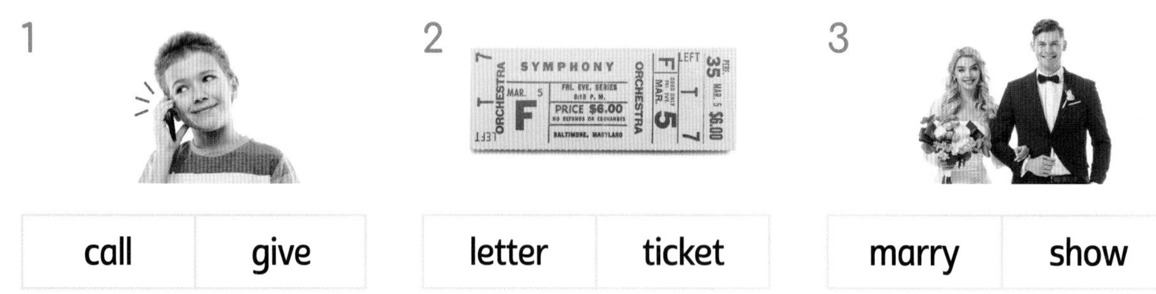

1 call / give

2 letter / ticket

3 marry / show

Ⓑ 우리말에 맞게 알파벳을 바르게 배열하여 단어를 쓰세요.

1 전화하다 lcal

2 해결하다, 풀다 sloev

3 질문 qeutisno

4 문제 melpbro

5 안내하다 deiug

Ⓒ 그림을 보고, 알맞은 단어를 찾아 쓰세요.

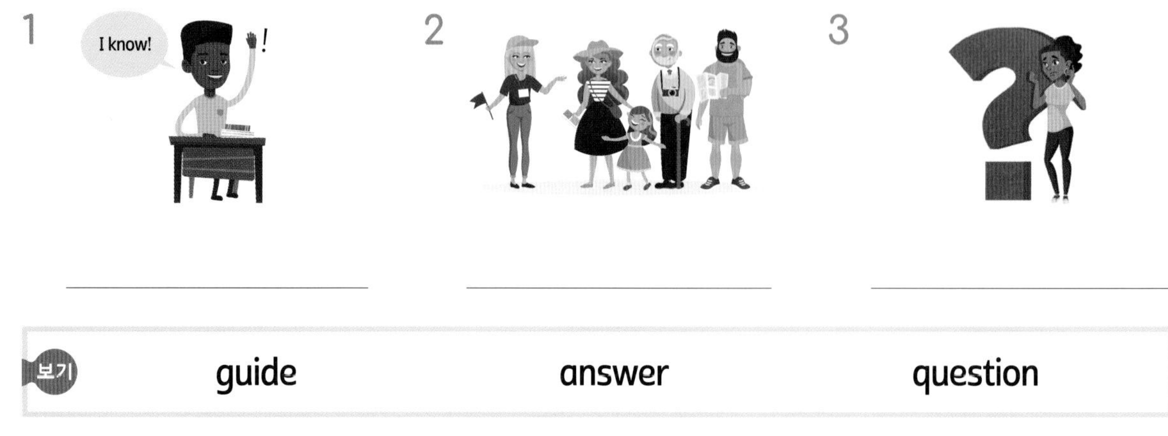

1

2

3

보기 guide answer question

정답 240쪽

Ⓓ 우리말에 맞게 알맞은 단어를 골라 문장을 완성하세요.

can은 능력을 나타낼 때 자주 쓰이는 말이지만, Can you ~?는 상대에게 어떤 것을 요청하는 말로도 쓰여요.

1 제게 그림을 보여 주시겠어요?

Can you (show / send) me a picture?

2 제게 쿠키를 좀 주시겠어요?

Can you (give / guide) me some cookies?

Ⓔ 주어진 단어를 바르게 배열하여 문장을 쓰세요.

1 | show | Can you | me | your ticket | ? |

제게 당신의 티켓을 보여 주시겠어요?

→ ______________________________

2 | me | a letter | Can you | ? | send |

제게 편지를 보내 주시겠어요?

→ ______________________________

3 | Can you | an apple | ? | me | give |

제게 사과를 주시겠어요?

→ ______________________________

오늘의 단어를 떠올리며, 오늘의 문장을 두 번씩 읽고 ✓ 하세요.

☑ ☑ Can you give me an apple? 제게 사과를 주시겠어요?

1 2 Can you send me a letter? 제게 편지를 보내 주시겠어요?

1 2 Can you show me your ticket? 제게 당신의 티켓을 보여 주시겠어요?

DAY **08** 직 업

STEP 1 오늘의 단어를 듣고, 그림에서 찾아 동그라미 하세요.

He is a hair designer.
He cuts my hair.

찾지 못한 단어는 STEP 2에서 확인하세요.

오늘의 문장 He is a hair designer.
He cuts my hair.

STEP 2 오늘의 단어를 확인하고, 따라 말하세요.

STEP 3 오늘의 단어를 따라 쓰세요.

cook
요리사, 요리하다

dentist
치과의사

c

d

doctor 의사

nurse 간호사

d

n

police officer
경찰관

firefighter
소방관

p

f

engineer
엔지니어, 기술자

hair designer
미용사

e

h

fire 불

cut 자르다

f

c

food 음식

people 사람들

f

p

DAY 08 Test

Ⓐ 그림을 보고, 알맞은 단어에 ✓ 하세요.

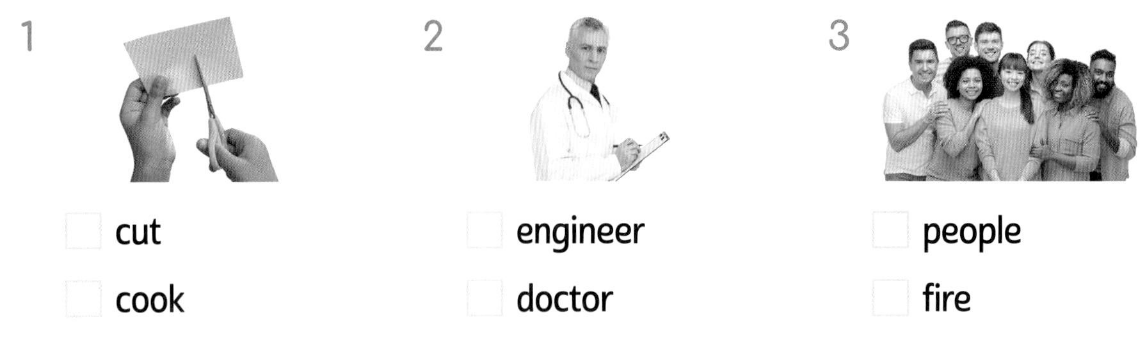

1
- ☐ cut
- ☐ cook

2
- ☐ engineer
- ☐ doctor

3
- ☐ people
- ☐ fire

Ⓑ 그림을 보고, 주어진 알파벳으로 시작하는 단어를 쓰세요.

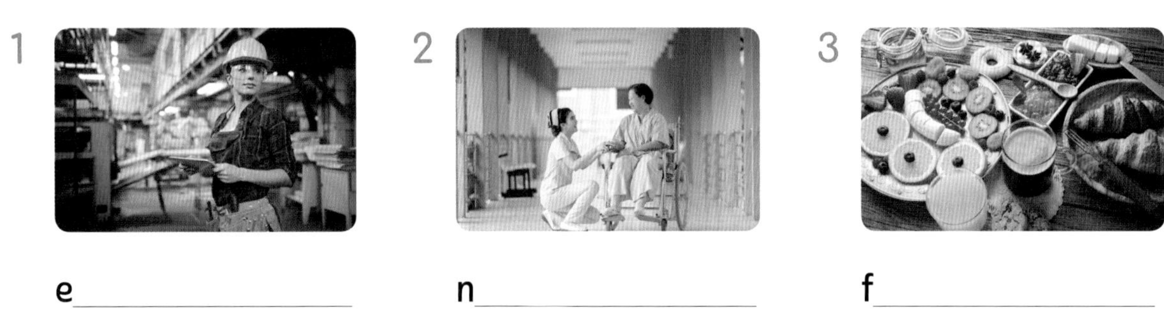

1 e__________

2 n__________

3 f__________

Ⓒ 우리말에 맞게 빈칸에 알맞은 알파벳을 써서 단어를 완성하세요.

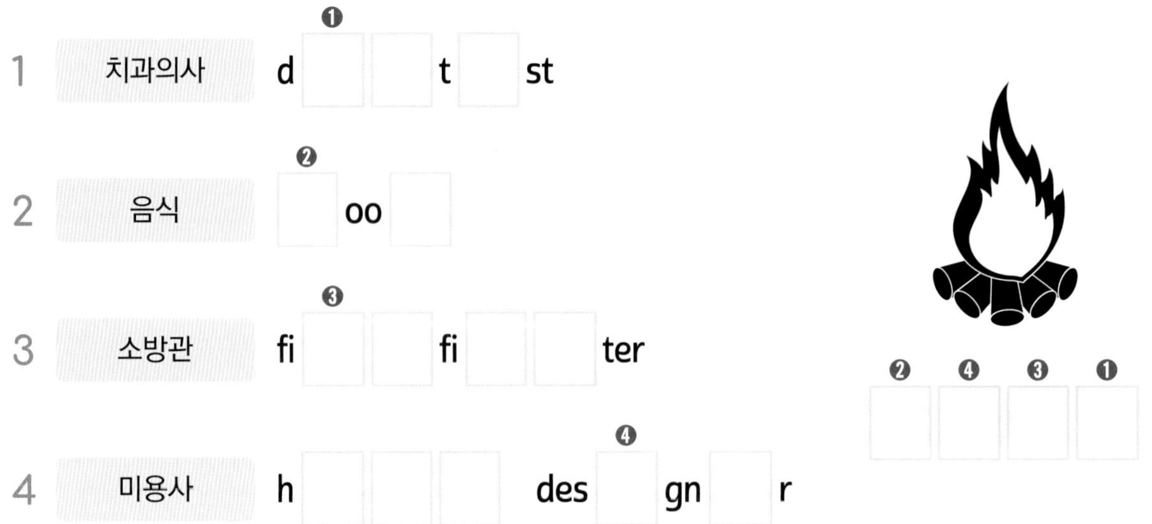

1 치과의사 d ❶☐ ☐ t ☐ st

2 음식 ❷☐ oo ☐

3 소방관 fi ❸☐ ☐ fi ☐ ☐ ter

4 미용사 h ☐ ☐ ☐ des ❹☐ gn ☐ r

❷ ❹ ❸ ❶
☐ ☐ ☐ ☐

정답 240쪽

D 각 직업과 그 직업을 설명하는 말을 연결하세요.

1 cook • • help people

2 police officer • • cut my hair

3 hair designer • • cook delicious food

E 그림을 보고, 알맞은 단어를 써서 문장을 완성하세요.

1

He is a ______________. 그는 요리사야.

He cooks delicious ______________. 그는 맛있는 음식을 요리해.

2

She is a ______________ ______________. 그녀는 미용사야.

She ______________ my hair. 그녀는 내 머리카락을 잘라.

3

She is a ______________ ______________. 그녀는 경찰관이야.

She helps ______________. 그녀는 사람들을 도와.

오늘의 단어를 떠올리며, 오늘의 문장을 두 번씩 읽고 ✓ 하세요.

- ☑ ☑ He is a hair designer. 그는 미용사야.
- 1 2 He cuts my hair. 그는 내 머리카락을 잘라.
- 1 2 She is a police officer. 그녀는 경찰관이야.
- 1 2 She helps people. 그녀는 사람들을 도와.

Review Test

A 다음 단어의 우리말 뜻을 쓰세요.

1 wallet ____________
2 fifth ____________
3 guide ____________
4 fan ____________
5 food ____________
6 second ____________
7 give ____________
8 nurse ____________
9 engineer ____________
10 tenth ____________
11 pencil case ____________
12 marry ____________
13 first ____________
14 show ____________
15 whose ____________
16 call ____________
17 firefighter ____________
18 key ____________
19 twelfth ____________
20 cut ____________
21 cook ____________
22 seventh ____________
23 ring ____________
24 problem ____________

B 다음 우리말 뜻에 해당하는 단어를 쓰세요.

1 불 ____________
2 너의 것 ____________
3 아홉 번째 ____________
4 사람들 ____________
5 편지 ____________
6 휴대 전화 ____________
7 여섯 번째 ____________
8 우산 ____________
9 경찰관 ____________
10 해결하다, 풀다 ____________
11 질문 ____________
12 네 번째 ____________
13 티켓, 표 ____________
14 미용사 ____________
15 여덟 번째 ____________
16 세 번째 ____________
17 대답하다 ____________
18 칫솔 ____________
19 치과의사 ____________
20 보내다 ____________
21 자 ____________
22 열한 번째 ____________
23 의사 ____________
24 나의 것 ____________

정답 262쪽

C 우리말에 맞게 알맞은 단어를 찾아 써서 문장을 완성하세요.

보기: ring / send / cooks / fourth / food / Whose / letter

1 나는 네 번째야.
I am the ____________.

2 그녀는 맛있는 음식을 요리해.
She ____________ delicious ____________.

3 저것은 누구의 반지인가요?
____________ ____________ is that?

4 제게 편지를 보내 주시겠어요?
Can you ____________ me a ____________?

D 주어진 단어를 바르게 배열하여 문장을 쓰세요.

1 a / . / He is / designer / hair
그는 미용사야.
→ ____________________

2 show / me / Can you / your ticket / ?
제게 당신의 티켓을 보여 주시겠어요?
→ ____________________

3 second / She / is / the / .
그녀는 두 번째야.
→ ____________________

4 Whose / is / ? / umbrella / this
이것은 누구의 우산인가요?
→ ____________________

DAY 09 물건 사기

STEP 1 오늘의 단어를 듣고, 그림에서 찾아 번호를 쓰세요.

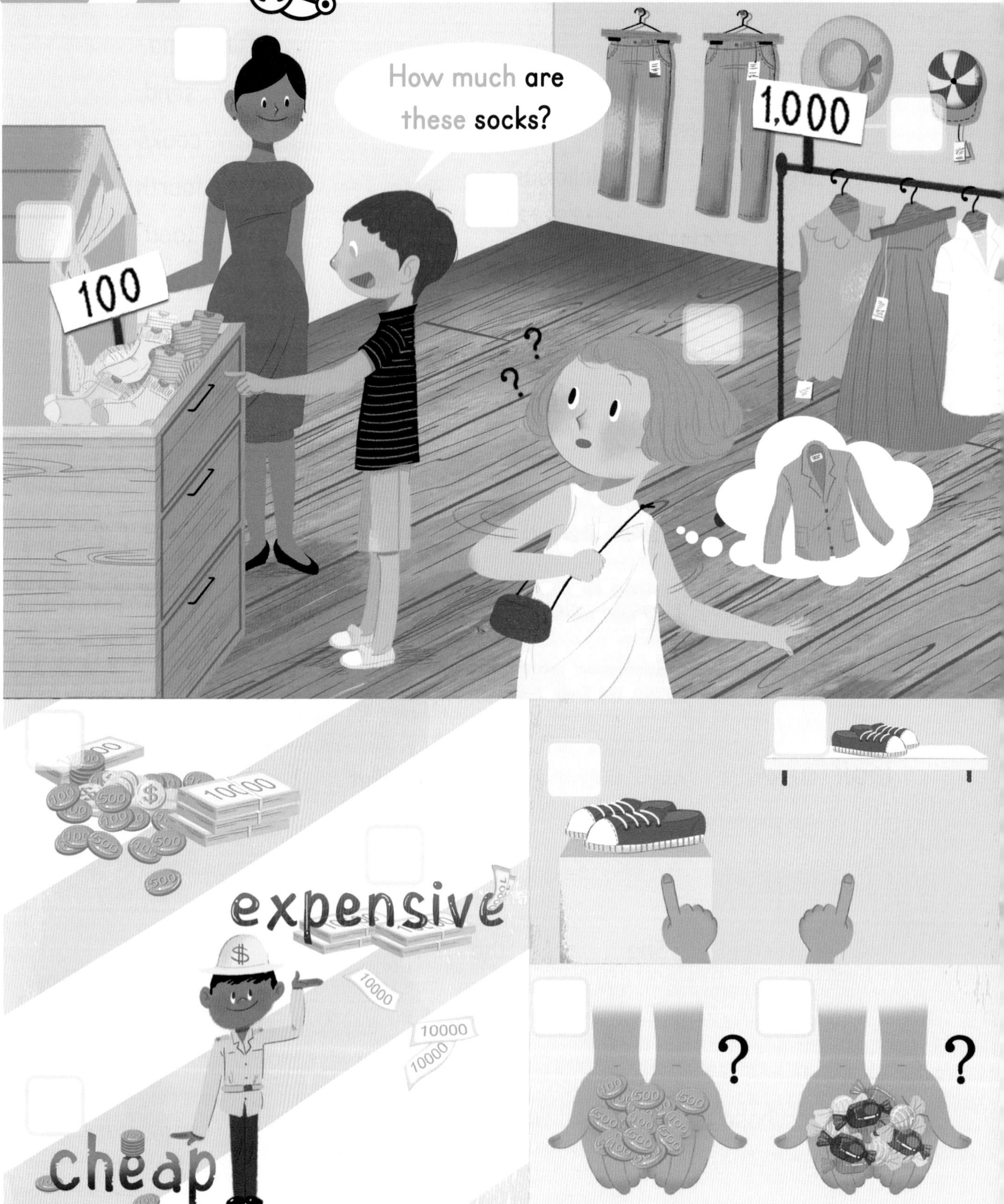

How much are these socks?

100

1,000

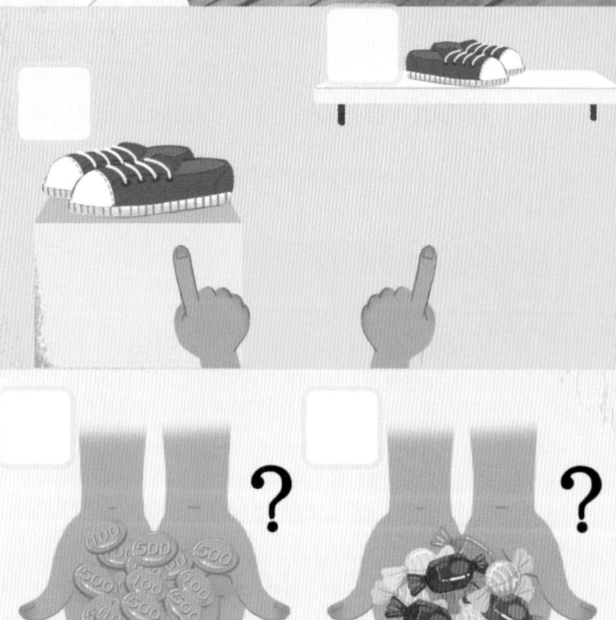

찾지 못한 단어는 STEP 2에서 확인하세요.

STEP 2 오늘의 단어를 확인하고, 따라 말하세요.

how much (양, 가격이) 얼마

how many 몇 개

these 이것들(의)

those 저것들(의)

clerk 점원, 직원

customer 손님, 고객

look for 찾다

money 돈

cheap (가격이) 싼

expensive (가격이) 비싼

hundred 백, 100

thousand 천, 1,000

STEP 3 오늘의 단어를 따라 쓰세요.

h ______ h ______

t ______ t ______

c ______ c ______

l ______ m ______

c ______ e ______

h ______ t ______

Ⓐ 그림을 보고, 알맞은 단어를 골라 기호를 쓰세요.

보기
ⓐ clerk
ⓑ look for
ⓒ customer

Ⓑ 각 단어의 우리말 뜻을 쓰고, 짝을 이루는 단어끼리 연결하세요.

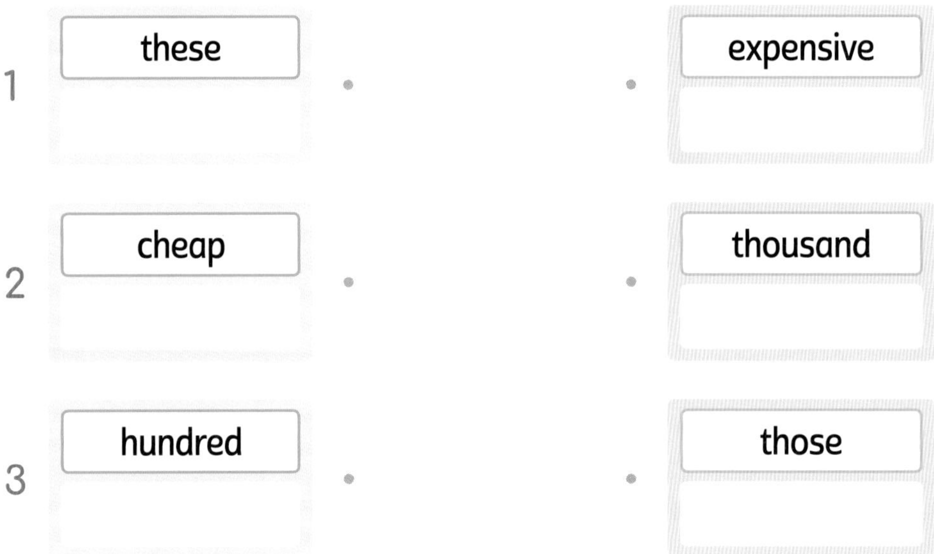

Ⓒ 우리말에 맞게 주어진 알파벳으로 시작하는 단어를 쓰세요.

1 돈 m________

2 몇 개 h________ m________

3 (양, 가격이) 얼마 h________ m________

정답 241쪽

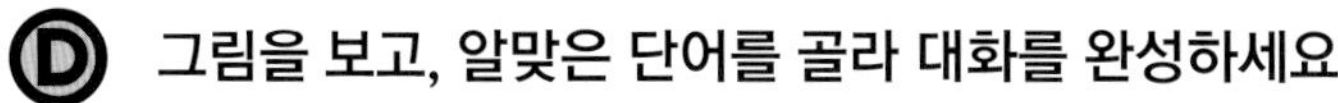

D 그림을 보고, 알맞은 단어를 골라 대화를 완성하세요.

1

A: How much are (these / those) shoes?
이 신발은 얼마인가요?

B: They are seven (hundred / thousand) won.
7,000원이에요.

2

A: They are nine (hundred / thousand) won.
900원이에요.

B: They are (expensive / cheap)!
가격이 싸네요!

물건의 가격을 물을 때, 물건이 하나일 때는 How much is this/that ~?으로, 여러 개이거나 짝을 이룰 때는 How much are these/those ~?로 말해요.

E 우리말에 맞게 알맞은 단어를 써서 문장을 완성하세요.

1 이 청바지는 얼마인가요?

_______ _______ are these jeans?

2 가격이 비싸네요!

They are _______!

3 저 신발은 얼마인가요?

How much are _______ shoes?

오늘의 단어를 떠올리며, 오늘의 문장을 두 번씩 읽고 ✓ 하세요.

- ☑☑ A: How much are these socks? 이 양말은 얼마인가요?
- 1 2 B: They are six hundred won. 600원이에요.
- 1 2 A: How much are those pants? 저 바지는 얼마인가요?
- 1 2 B: They are eight thousand won. 8,000원이에요.

외 모

오늘의 단어를 듣고, 그림에서 찾아 동그라미 하세요.

She has curly hair.

찾지 못한 단어는 STEP 2에서 확인하세요.

STEP 2 오늘의 단어를 확인하고, 따라 말하세요.

handsome
멋진, 잘생긴

beautiful
아름다운

curly 곱슬곱슬한

blond 금발의

straight
곧은, 똑바른

ponytail 포니테일
긴 머리를 뒷머리 위쪽에서 하나로 묶은 머리 형태

slim 날씬한

fat 뚱뚱한

tall 키가 큰

ugly 못생긴

height 키

weight 몸무게

STEP 3 오늘의 단어를 따라 쓰세요.

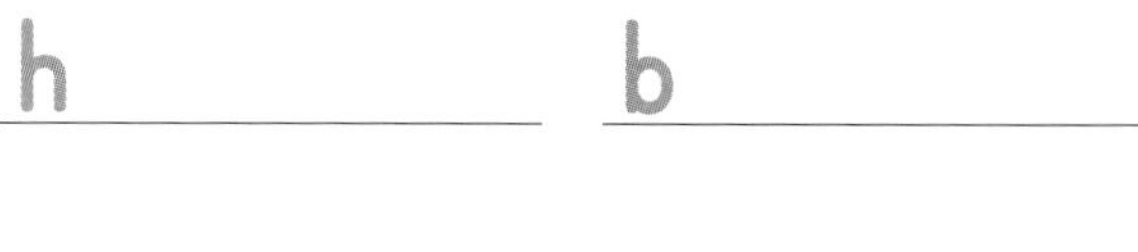

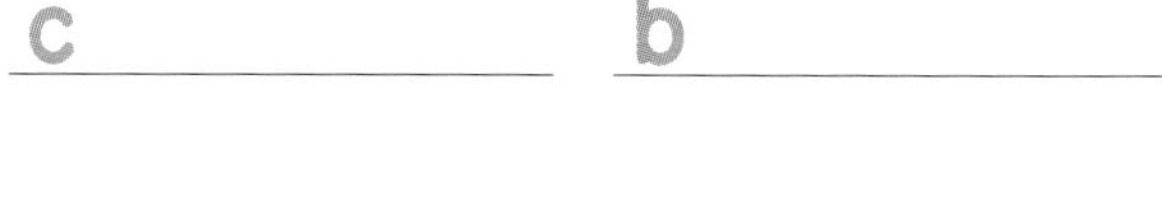

s ____ p ____

s ____ f ____

t ____ u ____

h ____ w ____

DAY 10 Test

Ⓐ 그림을 보고, 알맞은 단어를 고르세요.

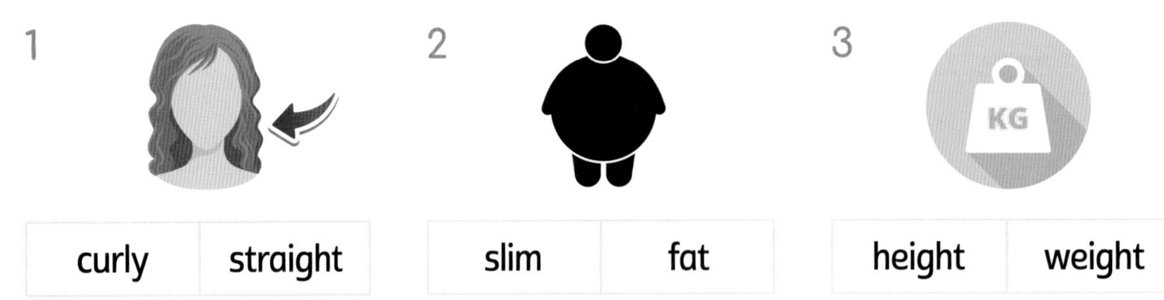

1 curly / straight	2 slim / fat	3 height / weight

Ⓑ 그림을 보고, 알맞은 단어를 찾아 쓰세요.

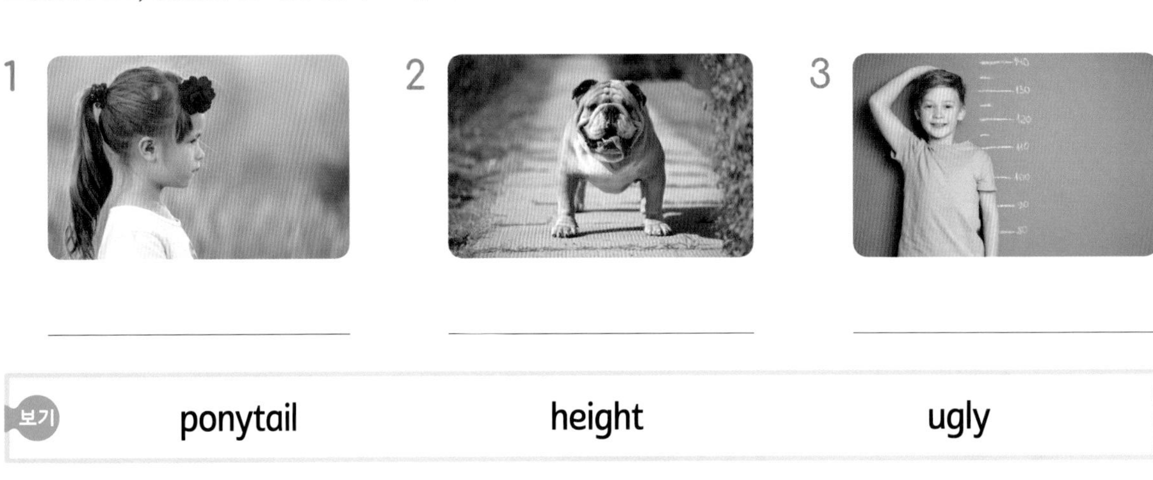

1 ______________ 2 ______________ 3 ______________

보기: ponytail　height　ugly

Ⓒ 우리말에 맞게 알파벳을 바르게 배열하여 단어를 쓰세요.

1 아름다운 eabuftiul ______________

2 키가 큰 latl ______________

3 멋진, 잘생긴 mansdohe ______________

4 곧은, 똑바른 aigstrht ______________

정답 241쪽

D 그림을 보고, 알맞은 단어를 골라 문장을 완성하세요.

What does she look like? 그녀는 어떻게 생겼니?

1 She is tall and (fat / slim).
그녀는 키가 크고 날씬해요.

2 She has long (curly / straight) hair.
그녀는 긴 곱슬머리를 가지고 있어요.

다른 사람의 외모를 묻는 말은 What does he/she look like?이에요. 답할 때는 외모를 표현하는 다양한 말을 사용해요.

E 우리말에 맞게 알맞은 단어를 찾아 써서 문장을 완성하세요.

1 그는 키가 크고 멋있어요.
He is ____________ and ____________.

2 그녀는 포니테일 머리를 하고 있어요.
She has a ____________.

3 그는 짧은 금발 머리를 가지고 있어요.
He has short ____________ hair.

보기	tall	ponytail	blond	handsome

오늘의 단어를 떠올리며, 오늘의 문장을 두 번씩 읽고 ✓ 하세요.

☑☑ Mina is beautiful. 미나는 아름다워요.
1 2 She has curly hair. 그녀는 곱슬머리를 가지고 있어요.
1 2 Henry is tall and handsome. 헨리는 키가 크고 멋있어요.
1 2 He has straight blond hair. 그는 금발의 생머리를 가지고 있어요.

DAY 11 우리 가족

STEP 1 오늘의 단어를 듣고, 그림에서 찾아 번호를 쓰세요.

나

Aunt Jane is Dad's sister.

FAMILY

찾지 못한 단어는 STEP 2에서 확인하세요.

STEP 2 오늘의 단어를 확인하고, 따라 말하세요.

family 가족

birth 탄생

grandparent (외)조부모

parent 부모

husband 남편

wife 아내

daughter 딸

son 아들

aunt 고모, 이모

uncle (외)삼촌

cousin (외)사촌

care 돌보다

STEP 3 오늘의 단어를 따라 쓰세요.

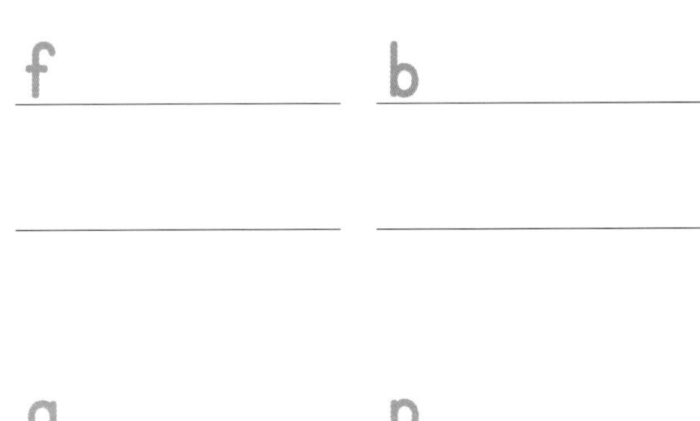

f ______ b ______

g ______ p ______

h ______ w ______

d ______ s ______

a ______ u ______

c ______ c ______

DAY 11 Test

A 그림을 보고, 민호와의 관계를 나타내는 단어를 골라 기호를 쓰세요.

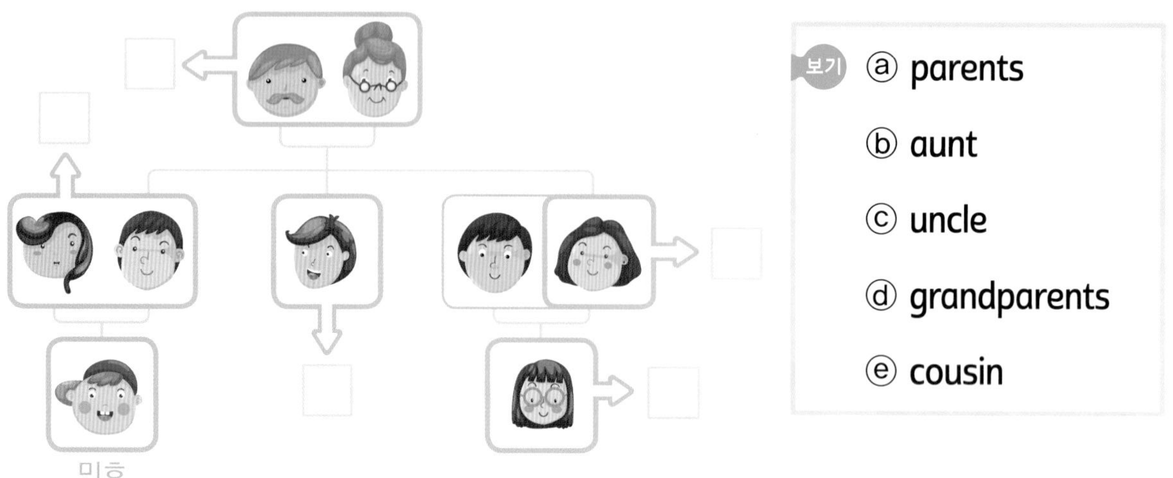

민호
보기
ⓐ parents
ⓑ aunt
ⓒ uncle
ⓓ grandparents
ⓔ cousin

B 그림을 보고, 빈칸에 알맞은 단어를 찾아 쓰세요.

보기 son husband daughter wife

C 우리말에 맞게 알파벳을 바르게 배열하여 단어를 쓰세요.

1 돌보다 acer ______

2 탄생 bthir ______

3 가족 amfily ______

정답 242쪽

D 우리말에 맞게 빈칸에 알맞은 단어를 쓰세요.

1 엄마의 여동생 이모
Mom's sister → ______

2 아빠의 남동생 삼촌
Dad's brother → ______

3 삼촌의 아들 사촌
uncle's ______ → cousin

4 이모의 딸 외사촌
aunt's ______ → cousin

사람이나 동물을 소유격으로 사용할 때는 사람이나 동물 뒤에 's를 붙이고 '~의'라고 해석해요.

E 우리말에 맞게 알맞은 단어를 찾아 써서 문장을 완성하세요.

1 외조부모님은 엄마의 부모님입니다.
Grandparents are Mom's ______.

2 딘 외삼촌은 엄마의 남동생입니다.
______ Dean is Mom's brother.

3 사촌 앤지는 딘 외삼촌의 딸입니다.
______ Angie is Uncle Dean's ______.

보기	Uncle	daughter	parents	Cousin

오늘의 단어를 떠올리며, 오늘의 문장을 두 번씩 읽고 ✓ 하세요.

- ☑☑ Aunt Jane is Dad's sister. 제인 고모는 아빠의 여동생입니다.
- 1 2 Uncle Tim is Mom's brother. 팀 외삼촌은 엄마의 남동생입니다.
- 1 2 Grandparents are Dad's parents. 조부모님은 아빠의 부모님입니다.

DAY 12 열두 달

STEP 1 오늘의 단어를 듣고, 그림에서 찾아 동그라미 하세요.

S	M	T	W	T	F	S
	1	2	3	4	5	6
7	8	9	10	11	12	13
14	15	16	17	18	19	20
21	22	23	24	25	26	27
28	29	30				

My birthday is June 10th.

찾지 못한 단어는 STEP 2에서 확인하세요.

오늘의 문장 My birthday is June 10th.

STEP 2 오늘의 단어를 확인하고, 따라 말하세요.

January 1월

February 2월

March 3월

April 4월

May 5월

June 6월

July 7월

August 8월

September 9월

October 10월

November 11월

December 12월

STEP 3 오늘의 단어를 따라 쓰세요.

J F

M A

M J

J A

S O

N D

Ⓐ 그림을 보고, 알맞은 단어를 고르세요.

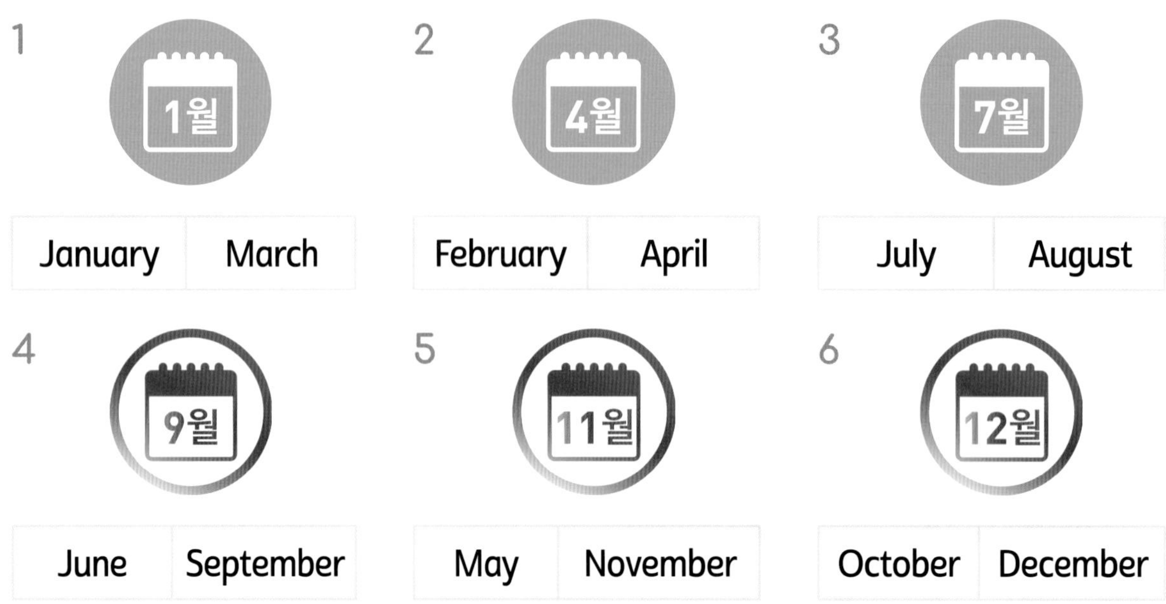

Ⓑ 우리말에 맞게 빈칸에 알맞은 알파벳을 써서 단어를 완성하세요.

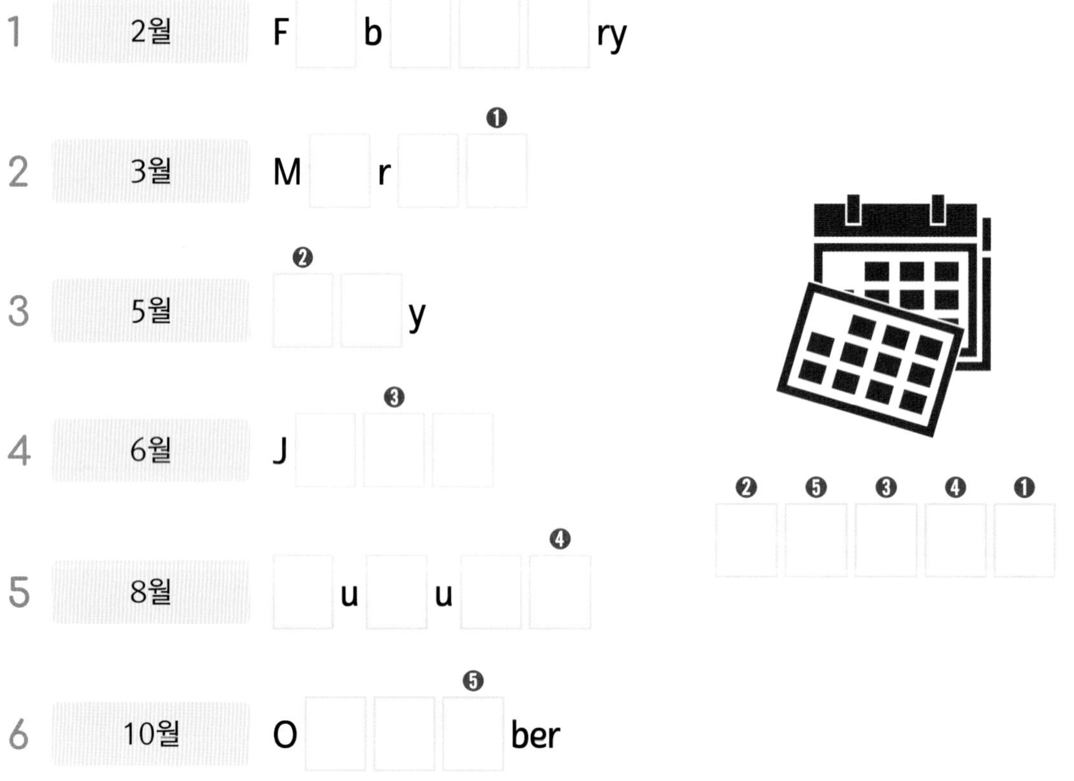

정답 242쪽

Ⓒ 그림을 보고, 알맞은 단어를 연결하세요.

1	JAN. 5	October	11th
2	NOV. 11	January	5th
3	OCT. 28	November	28th

Ⓓ 우리말에 맞게 알맞은 단어를 써서 문장을 완성하세요.

1 내 생일은 4월 3일이야.

My birthday is ____________ 3rd.

2 리나의 생일은 8월 7일이야.

Lina's birthday is ____________ 7th.

3 크리스마스는 12월 25일이야.

Christmas is ____________ 25th.

우리나라에서는 날짜를 표기할 때 '년 / 월 / 일' 순으로 표기하지만 영어에서는 '월 / 일 / 년' 순으로 표기하고, 날짜는 서수로 표현해요.

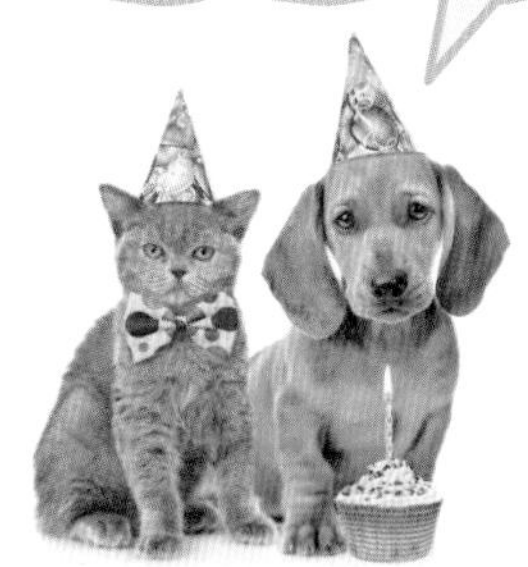

 오늘의 단어를 떠올리며, 오늘의 문장을 두 번씩 읽고 ✓ 하세요.

- ☑☑ My birthday is June 10th. 내 생일은 6월 10일이야.
- 1 2 His birthday is February 15th. 그의 생일은 2월 15일이야.
- 1 2 Fall festival is September 29th. 가을 축제는 9월 29일이야.

Review Test

A 다음 단어의 우리말 뜻을 쓰세요.

1 tall ______
2 look for ______
3 cousin ______
4 May ______
5 February ______
6 how much ______
7 wife ______
8 beautiful ______
9 these ______
10 hundred ______
11 grandparent ______
12 November ______
13 birth ______
14 handsome ______
15 August ______
16 clerk ______
17 husband ______
18 fat ______
19 December ______
20 cheap ______
21 son ______
22 straight ______
23 July ______
24 ponytail ______

B 다음 우리말 뜻에 해당하는 단어를 쓰세요.

1 3월 ______
2 몸무게 ______
3 (가격이) 비싼 ______
4 돌보다 ______
5 10월 ______
6 (외)삼촌 ______
7 저것들(의) ______
8 6월 ______
9 키 ______
10 고모, 이모 ______
11 9월 ______
12 천, 1,000 ______
13 곱슬곱슬한 ______
14 딸 ______
15 몇 개 ______
16 1월 ______
17 돈 ______
18 못생긴 ______
19 금발의 ______
20 부모 ______
21 4월 ______
22 손님, 고객 ______
23 가족 ______
24 날씬한 ______

정답 263쪽

C 우리말에 맞게 알맞은 단어를 찾아 써서 문장을 완성하세요.

보기: beautiful / How much / Uncle / tall / January

1 내 생일은 1월 9일이야.

My birthday is ____________ 9th.

2 나리는 키가 크고 아름다워요.

Nari is ____________ and ____________.

3 이 신발은 얼마인가요?

____________ ____________ are these shoes?

4 이안 삼촌은 아빠의 남동생입니다.

____________ Ian is Dad's brother.

D 주어진 단어를 바르게 배열하여 문장을 쓰세요.

1 nine / won / thousand / They are / .

9,000원이에요.

→ ______________________________

2 August / is / . / Their birthday / 18th

그들의 생일은 8월 18일이야.

→ ______________________________

3 Aunt Jo's / is / son / . / Cousin Ben

사촌 벤은 조 이모의 아들입니다.

→ ______________________________

4 has / hair / He / curly / .

그는 곱슬머리를 가지고 있어요.

→ ______________________________

DAY 13 길 찾기 1

오늘의 단어를 듣고, 그림에서 찾아 동그라미 하세요.

POLICE
365
It is next to the library.
Where is the bank?

찾지 못한 단어는 STEP 2에서 확인하세요.

오늘의 문장 A: Where is the bank?
B: It is next to the library.

STEP 2 오늘의 단어를 확인하고, 따라 말하세요.

STEP 3 오늘의 단어를 따라 쓰세요.

bank 은행

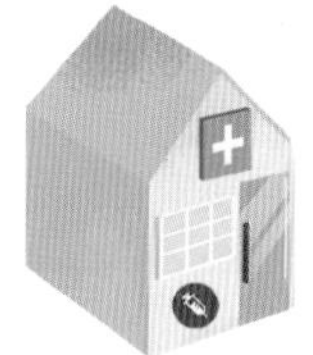

hospital 병원

b h

restaurant 식당

library 도서관

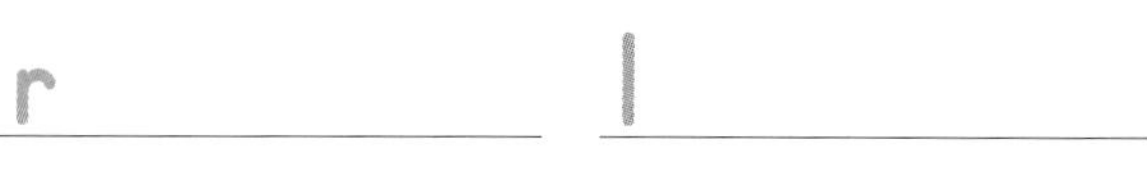

r l

post office
우체국

police station
경찰서

p p

museum 박물관

next to ~ 옆에

m n

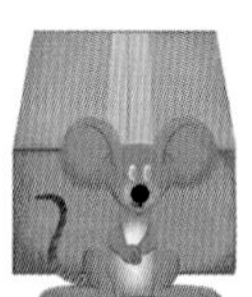

in front of ~ 앞에

behind ~ 뒤에

i b

between
~ 사이에

across from
~ 의 바로 맞은편에

b a

DAY 13 Test

Ⓐ 그림을 보고, 알맞은 단어를 골라 기호를 쓰세요.

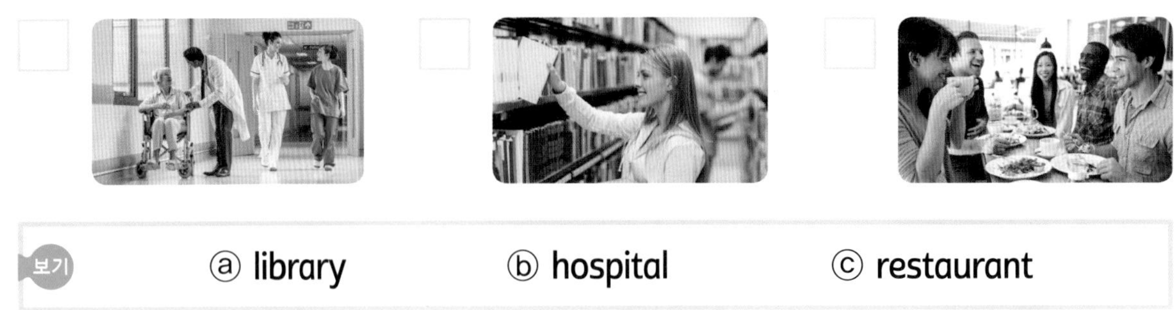

보기 ⓐ library ⓑ hospital ⓒ restaurant

Ⓑ 그림을 보고, 파랑새의 위치를 나타내는 단어를 완성하세요.

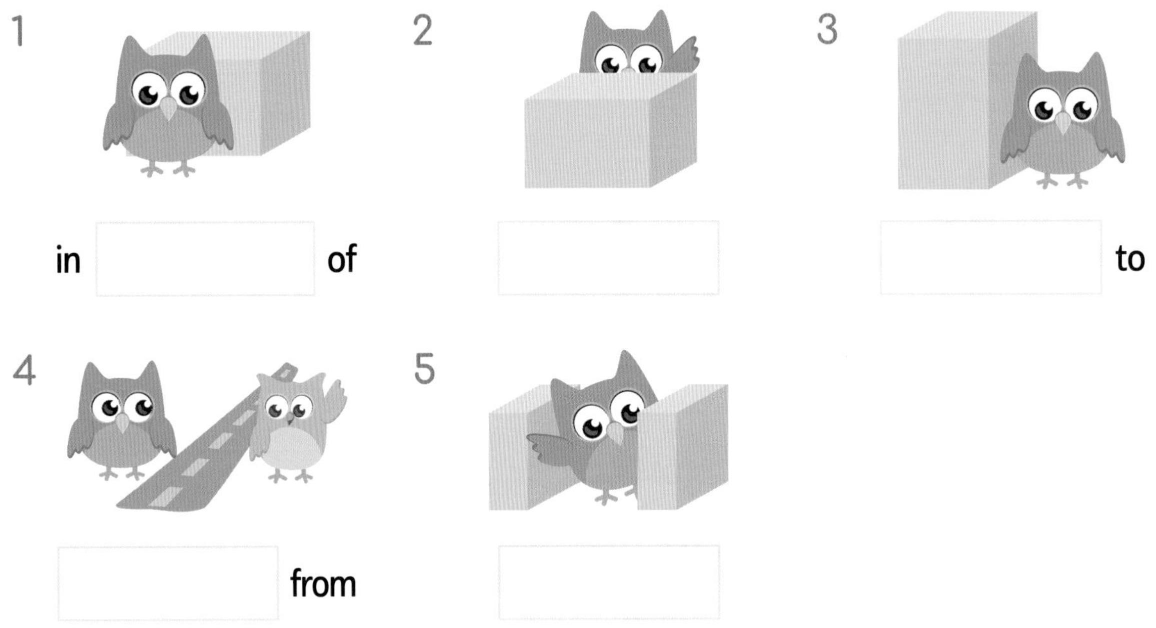

1 in ______ of

2 ______

3 ______ to

4 ______ from

5 ______

Ⓒ 우리말에 맞게 빈칸에 알맞은 알파벳을 써서 단어를 완성하세요.

1 박물관 _ us _ _ m

2 우체국 p _ _ t of _ _ c _

3 경찰서 p _ _ ice _ _ at _ _ n

정답 243쪽

D 그림을 보고, 알맞은 단어를 써서 문장을 완성하세요.

1 Where is the ______ ______?
우체국은 어디에 있니?

2 It is ______ ______ the bank.
그것은 은행 옆에 있어.

3 It is ______ the hospital.
그것은 병원 뒤에 있어.

E 우리말에 맞게 알맞은 단어를 찾아 써서 문장을 완성하세요.

1 경찰서는 식당 앞에 있어요.
The police station is in front of the ______.

2 박물관은 은행과 도서관 사이에 있어요.
The museum is between the ______ and the ______.

3 우체국은 병원 맞은편에 있어요.
The post office is across from the ______.

보기 restaurant library hospital bank

오늘의 단어를 떠올리며, 오늘의 문장을 두 번씩 읽고 ✓ 하세요.

- ☑☑ Where is the bank? 은행은 어디에 있니?
- 1 2 It is next to the library. 그것은 도서관 옆에 있어요.
- 1 2 The library is in front of the museum. 도서관은 박물관 앞에 있어요.
- 1 2 The museum is across from the post office. 박물관은 우체국 맞은편에 있어요.

DAY 14

길 찾기 2

오늘의 단어를 듣고, 그림에서 찾아 동그라미 하세요.

Go straight one block and turn left.

찾지 못한 단어는 STEP 2에서 확인하세요.

오늘의 문장 Go straight one block and turn left.

오늘의 단어를 확인하고, 따라 말하세요.

east 동쪽

west 서쪽

south 남쪽

north 북쪽

block 구역, 블록

corner 모서리, 모퉁이

turn right 오른쪽으로 돌다

turn left 왼쪽으로 돌다

go straight 직진하다

flower shop 꽃 가게, 꽃집

bakery 제과점, 빵집

park 공원

오늘의 단어를 따라 쓰세요.

e

w

s

n

b

c

t

t

g

f

b

p

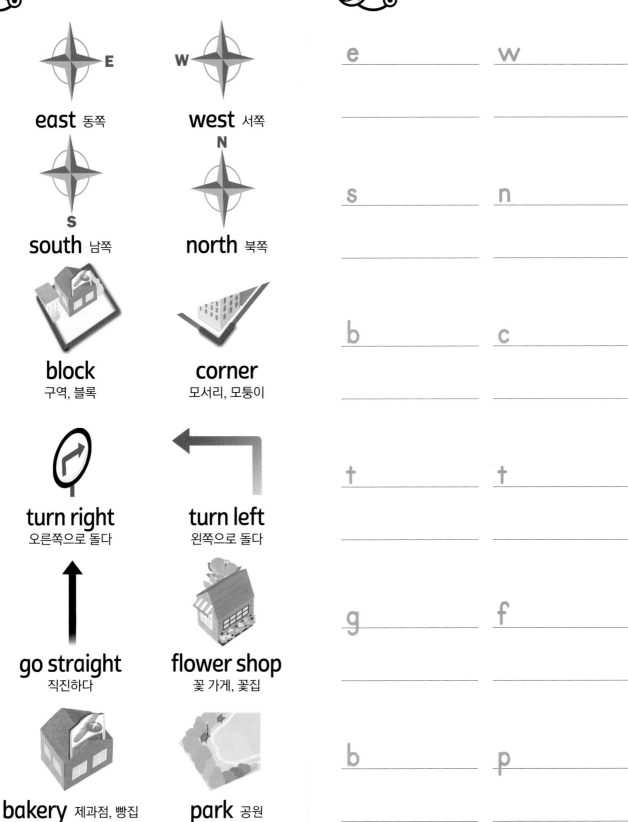

Ⓐ 그림을 보고, 알맞은 단어를 고르세요.

1 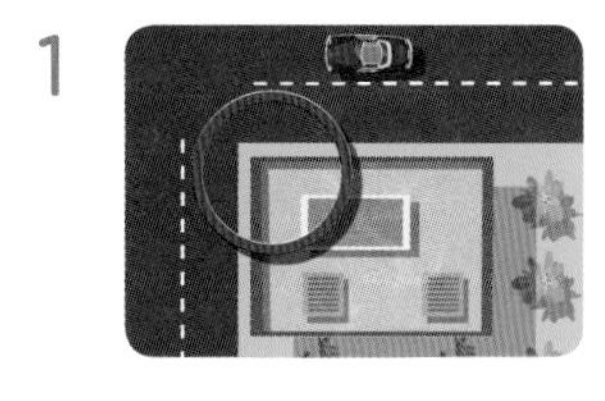

block	corner

2 

bakery	park

3 

west	flower shop

Ⓑ 그림을 보고, 알맞은 단어와 우리말 뜻을 연결하세요.

1	turn right	직진하다
2	go straight	왼쪽으로 돌다
3	turn left	오른쪽으로 돌다

Ⓒ 우리말에 맞게 알맞은 단어를 쓰세요.

1 서쪽 ____________

2 북쪽 ____________

3 동쪽 ____________

4 남쪽 ____________

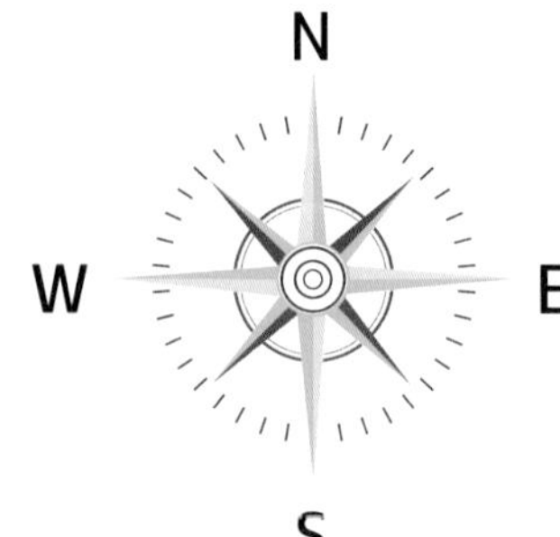

정답 243쪽

D 그림을 보고, 알맞은 단어를 골라 문장을 완성하세요.

How can I get to the hospital?
병원에 어떻게 가나요?

Go straight one (corner / block)
and turn (left / right).
한 블록 직진하다가 오른쪽으로 도세요.

E 우리말에 맞게 알맞은 단어를 찾아 써서 문장을 완성하세요.

1 공원에 어떻게 가나요?

How can I get to the ______________?

2 한 블록 직진하세요.

Go straight one ______________.

3 두 블록 직진하다가 왼쪽으로 도세요.

______________ ______________ two blocks and turn ______________.

보기	Go straight	block	park	left

오늘의 단어를 떠올리며, 오늘의 문장을 두 번씩 읽고 ✓ 하세요.

☑☑ A: How can I get to the bakery? 빵집은 어떻게 가나요?
1 2 B: Go straight one block and turn left. 한 블록 직진하다가 왼쪽으로 도세요.
1 2 A: How can I get to the flower shop? 꽃집은 어떻게 가나요?
1 2 B: Go straight two blocks and turn right. 두 블록 직진하다가 오른쪽으로 도세요.

DAY 15

허락 요청하기

STEP 1 오늘의 단어를 듣고, 길을 따라가세요.

May I borrow your umbrella?

찾지 못한 단어는 STEP 2에서 확인하세요.

STEP 2 오늘의 단어를 확인하고, 따라 말하세요.

borrow 빌리다

bring 가져오다

ask 묻다, 물어보다

invite 초대하다

drink 마시다

speak 말하다

take a picture
사진을 찍다

try on
(옷 등을) 입어 보다

use 사용하다

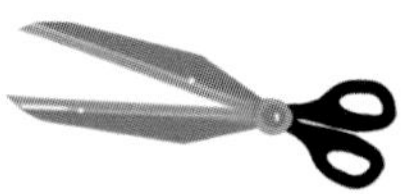

scissors 가위

water 물

restroom 화장실

STEP 3 오늘의 단어를 따라 쓰세요.

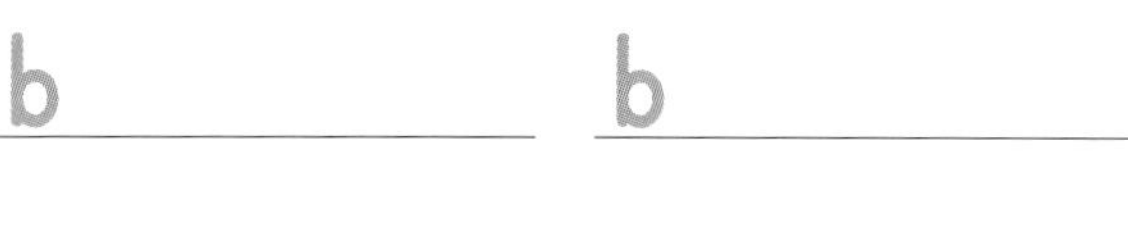

b	b
a	i
d	s
t	t
u	s
w	r

DAY 15 Test

Ⓐ 그림을 보고, 알맞은 단어를 고르세요.

1		2		3	
ask	borrow	use	speak	drink	bring

Ⓑ 그림을 보고, 알맞은 단어와 우리말 뜻을 연결하세요.

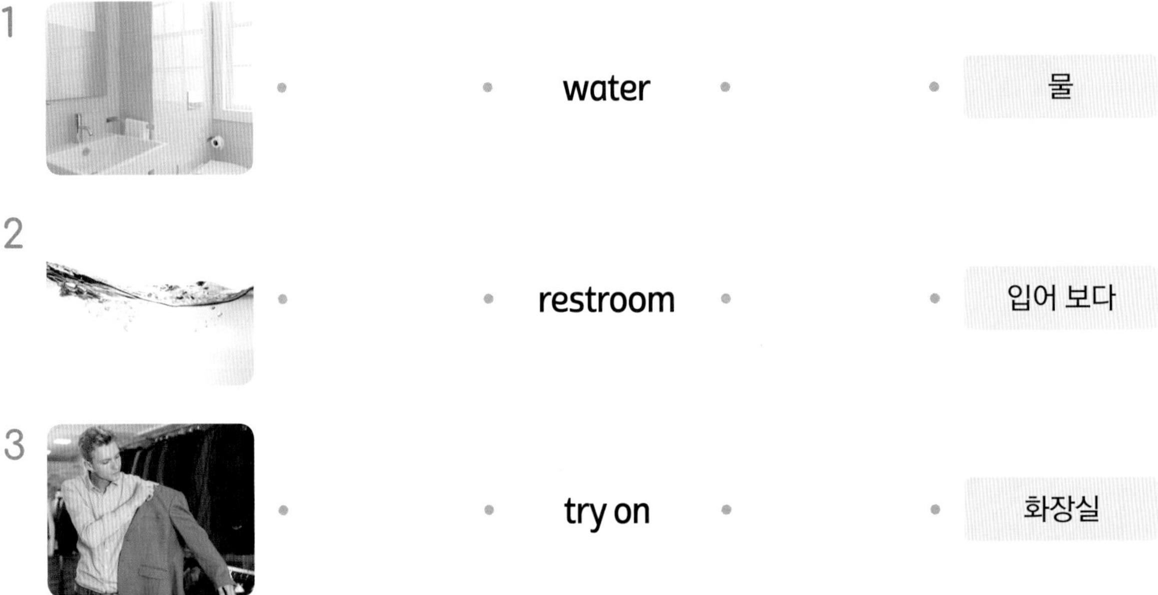

1 • • water • • 물

2 • • restroom • • 입어 보다

3 • • try on • • 화장실

Ⓒ 우리말에 맞게 빈칸에 알맞은 알파벳을 써서 단어를 완성하세요.

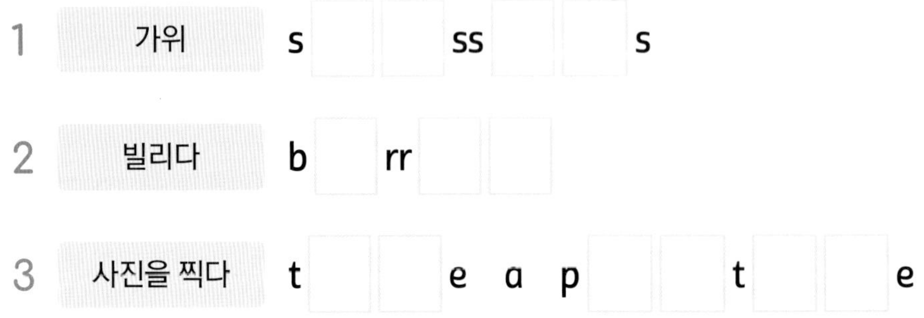

1 가위 s _ _ ss _ _ s

2 빌리다 b _ rr _ _

3 사진을 찍다 t _ _ e a p _ _ t _ _ e

정답 244쪽

D 그림을 보고, 알맞은 단어를 골라 문장을 완성하세요.

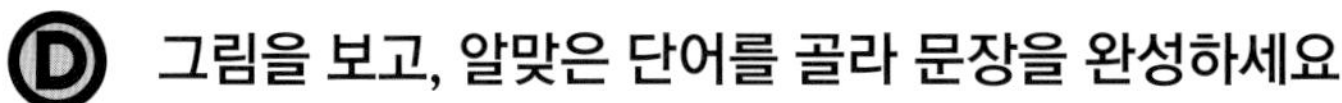

1 

May I (use / invite) my friends?
제 친구들을 초대해도 될까요?

2 May I (bring / speak) my bicycle?
제 자전거를 가지고 와도 될까요?

요청하거나 허락을 구할 때는 "May I ~ ?"로 질문해요. 괜찮다고 할 때는 Yes, you may. 라고 하고, 하면 안 된다는 말은 No, you may not.이라고 대답해요.

E 우리말에 맞게 알맞은 단어를 써서 문장을 완성하세요.

1 제가 질문해도 될까요?
May I ____________ a question?

네, 하세요.
Yes, you may.

2 제가 당신의 가위를 사용해도 될까요?
May I ____________ your ____________?

아니오, 안돼요.
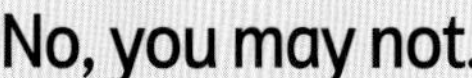
No, you may not.

오늘의 단어를 떠올리며, 오늘의 문장을 두 번씩 읽고 ✔ 하세요.

- ☑☑ May I borrow your umbrella? 제가 당신의 우산을 빌려도 될까요?
- 1 2 May I use your scissors? 제가 당신의 가위를 사용해도 될까요?
- 1 2 May I go to the restroom? 제가 화장실에 가도 될까요?
- 1 2 May I try on this T-shirt? 제가 이 티셔츠를 입어 봐도 될까요?

DAY 16 병원

오늘의 단어를 듣고, 그림에서 찾아 번호를 쓰세요.

What's wrong?

I have a headache.

sick

찾지 못한 단어는 STEP 2에서 확인하세요.

STEP 2 오늘의 단어를 확인하고, 따라 말하세요.

wrong
잘못된, 문제가 있는

hurt
다치게 하다

sick 아픈

cold 감기

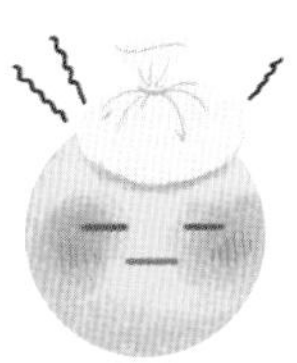

fever 열

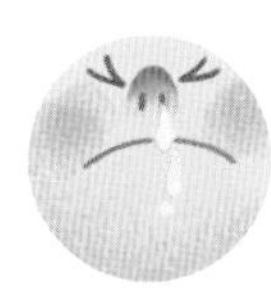

runny nose 콧물

headache
두통, 머리 아픔

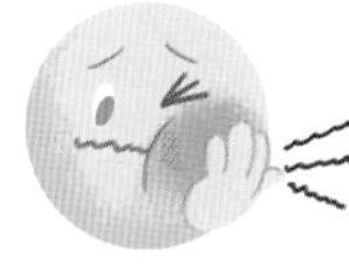

toothache
치통, 이 아픔

stomachache
복통, 배 아픔

backache
요통, 허리 아픔

medicine 약

rest 휴식

STEP 3 오늘의 단어를 따라 쓰세요.

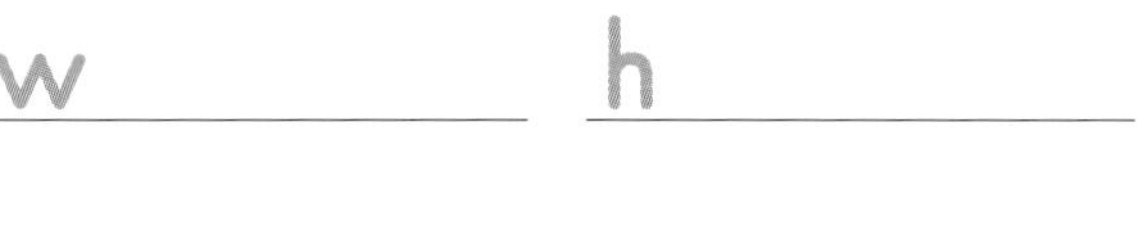

s c

f r

s b

m r

DAY 16 Test

Ⓐ 그림을 보고, 알맞은 단어를 고르세요.

1		2		3	
wrong	rest	medicine	cold	fever	hurt

Ⓑ 그림을 보고, 빈칸에 알맞은 단어를 찾아 쓰세요.

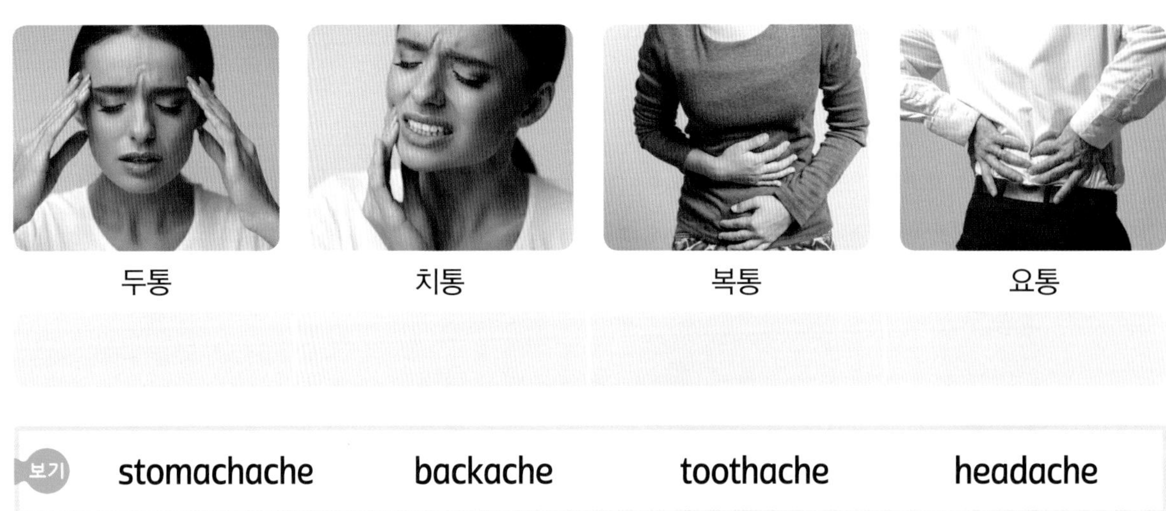

두통	치통	복통	요통

보기 stomachache backache toothache headache

Ⓒ 우리말에 맞게 빈칸에 알맞은 알파벳을 써서 단어를 완성하세요.

1 감기 ＿ ＿ ld

2 아픈 s ＿ ＿ k

3 잘못된 w ＿ ＿ ng

4 다치게 하다 h ＿ ＿ t

5 콧물 r ＿ ＿ ＿ y no ＿ ＿

정답 244쪽

D 그림을 보고, 여자아이가 필요한 것에 모두 ✓ 하세요

I have a fever and a runny nose. 저는 열이 나고 콧물이 나요.

E 〈보기〉를 보고, 우리말에 맞게 빈칸에 알맞은 단어를 쓰세요.

보기 A: What's wrong? 어디가 아프니?
B: I have a stomachache. 저는 배가 아파요.

1 저는 머리가 아파요.
I have a ______________.

2 저는 이가 아파요.
I have a ______________.

3 저는 열이 나요.
I have a ______________.

What's wrong?은 '무엇이 문제니?' 즉, '어디가 아프니?'라는 뜻으로, 아픈 곳을 물을 때 쓰는 말이에요. 대답은 「I have a + 아픈 증상.」으로 말해요.

 오늘의 단어를 떠올리며, 오늘의 문장을 두 번씩 읽고 ✓ 하세요.

☑☑ I have a headache. 저는 머리가 아파요.
1 2 I have a fever and a runny nose. 저는 열이 나고 콧물이 나요.
1 2 I have a cold. 저는 감기에 걸렸어요.

Review Test

A 다음 단어의 우리말 뜻을 쓰세요.

1 bank ______
2 try on ______
3 backache ______
4 north ______
5 library ______
6 scissors ______
7 runny nose ______
8 in front of ______
9 use ______
10 speak ______
11 flower shop ______
12 wrong ______
13 drink ______
14 turn right ______
15 corner ______
16 sick ______
17 next to ______
18 east ______
19 headache ______
20 ask ______
21 block ______
22 hospital ______
23 rest ______
24 across from ______

B 다음 우리말 뜻에 해당하는 단어를 쓰세요.

1 ~ 뒤에 ______
2 가져오다 ______
3 직진하다 ______
4 빌리다 ______
5 공원 ______
6 박물관 ______
7 사진을 찍다 ______
8 서쪽 ______
9 약 ______
10 ~ 사이에 ______
11 복통, 배 아픔 ______
12 초대하다 ______
13 남쪽 ______
14 다치게 하다 ______
15 식당 ______
16 제과점, 빵집 ______
17 열 ______
18 화장실 ______
19 왼쪽으로 돌다 ______
20 우체국 ______
21 치통, 이 아픔 ______
22 물 ______
23 감기 ______
24 경찰서 ______

정답 263쪽

C 우리말에 맞게 알맞은 단어를 찾아 써서 문장을 완성하세요.

보기: water / museum / turn right / headache / blocks / drink / behind

1 저는 머리가 아파요.
I have a ______________.

2 제가 물을 마셔도 될까요?
May I ______________ ______________?

3 은행은 박물관 뒤에 있어요.
The bank is ______________ the ______________.

4 두 블록 쭉 가서 오른쪽으로 도세요.
Go straight two ______________ and ______________ ______________.

D 주어진 단어를 바르게 배열하여 문장을 쓰세요.

1 I / these shoes / May / ? / try on
제가 이 신발을 신어 봐도 될까요?
→ ______________________________

2 The hospital / . / is / the police station / next to
병원은 경찰서 옆에 있어요.
→ ______________________________

3 have / I / a / runny nose / .
저는 콧물이 나요.
→ ______________________________

4 Go straight / turn left / and / . / one block
한 블록 쭉 가서 왼쪽으로 도세요.
→ ______________________________

DAY 17 하루 일과

STEP 1 오늘의 단어를 듣고, 그림에서 찾아 동그라미 하세요.

I get up at 7:30.

late

early

찾지 못한 단어는 STEP 2에서 확인하세요.

STEP 2 오늘의 단어를 확인하고, 따라 말하세요.

get up
일어나다

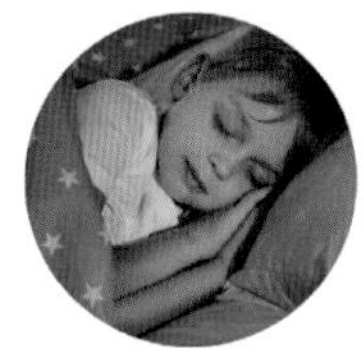

go to bed
잠자리에 들다

have breakfast
아침을 먹다

have lunch
점심을 먹다

have dinner
저녁을 먹다

do my homework
숙제를 하다

go to school
학교에 가다

come home
집에 오다

brush my teeth
이를 닦다

wash the dishes
설거지를 하다

early 일찍

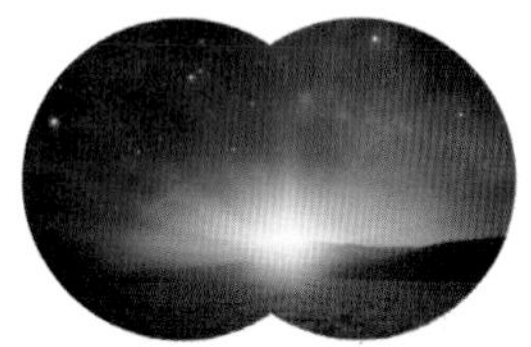

late 늦게

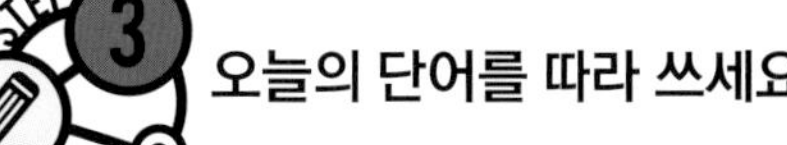

STEP 3 오늘의 단어를 따라 쓰세요.

g ______ g ______

h ______ h ______

h ______ d ______

g ______ c ______

b ______ w ______

e ______ l ______

DAY 17 Test

Ⓐ 그림을 보고, 알맞은 단어에 ✓ 하세요.

1
- ☐ have breakfast
- ☐ brush my teeth

2
- ☐ get up
- ☐ go to bed

3
- ☐ come home
- ☐ wash the dishes

Ⓑ 우리말에 맞게 빈칸에 알맞은 알파벳을 써서 단어를 완성하세요.

1 늦게 ☐ at ☐

2 학교에 가다 g ☐ to s ☐ ☐ oo ☐

3 일찍 ☐ ☐ r ☐ y

Ⓒ 우리말에 맞게 알맞은 단어를 쓰세요.

1 아침 식사 breakfast → 아침을 먹다 ☐ ☐

2 점심 식사 lunch → 점심을 먹다 ☐ ☐

3 저녁 식사 dinner → 저녁을 먹다 ☐ ☐

정답 245쪽

Ⓓ 우리말에 맞게 알맞은 단어를 연결하세요.

1	일어나다	get	home
2	숙제를 하다	come	up
3	집에 오다	do	my homework

Ⓔ 그림을 보고, 알맞은 단어를 써서 문장을 완성하세요.

하루 일과를 나타낼 때는 「I + 일과를 나타내는 말 + at + 시각」으로 표현해요.

1

I ______ ______ at 12.
나는 12시에 점심을 먹어.

2 

I ______ my ______ at 5.
나는 5시에 숙제를 해.

3 

I ______ to ______ at 10:20.
나는 10시 20분에 잠자리에 들어.

 오늘의 단어를 떠올리며, 오늘의 문장을 두 번씩 읽고 ✓ 하세요.

- ☑☑ I get up at 7:30. 나는 7시 30분에 일어나.
- 1 2 I have breakfast at 8. 나는 8시에 아침을 먹어.
- 1 2 I brush my teeth at 8:30. 나는 8시 30분에 이를 닦아.
- 1 2 I go to school at 9. 나는 9시에 학교에 가.

DAY 18

활동의 빈도

오늘의 단어를 듣고, 그림에서 찾아 동그라미 하세요.

always
usually
often
sometimes
never

I always keep a diary.

찾지 못한 단어는 STEP 2에서 확인하세요.

STEP 2 오늘의 단어를 확인하고, 따라 말하세요.

STEP 3 오늘의 단어를 따라 쓰세요.

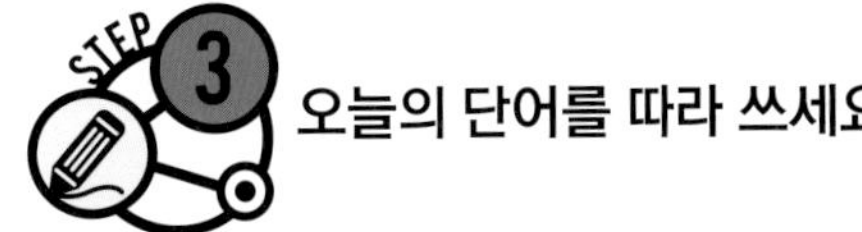

always 항상

usually 대개

a ____ u ____

often 자주, 종종

sometimes 가끔, 때때로

o ____ s ____

never 전혀 ~ 않다

lie 거짓말하다

n ____ l ____

work 일하다

drive 운전하다

w ____ d ____

keep a diary 일기를 쓰다

eat out 외식하다

k ____ e ____

once 한 번

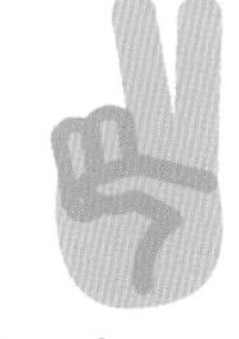

twice 두 번

o ____ t ____

DAY 18 Test

Ⓐ 그림을 보고, 알맞은 단어를 고르세요.

1		2		3	
work	twice	lie	drive	eat out	once

Ⓑ 표를 보고, 알맞은 단어를 골라 기호를 쓰세요.

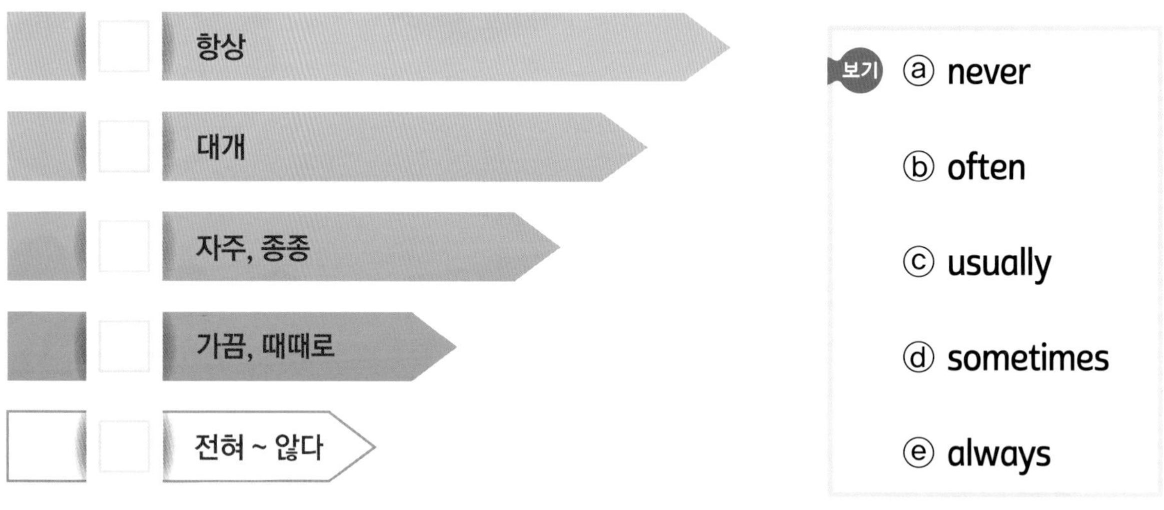

보기
ⓐ never
ⓑ often
ⓒ usually
ⓓ sometimes
ⓔ always

Ⓒ 우리말에 맞게 알맞은 단어를 연결하세요.

1	자주 외식하다	sometimes	eat out
2	가끔 운전하다	always	work
3	전혀 일하지 않다	often	drive
4	항상 일기를 쓰다	never	keep a diary

D 우리말에 맞게 알맞은 단어를 쓰세요.

1
한 번 — 일주일에 한 번
once → ______ a week

2
두 번 — 일주일에 두 번
twice → ______ a week

E 우리말에 맞게 알맞은 단어를 찾아 써서 문장을 완성하세요.

1 나는 절대 거짓말하지 않아.
I ______ ______.

2 나는 대개 일기를 써.
I ______ keep a ______.

3 나는 일주일에 한 번 외식을 해.
I ______ ______ once a week.

보기	lie	usually	never	eat out	diary

 오늘의 단어를 떠올리며, 오늘의 문장을 두 번씩 읽고 ✓ 하세요.

☑☑ I always keep a diary. 나는 항상 일기를 써.
1 2 I often work. 나는 자주 일해.
1 2 I never lie. 나는 절대 거짓말하지 않아.
1 2 I eat out twice a week. 나는 일주일에 두 번 외식을 해.

DAY 19 나의 방

STEP 1 오늘의 단어를 듣고, 그림에서 찾아 동그라미 하세요.

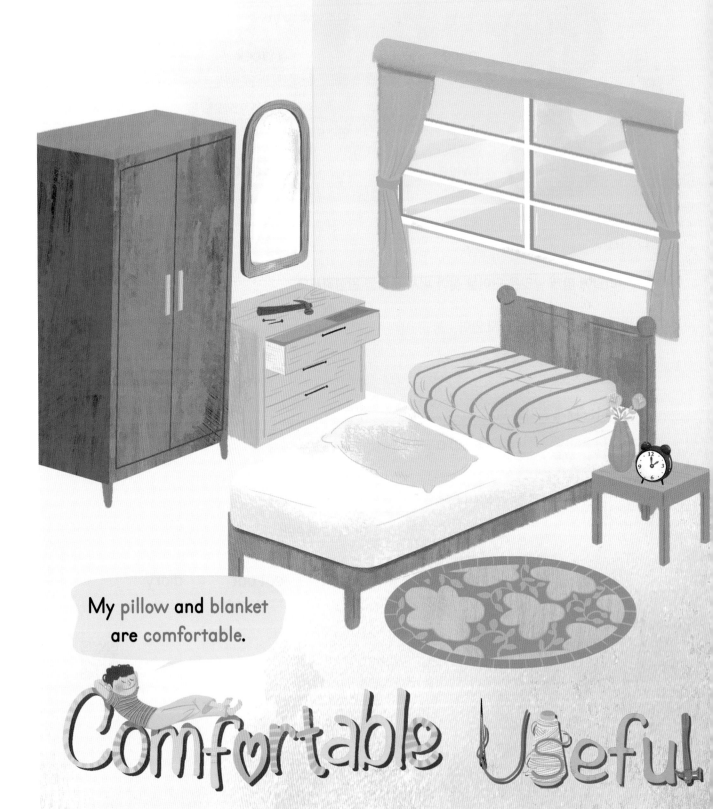

My pillow and blanket are comfortable.

Comfortable Useful

찾지 못한 단어는 STEP 2에서 확인하세요.

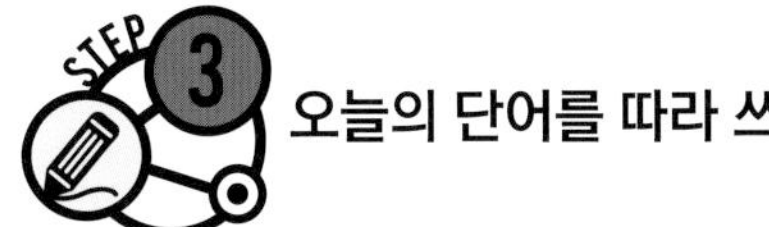

오늘의 문장 My pillow and blanket are comfortable.

STEP 2 오늘의 단어를 확인하고, 따라 말하세요.

bed 침대

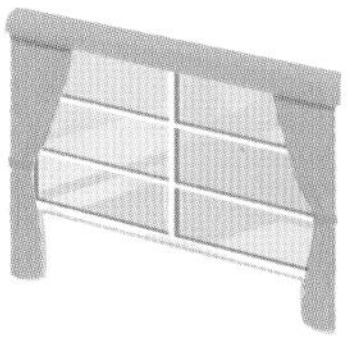

curtain 커튼

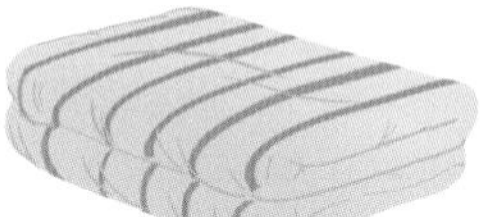

blanket 이불, 담요

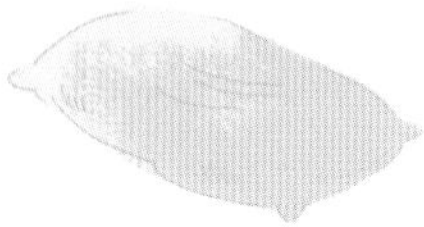

pillow 베개

closet 벽장, 옷장

drawer 서랍

clock 시계

vase 꽃병

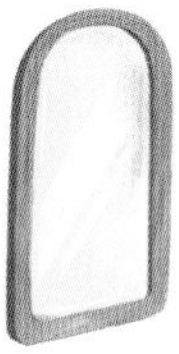

mirror 거울

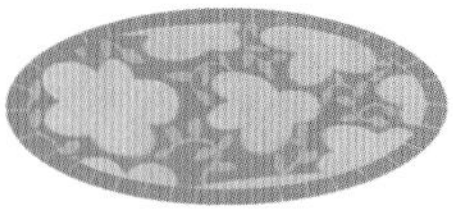

carpet 카펫

comfortable
편안한

useful
유용한, 쓸모 있는

STEP 3 오늘의 단어를 따라 쓰세요.

b ______ c ______

b ______ p ______

c ______ d ______

c ______ v ______

m ______ c ______

c ______ u ______

DAY 19 Test

Ⓐ 그림을 보고, 알맞은 단어를 고르세요.

1		2		3	
closet	drawer	curtain	carpet	blanket	pillow

Ⓑ 그림을 보고, 알맞은 단어와 우리말 뜻을 연결하세요.

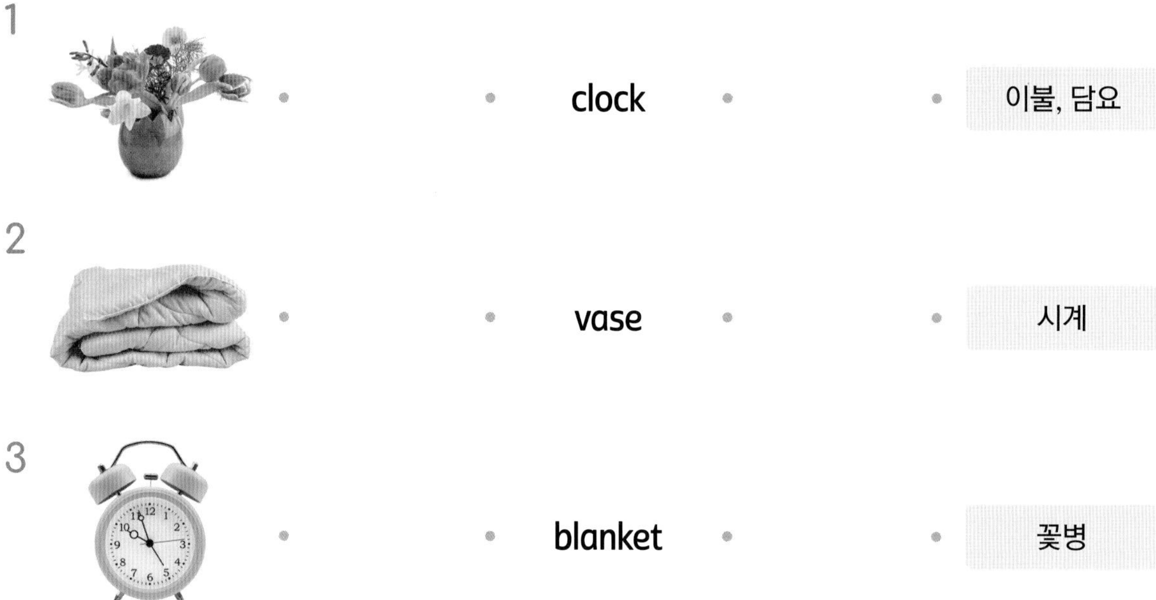

1 • • clock • • 이불, 담요

2 • • vase • • 시계

3 • • blanket • • 꽃병

Ⓒ 우리말에 맞게 빈칸에 알맞은 알파벳을 써서 단어를 완성하세요.

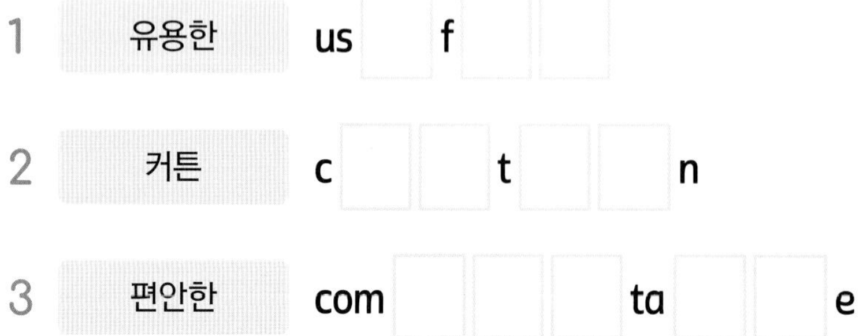

1 유용한 us ☐ f ☐ ☐

2 커튼 c ☐ ☐ t ☐ ☐ n

3 편안한 com ☐ ☐ ☐ ta ☐ ☐ e

정답 246쪽

D 그림을 보고, 알파벳을 바르게 배열하여 단어를 쓰세요.

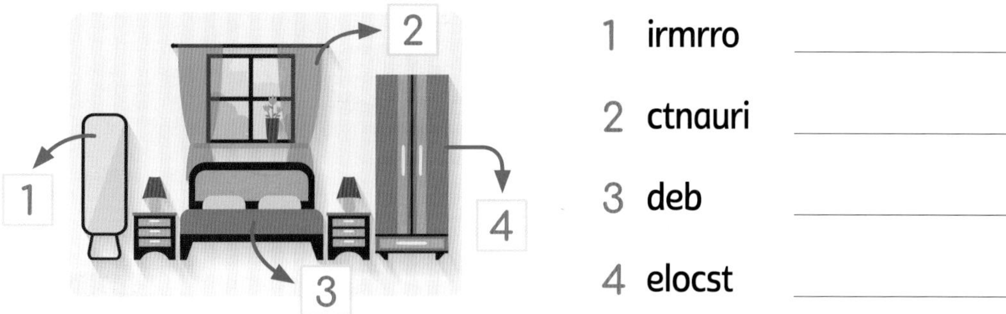

1 irmrro ______

2 ctnauri ______

3 deb ______

4 elocst ______

E 우리말에 맞게 알맞은 단어를 찾아 써서 문장을 완성하세요.

1 내 거울과 시계는 유용해요.

My mirror and clock are ______.

2 내 벽장과 서랍은 유용해요.

My ______ and ______ are useful.

3 내 침대와 베개는 편안해요.

My bed and ______ are ______.

보기 comfortable drawer useful pillow closet

오늘의 단어를 떠올리며, 오늘의 문장을 두 번씩 읽고 ✓ 하세요.

- ☑ ☑ My pillow and blanket are comfortable. 내 베개와 이불은 편안해.
- 1 2 My clock and mirror are useful. 내 시계와 거울은 유용해.
- 1 2 My closet and drawer are useful. 내 벽장과 서랍은 유용해.

DAY 20

하고 싶은 일

STEP 1 오늘의 단어를 듣고, 그림에서 찾아 동그라미 하세요.

찾지 못한 단어는 STEP 2에서 확인하세요.

오늘의 문장 I want to see the giraffe.

STEP 2 오늘의 단어를 확인하고, 따라 말하세요.

see 보다

learn 배우다

buy 사다

sell 팔다

join 함께 하다

dive (물에) 뛰어들다

medal
메달, 메달을 따다

jump rope
줄넘기하다

go camping
캠핑 가다

go fishing
낚시하러 가다

do magic
마술을 하다

take a trip
여행하다

STEP 3 오늘의 단어를 따라 쓰세요.

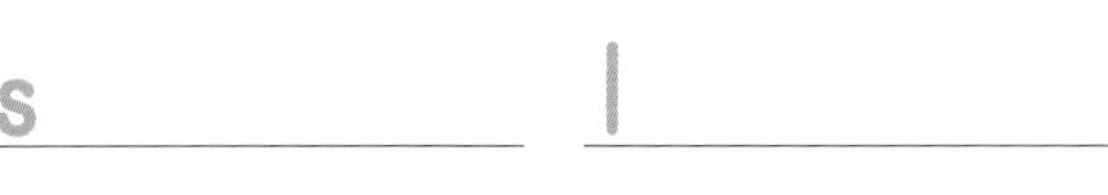

s l

b s

j d

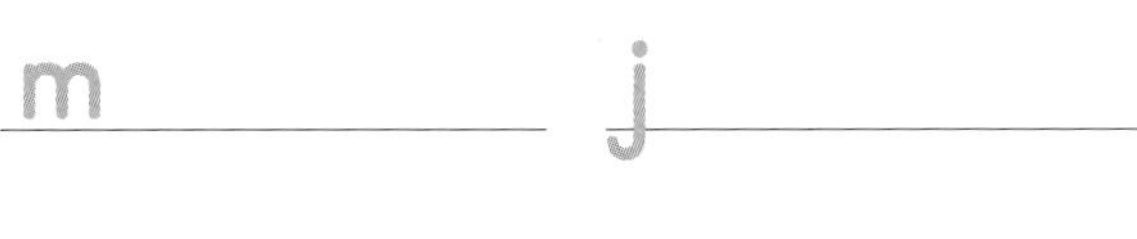

m j

g g

d t

DAY 20 Test

Ⓐ 그림을 보고, 알맞은 단어를 고르세요.

1 buy / medal	2 join / dive	3 learn / sell

Ⓑ 우리말에 맞게 알맞은 단어를 찾아 쓰세요.

ebbuyearjoinfysellegofishingerseeky

1 보다 ____________ 2 함께 하다 ____________

3 팔다 ____________ 4 사다 ____________

5 낚시하러 가다 ____________ ____________

Ⓒ 우리말에 맞게 알맞은 단어를 연결하세요.

1 여행하다 •	• go •	• magic
2 마술을 하다 •	• take •	• camping
3 캠핑 가다 •	• do •	• a trip

정답 246쪽

D 그림을 보고, 알맞은 문장을 골라 기호를 쓰세요.

☐ 

☐ 
내가 하고 싶은 일을 표현할 때는
I want to 뒤에 동작을 나타내는
말을 넣어 나타냅니다.

보기

ⓐ I want to go fishing.
나는 낚시하러 가고 싶어.

ⓑ I want to take a trip.
나는 여행하고 싶어.

E 그림을 보고, 알맞은 단어를 써서 문장을 완성하세요.

1 

I want to do ____________.
나는 마술을 하고 싶어.

2 

I want to ____________ ____________.
나는 줄넘기를 하고 싶어.

3

I want to ____________ some flowers.
나는 꽃을 사고 싶어.

 오늘의 단어를 떠올리며, 오늘의 문장을 두 번씩 읽고 ✓ 하세요.

☑☑ I want to take a trip. 나는 여행하고 싶어.

1 2 I want to see the giraffe. 나는 기린을 보고 싶어.

1 2 I want to go fishing. 나는 낚시하러 가고 싶어.

1 2 I want to go camping. 나는 캠핑하러 가고 싶어.

Review Test

A 다음 단어의 우리말 뜻을 쓰세요.

1 usually ____________
2 vase ____________
3 go to bed ____________
4 sell ____________
5 early ____________
6 eat out ____________
7 sometimes ____________
8 join ____________
9 lie ____________
10 dive ____________
11 closet ____________
12 have lunch ____________
13 pillow ____________
14 buy ____________
15 late ____________
16 take a trip ____________
17 twice ____________
18 see ____________
19 useful ____________
20 come home ____________
21 often ____________
22 drawer ____________
23 clock ____________
24 get up ____________

B 다음 우리말 뜻에 해당하는 단어를 쓰세요.

1 운전하다 ____________
2 카펫 ____________
3 마술을 하다 ____________
4 전혀 ~ 않다 ____________
5 아침을 먹다 ____________
6 이불, 담요 ____________
7 캠핑 가다 ____________
8 배우다 ____________
9 일기를 쓰다 ____________
10 커튼 ____________
11 숙제를 하다 ____________
12 편안한 ____________
13 한 번 ____________
14 학교에 가다 ____________
15 줄넘기하다 ____________
16 거울 ____________
17 메달, 메달을 따다 ____________
18 낚시하러 가다 ____________
19 이를 닦다 ____________
20 항상 ____________
21 일하다 ____________
22 침대 ____________
23 저녁을 먹다 ____________
24 설거지를 하다 ____________

C 우리말에 맞게 알맞은 단어를 찾아 써서 문장을 완성하세요.

1 나는 7시 50분에 아침을 먹어.
I ______ ______ at 7:50.

2 나는 코끼리를 보고 싶어.
I want to ______ the elephant.

3 나는 절대 운전하지 않아.
I ______ ______.

4 내 시계와 거울은 유용해.
My clock and ______ are ______.

보기
mirror
never
have breakfast
drive
useful
see

D 주어진 단어를 바르게 배열하여 문장을 쓰세요.

1 I / at 3:30 / do / my homework / .
나는 3시 30분에 숙제를 해.
→ ______

2 pillow and blanket / comfortable / are / . / My
내 침대와 이불은 편안해.
→ ______

3 eat out / I / . / once / a week
나는 1주일에 한 번 외식을 해.
→ ______

4 go / fishing / want to / I / .
나는 낚시하러 가고 싶어.
→ ______

DAY 21

비교하기 1

STEP 1 오늘의 단어를 듣고, 그림에서 찾아 번호를 쓰세요.

I am faster than Chris.
Chris

찾지 못한 단어는 STEP 2에서 확인하세요.

STEP 2 오늘의 단어를 확인하고, 따라 말하세요.

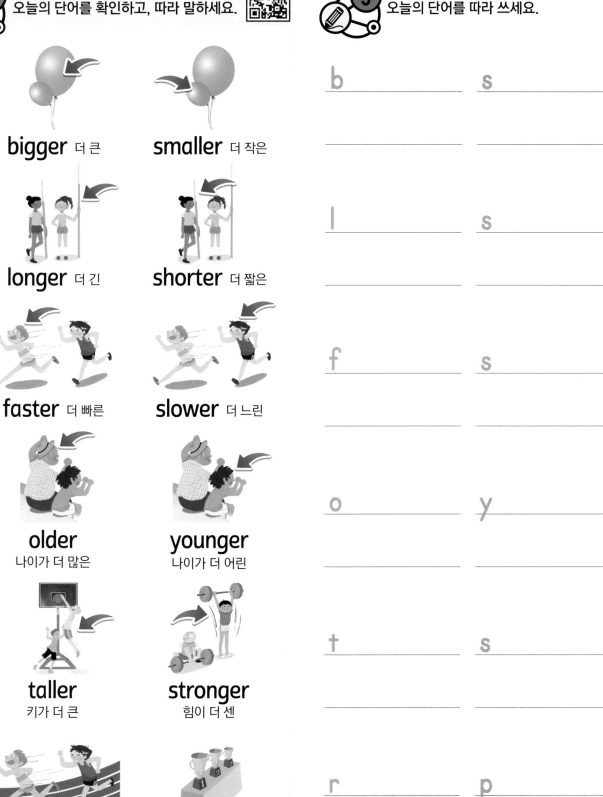

bigger 더 큰
smaller 더 작은
longer 더 긴
shorter 더 짧은
faster 더 빠른
slower 더 느린
older 나이가 더 많은
younger 나이가 더 어린
taller 키가 더 큰
stronger 힘이 더 센
race 경주
prize 상

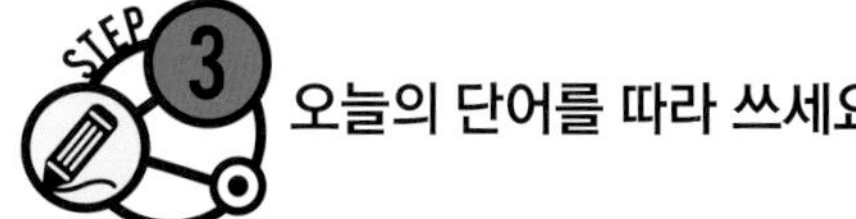

STEP 3 오늘의 단어를 따라 쓰세요.

b ______ s ______
l ______ s ______
f ______ s ______
o ______ y ______
t ______ s ______
r ______ p ______

DAY 21 Test

Ⓐ 그림을 보고, 알맞은 단어를 골라 기호를 쓰세요.

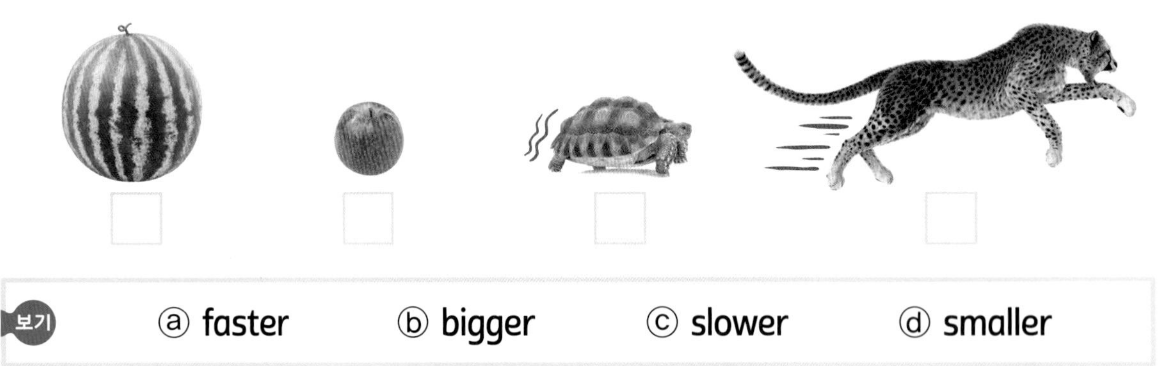

보기 ⓐ faster ⓑ bigger ⓒ slower ⓓ smaller

Ⓑ 각 단어의 우리말 뜻을 쓰고, 반대말끼리 연결하세요.

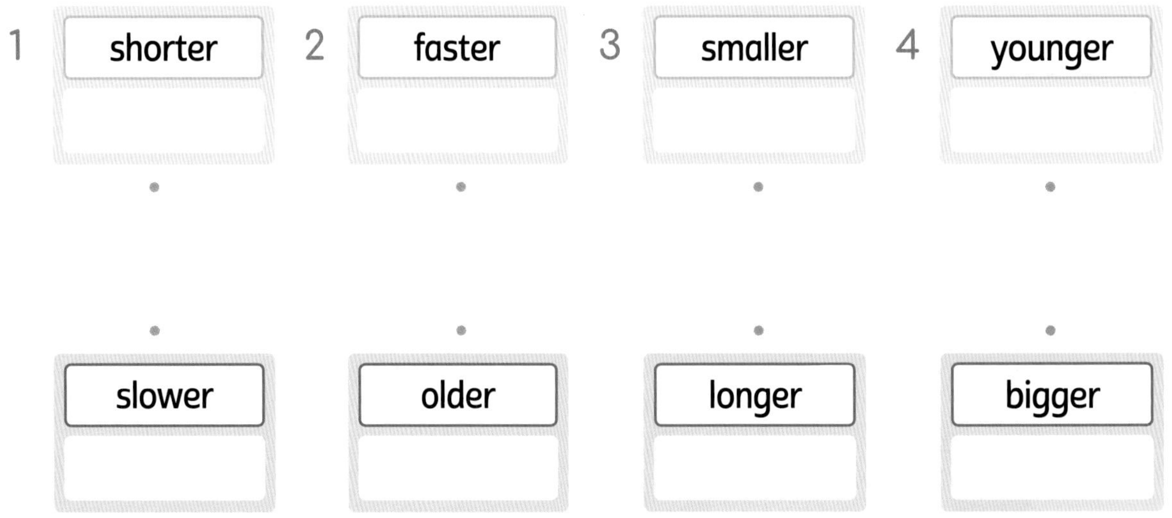

Ⓒ 그림을 보고, 주어진 알파벳으로 시작하는 단어를 쓰세요.

1 r________ 2 s________ 3 p________

Ⓓ 표를 보고, 알맞은 단어를 골라 문장을 완성하세요.

	나이	키
나	11살	152cm
유리	12살	155cm
에릭	9살	147cm

1 I am (older / younger) than Yuri.
나는 유리보다 나이가 더 어려.

2 I am (taller / shorter) than Eric.
나는 에릭보다 키가 더 커.

3 I am (stronger / older) than Eric.
나는 에릭보다 나이가 더 많아.

두 사람이나 사물을 비교할 때는 비교하는 말 뒤에 than을 붙여서 표현해요.

Ⓔ 우리말에 맞게 알맞은 단어를 써서 문장을 완성하세요.

1 코끼리는 원숭이보다 더 커.
The elephant is ____________ than the monkey.

2 자는 연필보다 더 길어.
The ruler is ____________ than the pencil.

3 베개는 담요보다 더 작아.
The pillow is ____________ than the blanket.

 오늘의 단어를 떠올리며, 오늘의 문장을 두 번씩 읽고 ✔ 하세요.

 I am faster than Chris. 나는 크리스보다 더 빨라.
1 2 Chris is younger than Sena. 크리스는 세나보다 나이가 더 어려.
1 2 Sena is taller than Jaemin. 세나는 재민이보다 키가 더 커.
1 2 Jaemin is stronger than Kate. 재민이는 케이트보다 힘이 더 세.

DAY 22

환경 보호

STEP 1 오늘의 단어를 듣고, 그림에서 찾아 동그라미 하세요.

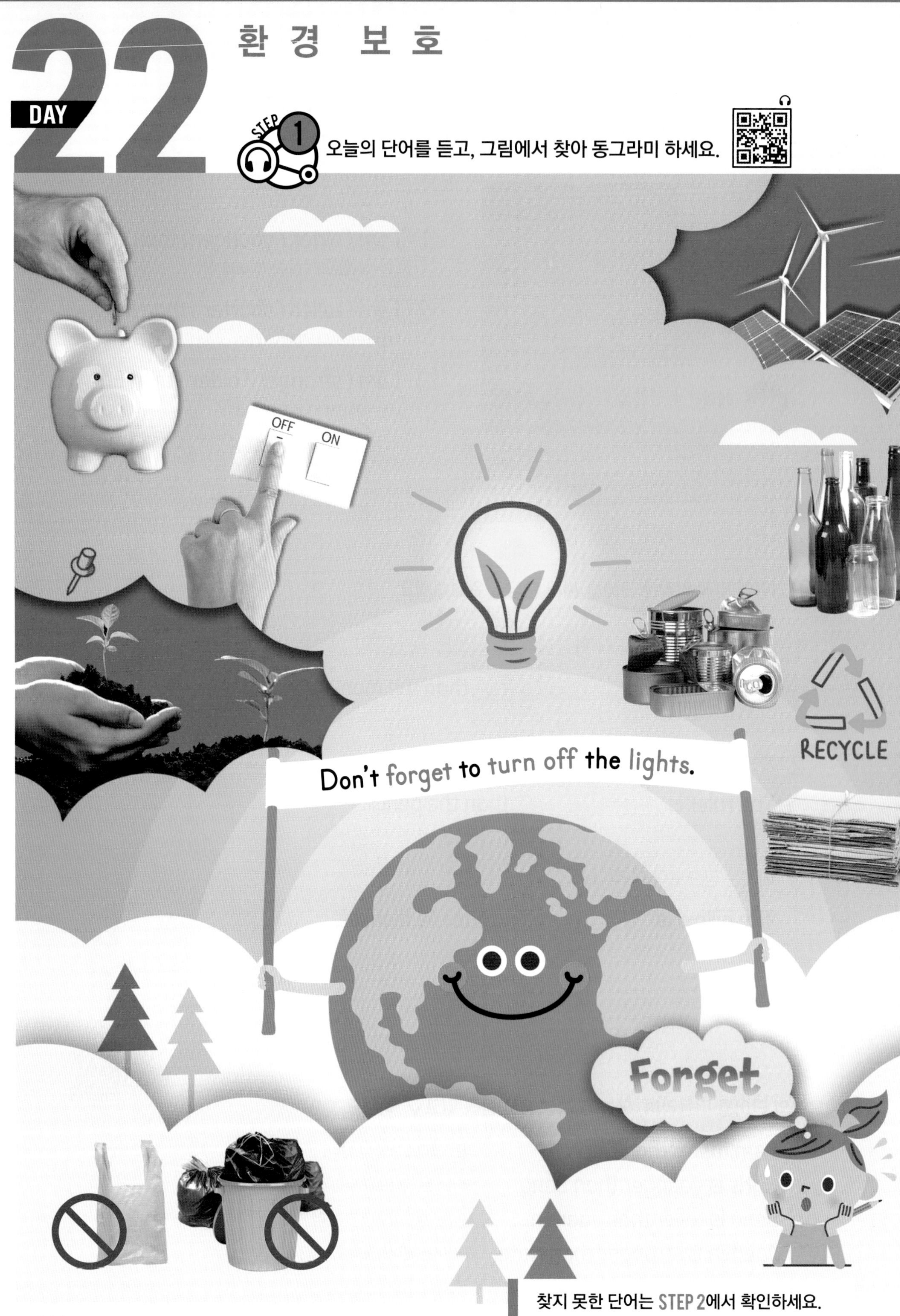
OFF
ON
RECYCLE
Don't forget to turn off the lights.
Forget

찾지 못한 단어는 STEP 2에서 확인하세요.

오늘의 문장 Don't forget to turn off the lights.

STEP 2 오늘의 단어를 확인하고, 따라 말하세요.

forget 잊다

plant ~을 심다

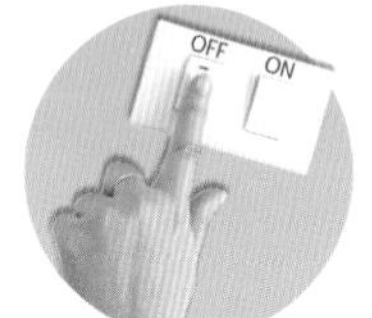

turn off (전기, 물을) 끄다, 잠그다

save 절약하다, 모으다

recycle 재활용하다

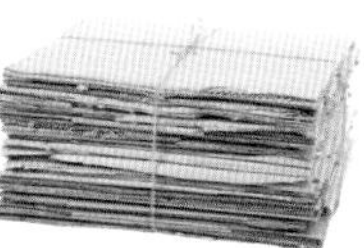

paper 종이

bottle (유리)병

can 깡통, 캔

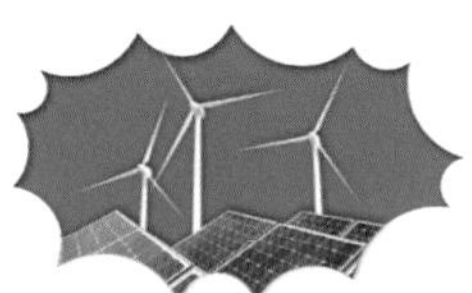

energy 에너지

light 빛, 전등, 불

garbage 쓰레기

plastic bag 비닐봉지

STEP 3 오늘의 단어를 따라 쓰세요.

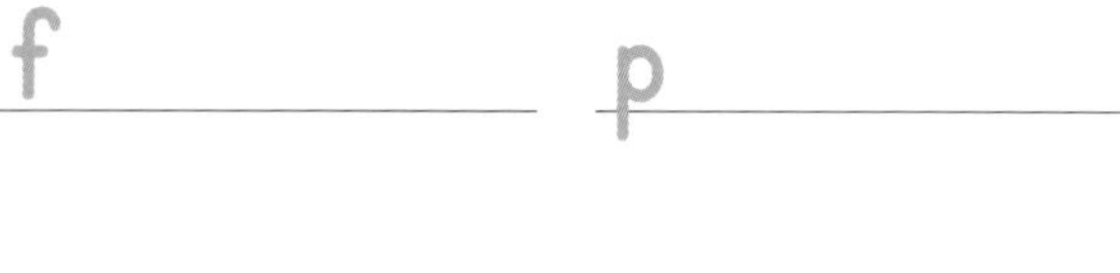

t s

r p

b c

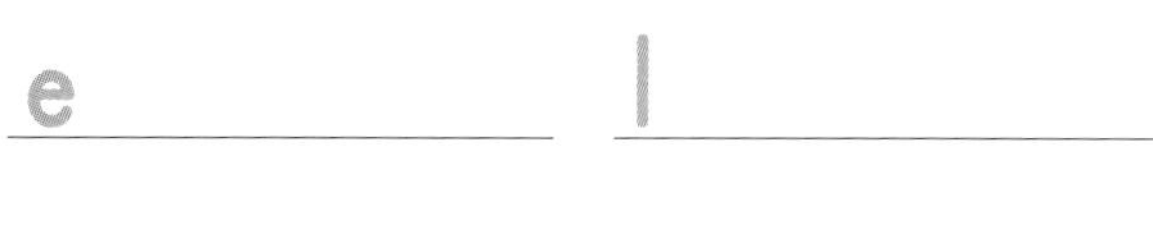

g p

DAY 22 Test

A 그림을 보고, 알맞은 단어를 고르세요.

1 energy | garbage

2 save | forget

3 light | plant

B 우리말에 맞게 알맞은 단어를 찾아 쓰세요.

chaenergyieforgetturnoffyelightings

1 에너지 ____________

2 잊다 ____________

3 빛, 전등, 불 ____________

4 (불을) 끄다 ____________ ____________

C 그림을 보고, 주어진 알파벳으로 시작하는 단어를 쓰세요.

b____________

c____________

p____________

p____________
b____________

정답 247쪽

D 우리말에 맞게 알맞은 단어를 연결하세요.

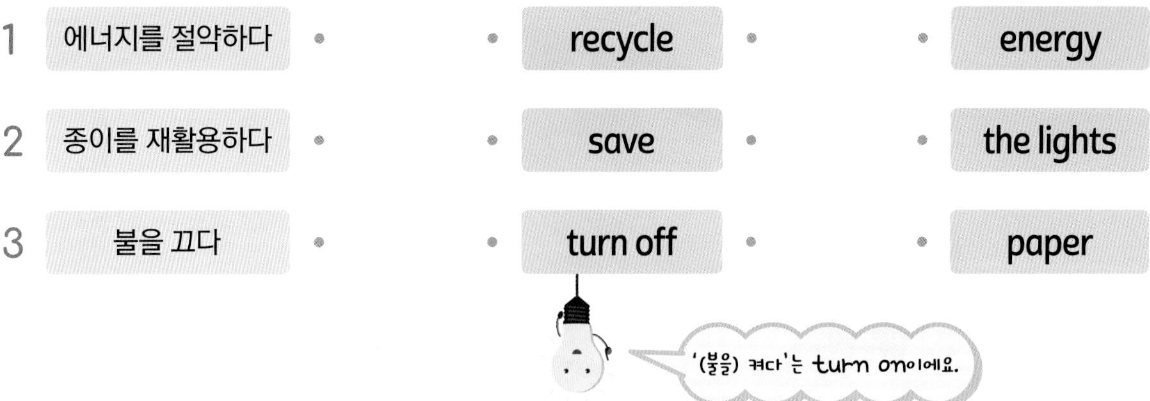

E 그림을 보고, 알맞은 단어를 써서 문장을 완성하세요.

1 

Don't forget to ____________ trees.
나무를 심는 것을 잊지 마세요.

2 

Don't forget to ____________ cans and bottles.
캔과 병을 재활용하는 것을 잊지 마세요.

3 

Don't forget to ____________ ____________ the lights.
불을 끄는 것을 잊지 마세요.

 오늘의 단어를 떠올리며, 오늘의 문장을 두 번씩 읽고 ✓ 하세요.

- ☑ ☑ Don't forget to save energy. 에너지를 절약하는 것을 잊지 마세요.
- 1 2 Don't forget to turn off the lights. 불을 끄는 것을 잊지 마세요.
- 1 2 Don't forget to plant trees. 나무를 심는 것을 잊지 마세요.
- 1 2 Don't forget to recycle paper. 종이를 재활용하는 것을 잊지 마세요.

DAY 23 과 거 의 일

STEP 1 오늘의 단어를 듣고, 그림에서 찾아 동그라미 하세요.

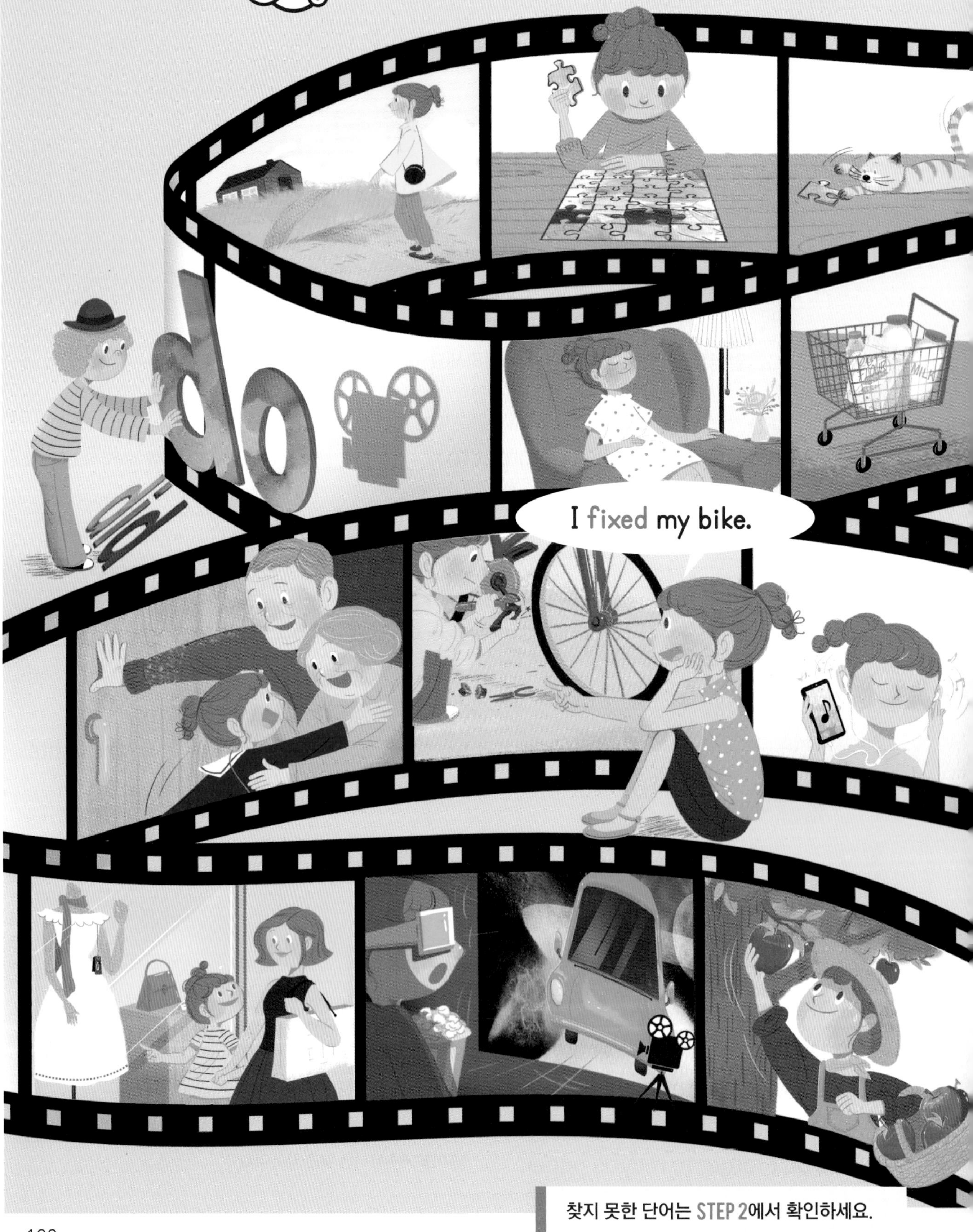

I fixed my bike.

찾지 못한 단어는 STEP 2에서 확인하세요.

STEP 2 오늘의 단어를 확인하고, 따라 말하세요.

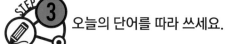

listen - listened
듣다 - 들었다

visit - visited
방문하다 - 방문했다

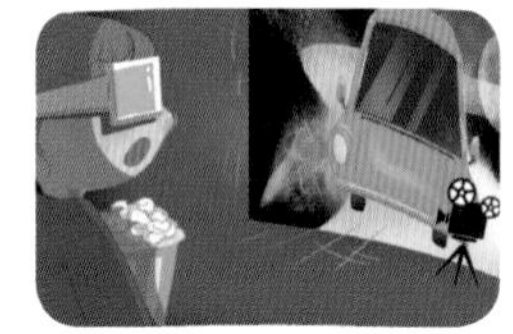

watch - watched
보다 - 보았다

fix - fixed
고치다 - 고쳤다

pick - picked
따다 - 땄다

stay - stayed
머무르다 - 머물렀다

do - did
하다 - 했다

go - went
가다 - 갔다

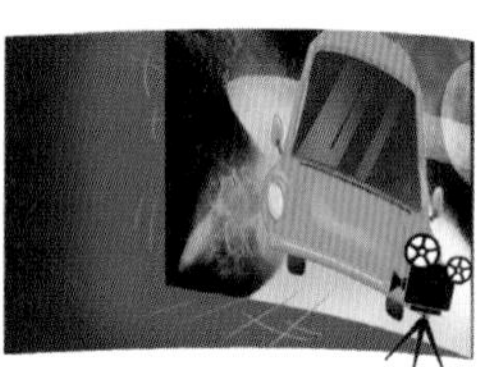

movie 영화

puzzle 퍼즐

shopping 쇼핑

cart 카트, 손수레

STEP 3 오늘의 단어를 따라 쓰세요.

l ______ v ______

w ______ f ______

p ______ s ______

d ______ g ______

m ______ p ______

s ______ c ______

DAY 23 Test

Ⓐ 그림을 보고, 알맞은 단어를 골라 기호를 쓰세요.

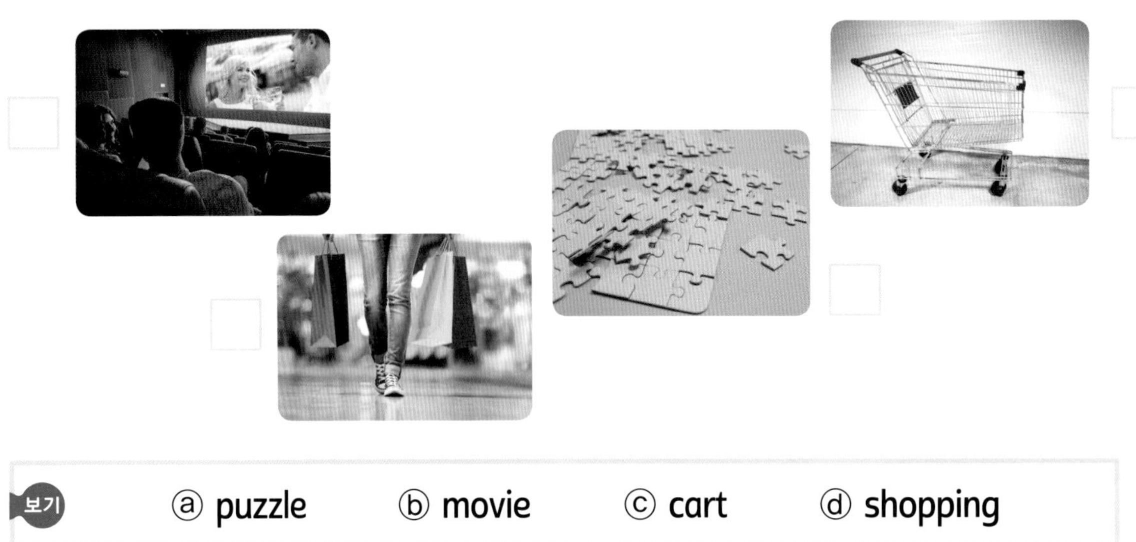

보기 ⓐ puzzle ⓑ movie ⓒ cart ⓓ shopping

Ⓑ 우리말에 맞게 알맞은 단어를 연결하세요.

1	하다 – 했다	visit	did
2	방문하다 – 방문했다	stay	picked
3	따다 – 땄다	do	visited
4	머무르다 – 머물렀다	pick	stayed

Ⓒ 우리말에 맞게 알파벳을 바르게 배열하여 단어를 쓰세요.

1 갔다 wtne ______

2 고쳤다 xefid ______

3 봤다 wadtech ______

D 파란색 단어의 형태를 바꿔서 과거의 일을 나타내는 문장을 완성하세요.

1 I go to the zoo. → I ____________ to the zoo.
나는 동물원에 가. 나는 동물원에 갔어.

2 I fix my bike. → I ____________ my bike.
나는 내 자전거를 고쳐. 나는 내 자전거를 고쳤어.

3 I listen to the music. → I ____________ to the music.
나는 음악을 들어. 나는 음악을 들었어.

E 우리말에 맞게 알맞은 단어를 써서 문장을 완성하세요.

1 나는 TV를 봤어.
I ____________ the TV.

2 나는 퍼즐을 했어.
I ____________ the puzzles.

3 나는 내 이모를 방문했어.
I ____________ my aunt.

과거를 나타내는 단어는 주로 뒤에 -ed가 붙어요. 하지만 단어에 따라 do - did 처럼 전혀 다른 형태로 변하기도 합니다.

 오늘의 단어를 떠올리며, 오늘의 문장을 두 번씩 읽고 ✓ 하세요.

- ☑☑ I fixed my bike. 나는 내 자전거를 고쳤어.
- 1 2 I watched the movie. 나는 영화를 봤어.
- 1 2 I went shopping with Mom. 나는 엄마와 같이 쇼핑하러 갔어.
- 1 2 I picked some strawberries. 나는 딸기를 땄어.

DAY 24 감정과 이유

STEP 1 오늘의 단어를 듣고, 그림에서 찾아 번호를 쓰세요.

찾지 못한 단어는 STEP 2에서 확인하세요.

STEP 2 오늘의 단어를 확인하고, 따라 말하세요.

why 왜

upset 화난

tired 피곤한

worried 걱정하는

excited 신난

shocked 충격을 받은, 놀란

present 선물

test 시험

news 뉴스

accident 사고

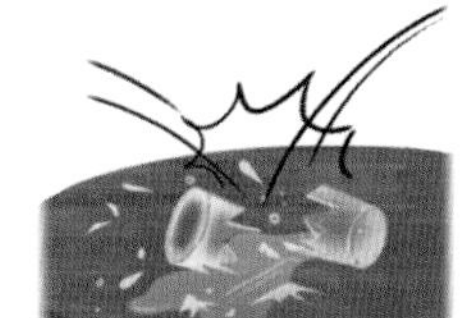

break 깨다, 부수다

glass 유리잔

STEP 3 오늘의 단어를 따라 쓰세요.

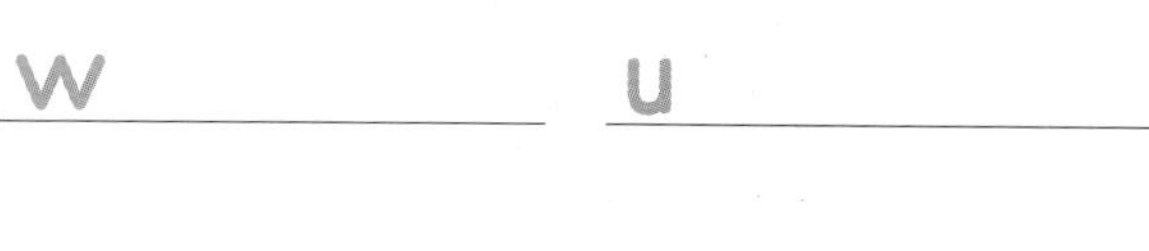

e ______ s ______

p ______ t ______

n ______ a ______

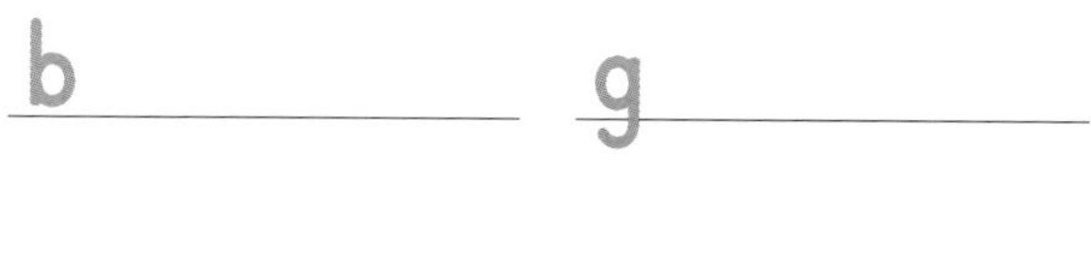

DAY 24 Test

Ⓐ 그림을 보고, 알맞은 단어를 고르세요.

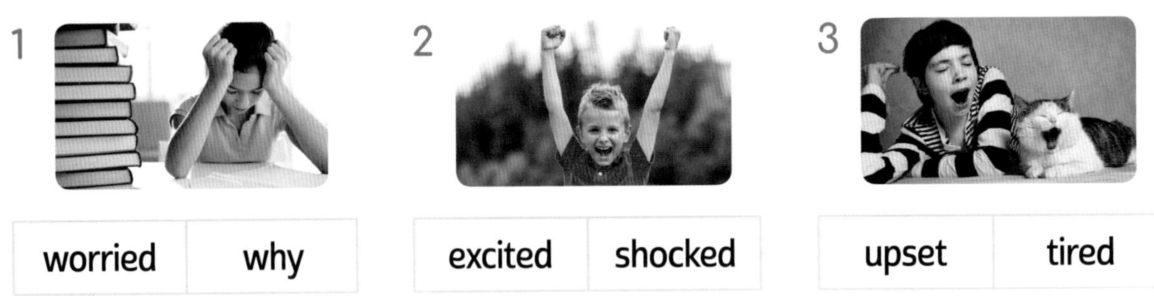

1 worried / why

2 excited / shocked

3 upset / tired

Ⓑ 그림을 보고, 알맞은 단어와 우리말 뜻을 연결하세요.

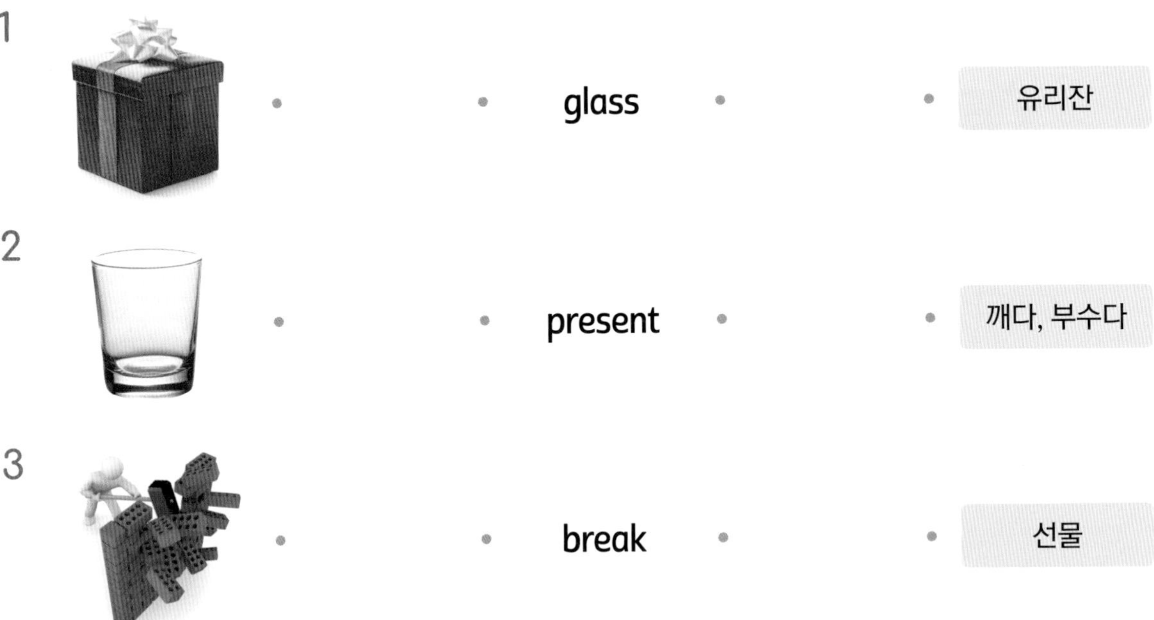

1	glass	유리잔
2	present	깨다, 부수다
3	break	선물

Ⓒ 우리말에 맞게 알파벳을 바르게 배열하여 단어를 쓰세요.

1 시험 estt ____________

2 왜 hwy ____________

3 뉴스 ewns ____________

4 사고 aicentcd ____________

Ⓓ 그림을 보고, 질문에 알맞은 대답에 ✓ 하세요.

Why are you excited? 너는 왜 신났니?

- ☐ **I have a glass.** 나는 유리잔을 가지고 있어.
- ☐ **Dad gave me a present.** 아빠가 내게 선물을 주셨어.
- ☐ **I have a math test.** 나는 수학 시험이 있어.

Ⓔ 그림을 보고, 알맞은 단어를 써서 문장을 완성하세요.

1 Why are you ____________?
너는 왜 화났니?

2 Jake broke my ____________.
제이크가 내 유리잔을 깼어.

3 Why are you ____________?
너는 왜 놀랐니?

오늘의 단어를 떠올리며, 오늘의 문장을 두 번씩 읽고 ✓ 하세요.

- ☑☑ A: Why are you worried? 너는 왜 걱정하니?
- 1 2 B: I have a test tomorrow. 나는 내일 시험이 있거든.
- 1 2 A: Why are you excited? 너는 왜 신났니?
- 1 2 B: Dad gave me a present. 아빠가 내게 선물을 주셨거든.

Review Test

A 다음 단어의 우리말 뜻을 쓰세요.

1 paper ____________
2 race ____________
3 watched ____________
4 cart ____________
5 fixed ____________
6 shorter ____________
7 plastic bag ____________
8 excited ____________
9 did ____________
10 shocked ____________
11 bottle ____________
12 younger ____________
13 stayed ____________
14 light ____________
15 test ____________
16 stronger ____________
17 save ____________
18 upset ____________
19 picked ____________
20 glass ____________
21 faster ____________
22 accident ____________
23 bigger ____________
24 turn off ____________

B 다음 우리말 뜻에 해당하는 단어를 쓰세요.

1 방문했다 ____________
2 잊다 ____________
3 에너지 ____________
4 나이가 더 많은 ____________
5 영화 ____________
6 들었다 ____________
7 걱정하는 ____________
8 더 느린 ____________
9 상 ____________
10 퍼즐 ____________
11 깡통, 캔 ____________
12 뉴스 ____________
13 더 긴 ____________
14 재활용하다 ____________
15 쇼핑 ____________
16 선물 ____________
17 ~을 심다 ____________
18 갔다 ____________
19 피곤한 ____________
20 키가 더 큰 ____________
21 왜 ____________
22 더 작은 ____________
23 깨다, 부수다 ____________
24 쓰레기 ____________

정답 264쪽

C 우리말에 맞게 알맞은 단어를 찾아 써서 문장을 완성하세요.

보기: movie / Why / lights / watched / worried / younger / forget

1 나는 영화를 보았어.
I ____________ the ____________.

2 나는 호진이보다 나이가 더 어려.
I am ____________ than Hojin.

3 너는 왜 걱정하니?
____________ are you ____________?

4 불을 끄는 것을 잊지 마세요.
Don't ____________ to turn off the ____________.

D 주어진 단어를 바르게 배열하여 문장을 쓰세요.

1 recycle / forget to / Don't / . / paper
종이를 재활용하는 것을 잊지 마세요.
→ ________________________________

2 are / Why / ? / you / upset
너는 왜 화났니?
→ ________________________________

3 taller / . / my brother / than / I am
나는 내 남동생보다 키가 더 커.
→ ________________________________

4 my grandparents / visited / I / .
나는 내 조부모님을 방문했어.
→ ________________________________

DAY **25** # 요리하기

STEP 1 오늘의 단어를 듣고, 그림에서 찾아 동그라미 하세요.

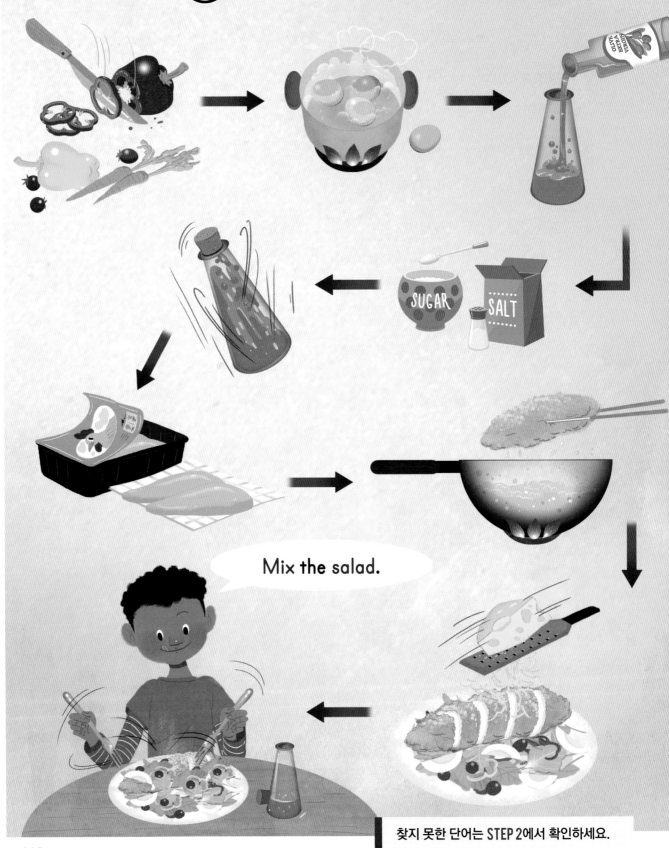

찾지 못한 단어는 STEP 2에서 확인하세요.

오늘의 문장 Mix the salad.

STEP 2 오늘의 단어를 확인하고, 따라 말하세요.

slice (얇게) 썰다

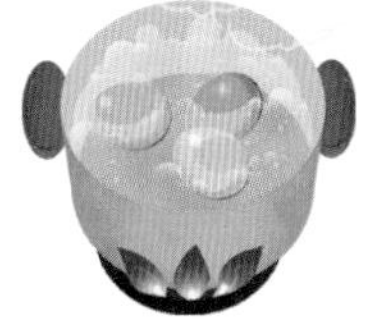

boil 끓이다, 삶다

pour 붓다, 따르다

shake 흔들다

fry 튀기다, 굽다

mix 섞다, 섞이다

oil 기름

chicken 닭고기

salt 소금

sugar 설탕

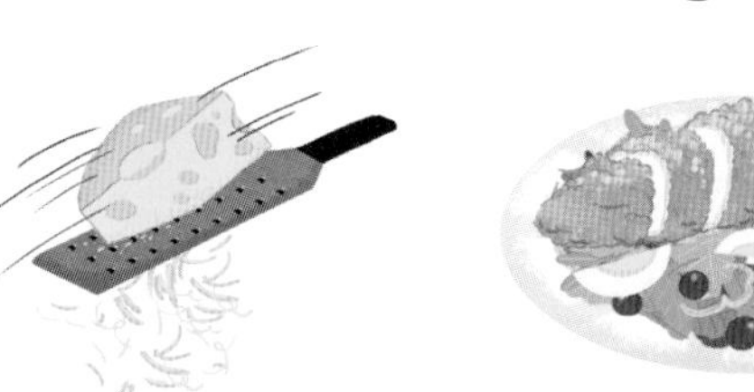

cheese 치즈

salad 샐러드

STEP 3 오늘의 단어를 따라 쓰세요.

s ______ b ______

p ______ s ______

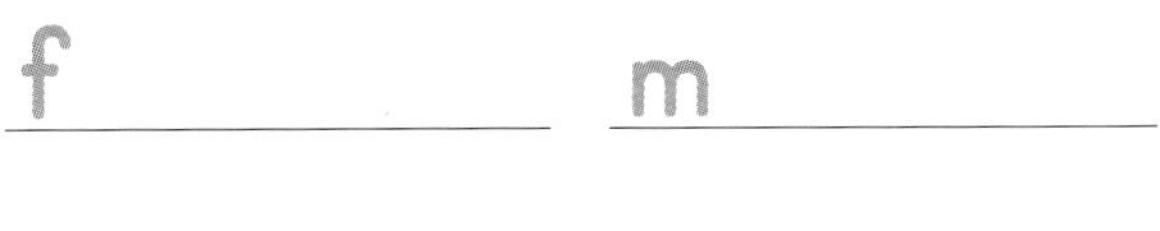

f ______ m ______

o ______ c ______

s ______ s ______

c ______ s ______

DAY 25 Test

Ⓐ 그림을 보고, 알맞은 단어를 고르세요.

1		2		3	
sugar	salad	salt	oil	cheese	chicken

Ⓑ 우리말에 맞게 알파벳을 바르게 배열하여 단어를 쓰세요.

1 흔들다 eksah ______________

2 튀기다, 굽다 yfr ______________

3 설탕 sgura ______________

4 소금 stla ______________

5 닭고기 cchekin ______________

Ⓒ 그림을 보고, 알맞은 단어를 찾아 쓰세요.

(얇게) 썰다 | 끓이다, 삶다 | 섞다, 섞이다 | 붓다, 따르다

보기 mix pour boil slice

정답 249쪽

D 그림을 보고, 알맞은 문장에 ✓ 하세요.

1
- [ ] Fry the chicken. 닭고기를 튀겨요.
- [ ] Boil the chicken. 닭고기를 삶아요.

2
- [ ] Mix the salad. 샐러드를 섞어요.
- [ ] Pour the oil. 기름을 부어요.

E 우리말에 맞게 알맞은 단어를 찾아 써서 문장을 완성하세요.

1 병을 흔들어요.

_____________ the bottle.

2 치즈를 얇게 썰어요.

_____________ the _____________.

3 설탕과 소금을 섞어요.

Mix _____________ and _____________.

보기	sugar	Shake	Slice	salt	cheese

오늘의 단어를 떠올리며, 오늘의 문장을 두 번씩 읽고 ✓ 하세요.

☑ ☑	Slice the tomatoes.	토마토를 얇게 썰어요.
1 2	Boil the eggs for 10 minutes.	달걀을 10분 동안 삶아요.
1 2	Fry the chicken with some oil.	약간의 기름과 함께 닭고기를 튀겨요.
1 2	Mix the salad.	샐러드를 섞어요.

DAY 26 방학 계획

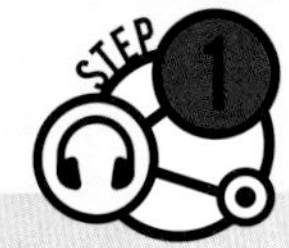

오늘의 단어를 듣고, 그림에서 찾아 동그라미 하세요.

찾지 못한 단어는 STEP 2에서 확인하세요.

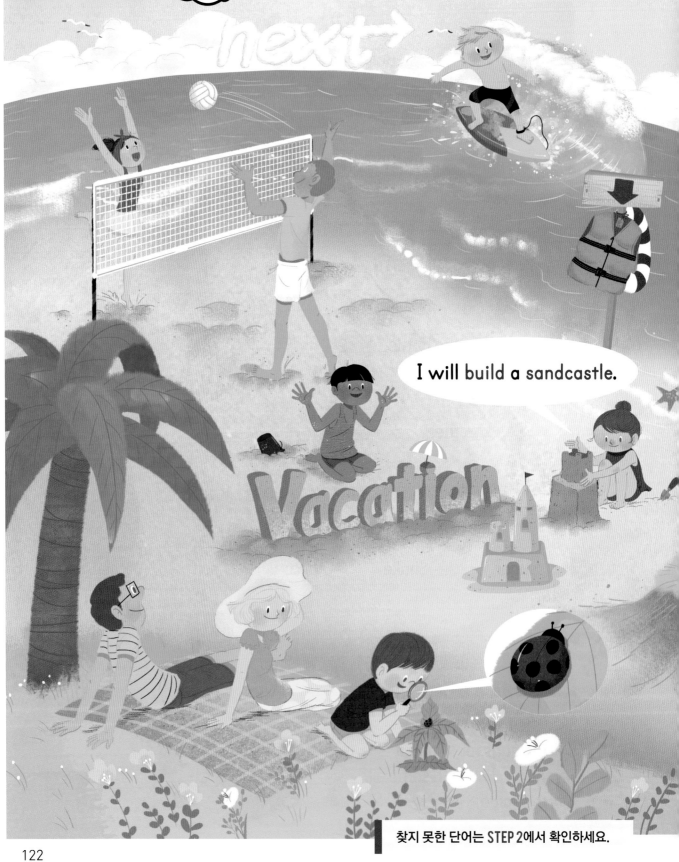

오늘의 문장 I will build a sandcastle.

STEP 2 오늘의 단어를 확인하고, 따라 말하세요.

vacation
휴가, 방학

next
다음의

go on a picnic
소풍을 가다

go surfing
서핑하러 가다

build
(건물 등을) 짓다

sandcastle
모래성

sea 바다

wave 파도

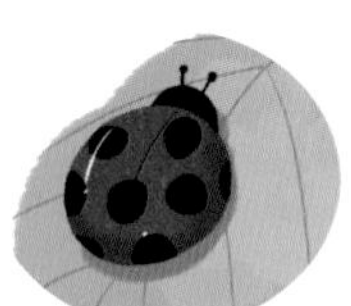

bug 벌레

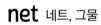

net 네트, 그물

volleyball
배구

life jacket
구명조끼

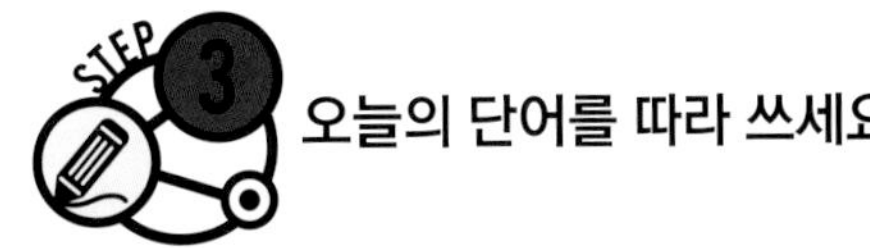

STEP 3 오늘의 단어를 따라 쓰세요.

v ______ n ______

g ______ g ______

b ______ s ______

s ______ w ______

b ______ n ______

v ______ l ______

DAY 26 Test

Ⓐ 그림을 보고, 알맞은 단어에 ✓ 하세요.

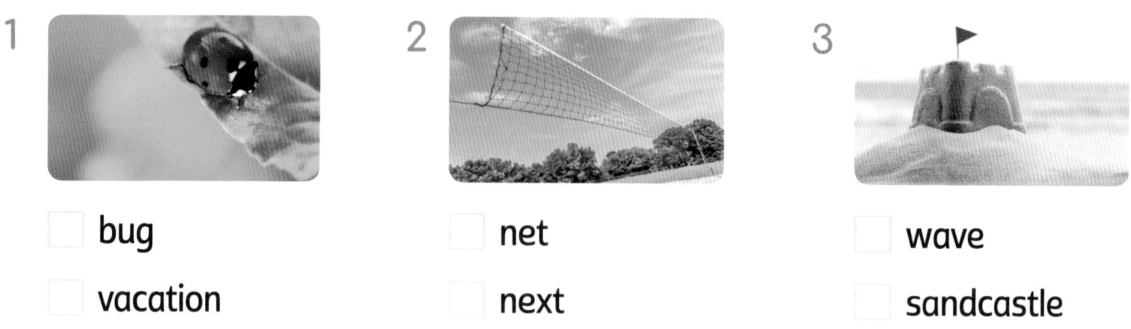

1 ☐ bug ☐ vacation

2 ☐ net ☐ next

3 ☐ wave ☐ sandcastle

Ⓑ 우리말에 맞게 빈칸에 알맞은 알파벳을 써서 단어를 완성하세요.

1 바다 s ☐ ☐

2 휴가, 방학 v ☐ c ☐ ☐ io ☐

3 다음의 ne ☐ ☐

4 구명조끼 ☐ if ☐ ja ☐ ☐ e ☐

5 배구 vol ☐ ☐ ☐ ba ☐ ☐

Ⓒ 그림을 보고, 그림 속에서 찾을 수 있는 단어를 모두 고르세요.

bug
wave
go on a picnic
build
life jacket

정답 249쪽

Ⓓ 우리말에 맞게 알맞은 단어를 연결하세요.

1	서핑하러 가다	go on	a sandcastle
2	소풍을 가다	go	a picnic
3	모래성을 짓다	build	surfing

Ⓔ 그림을 보고, 알맞은 단어를 써서 문장을 완성하세요.

미래에 내가 할 일을 나타낼 때는 I will 다음에 할 일을 넣어서 말해요.

1 

I will play ______________.
나는 배구를 할 거야.

2 

I will ______________ a sandcastle.
나는 모래성을 지을 거야.

3 

I will go ______________ on my vacation.
나는 방학에 서핑하러 갈 거야.

 오늘의 단어를 떠올리며, 오늘의 문장을 두 번씩 읽고 ✓ 하세요.

- ☑☑ I will build a sandcastle. 나는 모래성을 지을 거야.
- 1 2 I will go on a picnic. 나는 소풍을 갈 거야.
- 1 2 I will go surfing. 나는 서핑하러 갈 거야.
- 1 2 I will play volleyball on my vacation. 나는 방학에 배구를 할 거야.

DAY 27

시간과 일정

오늘의 단어를 듣고, 길을 따라가세요.

찾지 못한 단어는 STEP 2에서 확인하세요.

오늘의 문장 The supper begins at 6.

STEP 2 오늘의 단어를 확인하고, 따라 말하세요.

begin 시작하다

end 끝나다

hurry 서두르다

arrive 도착하다

hour 1시간

noon 정오, 낮 12시

tonight 오늘 밤

supper 저녁 (식사)

exam 시험

tour 여행, 관광

a.m. 오전

p.m. 오후

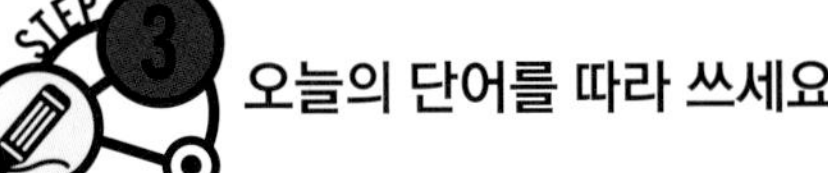

STEP 3 오늘의 단어를 따라 쓰세요.

b ______ e ______

h ______ a ______

h ______ n ______

t ______ s ______

e ______ t ______

a ______ p ______

DAY 27 Test

Ⓐ 그림을 보고, 알맞은 단어에 ✓ 하세요.

1 

☐ supper ☐ exam

2 

☐ tour ☐ hour

Ⓑ 우리말에 맞게 알파벳을 바르게 배열하여 단어를 쓰세요.

1 도착하다 arevri ______

2 끝나다 ned ______

3 오늘 밤 notthgi ______

4 시작하다 gebin ______

5 저녁 (식사) srppeu ______

Ⓒ 그림을 보고, 알맞은 단어를 찾아 쓰세요.

1 

______

2 

______

3 

______

보기 hour noon hurry

정답 250쪽

D 시간을 나타내는 그림을 보고, 알맞은 단어를 써서 문장을 완성하세요

1 The exam begins at 9 ____________.
시험은 오전 9시에 시작해요.

2 The tour ends at 7:10 ____________.
관광은 오후 7시 10분에 끝나요.

E 주어진 단어를 바르게 배열하여 문장을 쓰세요.

1 The tour | noon | . | at | begins
관광은 정오에 시작해요.
→ ________________________________

2 arrives | . | The bus | p.m. | 8 | at
버스는 오후 8시에 도착해요.
→ ________________________________

3 ends | 7 | at | . | The supper
저녁 식사는 7시에 끝나요.
→ ________________________________

오늘의 단어를 떠올리며, 오늘의 문장을 두 번씩 읽고 ✓ 하세요.

- ✓ ✓ The supper begins at 6. 저녁 식사는 6시에 시작해요.
- 1 2 The exam ends at 11:30 a.m. 시험은 오전 11시 30분에 끝나요.
- 1 2 The train arrives at noon. 기차는 정오에 도착해요.

DAY 28 핼러윈

STEP 1 오늘의 단어를 듣고, 그림에서 찾아 번호를 쓰세요.

찾지 못한 단어는 STEP 2에서 확인하세요.

오늘의 문장 We dress up on Halloween.

STEP 2 오늘의 단어를 확인하고, 따라 말하세요.

Halloween 핼러윈

pumpkin 호박

trick 장난, 속임수

treat 특별한 것, 기쁨

bat 박쥐

spider 거미

candle 양초

witch 마녀

neighbor 이웃 (사람)

dress up 변장하다, 차려입다

get 받다

knock 노크하다

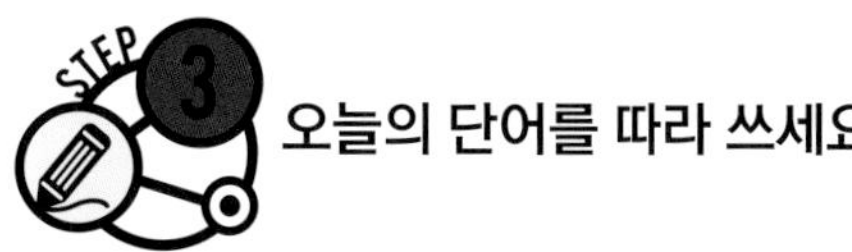

STEP 3 오늘의 단어를 따라 쓰세요.

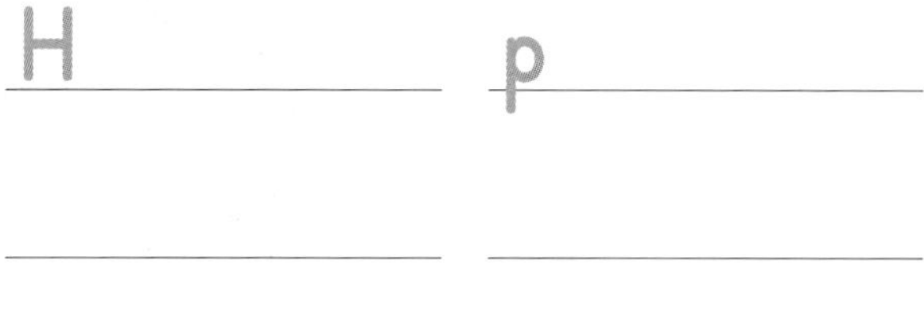

n d

g k

DAY 28 Test

Ⓐ 그림을 보고, 알맞은 단어를 골라 기호를 쓰세요.

보기
ⓐ bat
ⓑ witch
ⓒ pumpkin
ⓓ spider

Ⓑ 그림을 보고, 알맞은 단어와 우리말 뜻을 연결하세요.

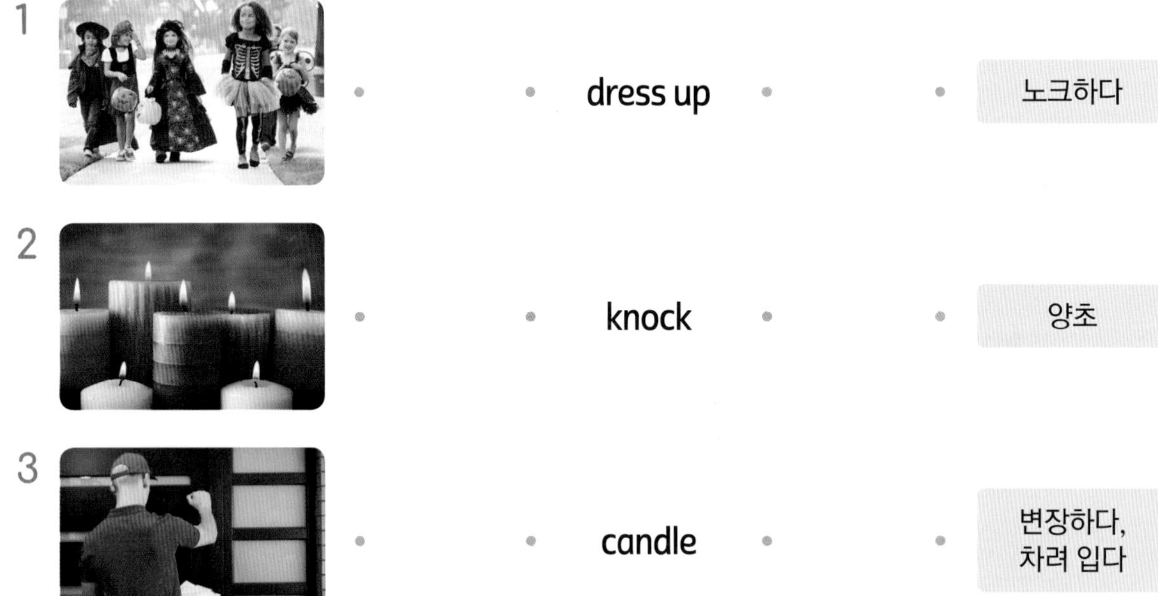

1 • • dress up • • 노크하다

2 • • knock • • 양초

3 • • candle • • 변장하다, 차려 입다

Ⓒ 우리말에 맞게 알맞은 단어를 찾아 쓰세요.

uptrickingneighborbattreateengetton

1 장난, 속임수 ____________ 2 이웃 (사람) ____________

3 받다 ____________ 4 특별한 것, 기쁨 ____________

정답 250쪽

D 그림을 보고, 알맞은 단어를 써서 문장을 완성하세요.

1 We ________ candies on Halloween.
우리는 핼러윈에 사탕을 받아요.

2 We eat ________ cookies on Halloween.
우리는 핼러윈에 호박 쿠키를 먹어요.

특정한 날은 앞에 on을 써서 말해요.

E 우리말에 맞게 알맞은 단어를 찾아 써서 문장을 완성하세요.

1 우리는 핼러윈에 변장해요.
We ________ ________ on Halloween.

2 우리는 핼러윈에 "사탕 아니면 장난!"이라고 말해요.
We say " ________ or Treat!" on ________.

3 우리는 핼러윈에 호박 바구니를 만들어요.
We make ________ baskets on Halloween.

보기	Trick	dress up	pumpkin	Halloween

오늘의 단어를 떠올리며, 오늘의 문장을 두 번씩 읽고 ✓ 하세요.

- ☑☑ We dress up on Halloween. 우리는 핼러윈에 변장해요.
- 1 2 We say "Trick or Treat!" on Halloween. 우리는 핼러윈에 "사탕 아니면 장난!"이라고 말해요.
- 1 2 We get candies on Halloween. 우리는 핼러윈에 사탕을 받아요.

Review Test

A 다음 단어의 우리말 뜻을 쓰세요.

1 candle ____________
2 end ____________
3 volleyball ____________
4 salad ____________
5 sea ____________
6 begin ____________
7 Halloween ____________
8 cheese ____________
9 bat ____________
10 next ____________
11 arrive ____________
12 go surfing ____________
13 oil ____________
14 noon ____________
15 exam ____________
16 dress up ____________
17 boil ____________
18 p.m. ____________
19 treat ____________
20 sandcastle ____________
21 pour ____________
22 get ____________
23 build ____________
24 chicken ____________

B 다음 우리말 뜻에 해당하는 단어를 쓰세요.

1 서두르다 ____________
2 호박 ____________
3 소풍을 가다 ____________
4 섞다, 섞이다 ____________
5 오전 ____________
6 흔들다 ____________
7 구명조끼 ____________
8 저녁 (식사) ____________
9 설탕 ____________
10 마녀 ____________
11 장난, 속임수 ____________
12 휴가, 방학 ____________
13 1시간 ____________
14 이웃 (사람) ____________
15 소금 ____________
16 네트, 그물 ____________
17 노크하다 ____________
18 파도 ____________
19 (얇게) 썰다 ____________
20 여행, 관광 ____________
21 벌레 ____________
22 거미 ____________
23 튀기다, 굽다 ____________
24 오늘 밤 ____________

정답 265쪽

C 우리말에 맞게 알맞은 단어를 찾아 써서 문장을 완성하세요.

보기: get / vacation / salt / arrives / Mix / volleyball / Halloween

1 기차는 오후 4시에 도착해.

The train ______________ at 4 p.m.

2 물과 소금을 섞어요.

______________ water and ______________.

3 우리는 핼러윈에 사탕을 받아요.

We ______________ candies on ______________.

4 나는 방학에 배구를 할 거야.

I will play ______________ on my ______________.

D 주어진 단어를 바르게 배열하여 문장을 쓰세요.

1 some oil / the egg / with / Fry / .

약간의 기름과 함께 달걀을 부쳐요.

→ ______________________________

2 go on a picnic / . / will / on my vacation / I

나는 방학에 소풍을 갈 거야.

→ ______________________________

3 dress up / on Halloween / . / We

우리는 핼러윈에 변장해요.

→ ______________________________

4 The exam / noon / begins / . / at

시험은 정오에 시작해요.

→ ______________________________

신 체

오늘의 단어를 듣고, 그림에서 찾아 동그라미 하세요.

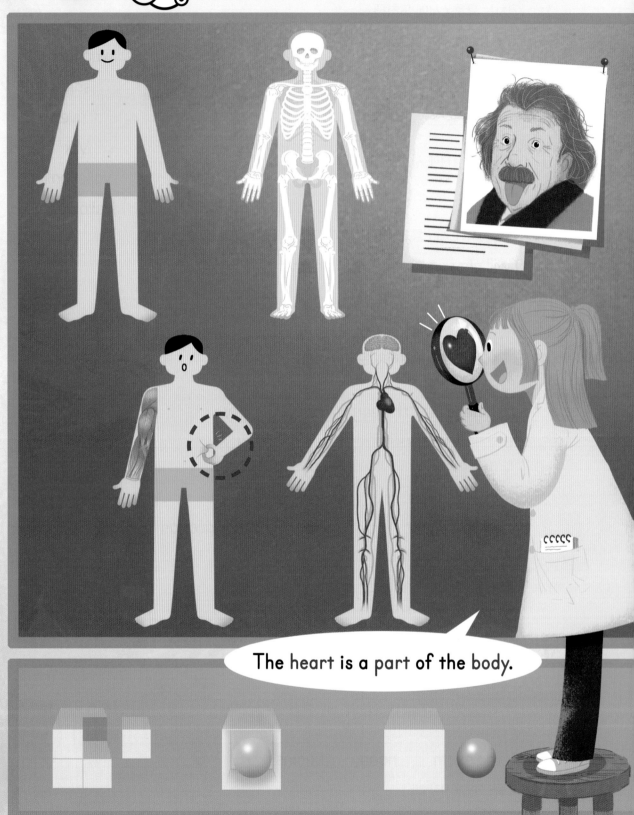

The heart is a part of the body.

찾지 못한 단어는 STEP 2에서 확인하세요.

오늘의 문장 The heart is a part of the body.

STEP 2 오늘의 단어를 확인하고, 따라 말하세요.

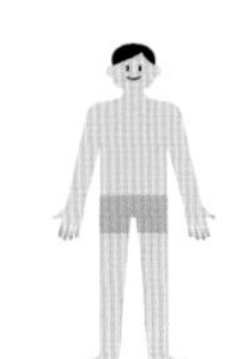
body 몸, 몸통

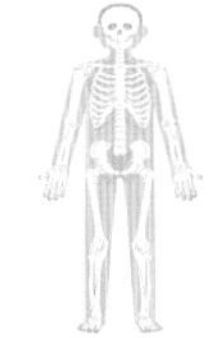
bone 뼈

skin 피부

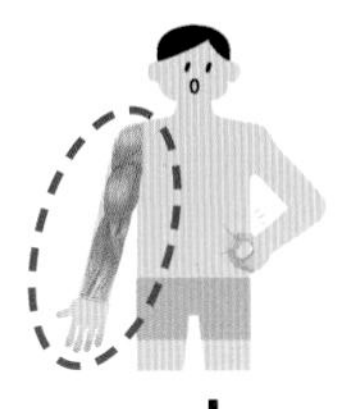
muscle 근육

brain 뇌

heart 심장, 가슴

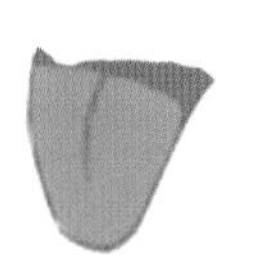
tongue 혀

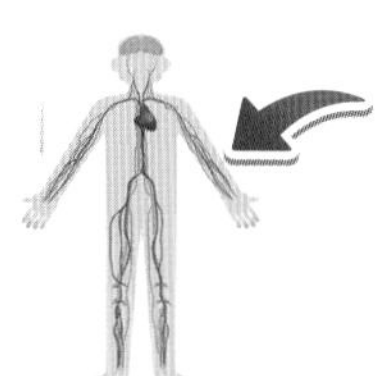
blood 피, 혈액

inside
안, 내부

outside
겉, 바깥

find 찾다, 발견하다

part 부분, 일부

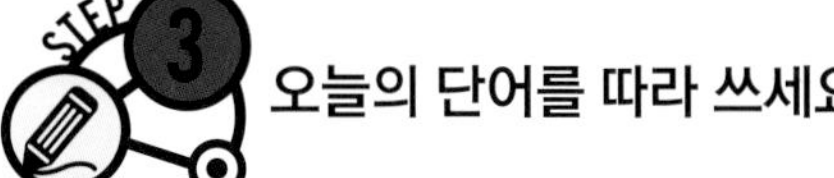

STEP 3 오늘의 단어를 따라 쓰세요.

b________ b________

s________ m________

b________ h________

t________ b________

i________ o________

f________ p________

DAY 29 Test

Ⓐ 그림을 보고, 알맞은 단어를 골라 기호를 쓰세요.

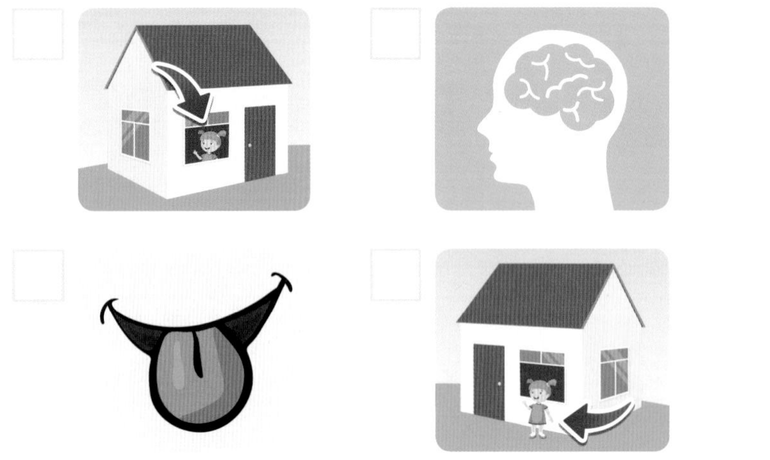

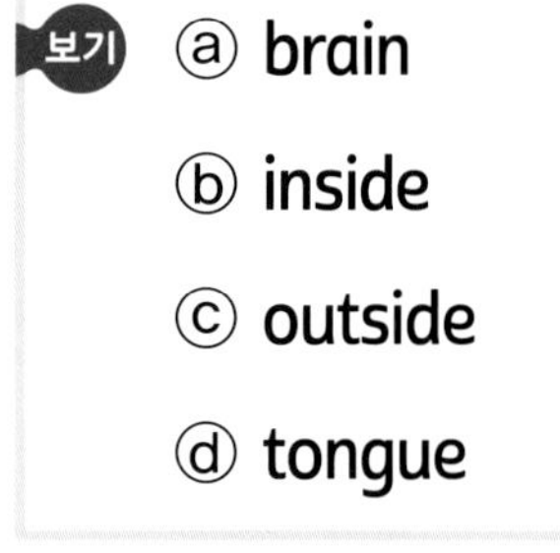

보기 ⓐ brain ⓑ inside ⓒ outside ⓓ tongue

Ⓑ 우리말에 맞게 빈칸에 알맞은 알파벳을 써서 단어를 완성하세요.

1 피부 _ _ in

2 찾다, 발견하다 f _ _ d

3 부분, 일부 _ ar _

4 피, 혈액 b _ _ _ d

5 근육 m _ _ _ le

6 몸, 몸통 _ o _ y

Ⓒ 그림을 보고, 알맞은 단어를 찾아 쓰세요.

1 2 3

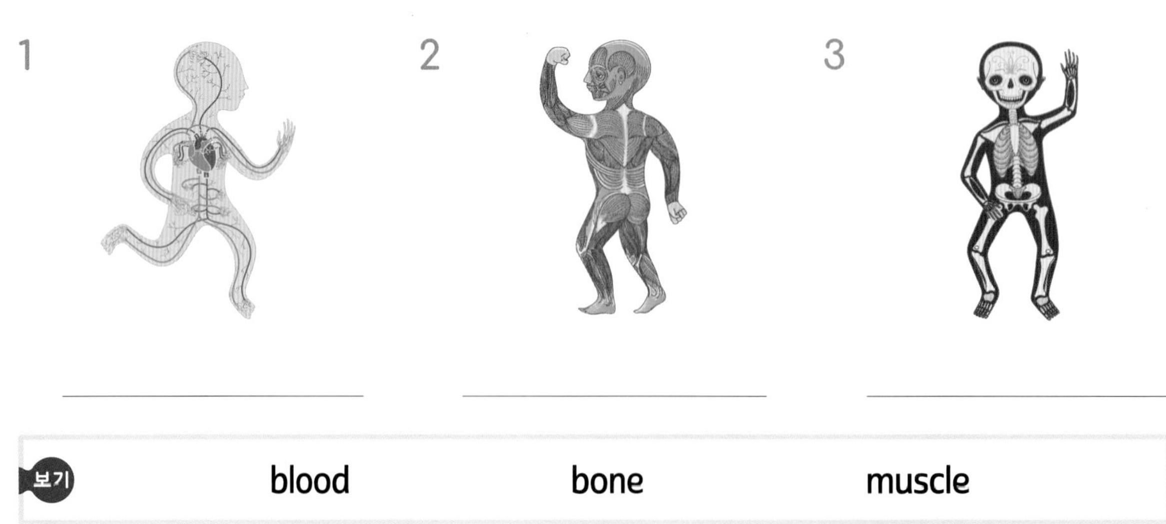

보기 blood bone muscle

정답 251쪽

D 그림을 보고, 알맞은 단어를 써서 문장을 완성하세요.

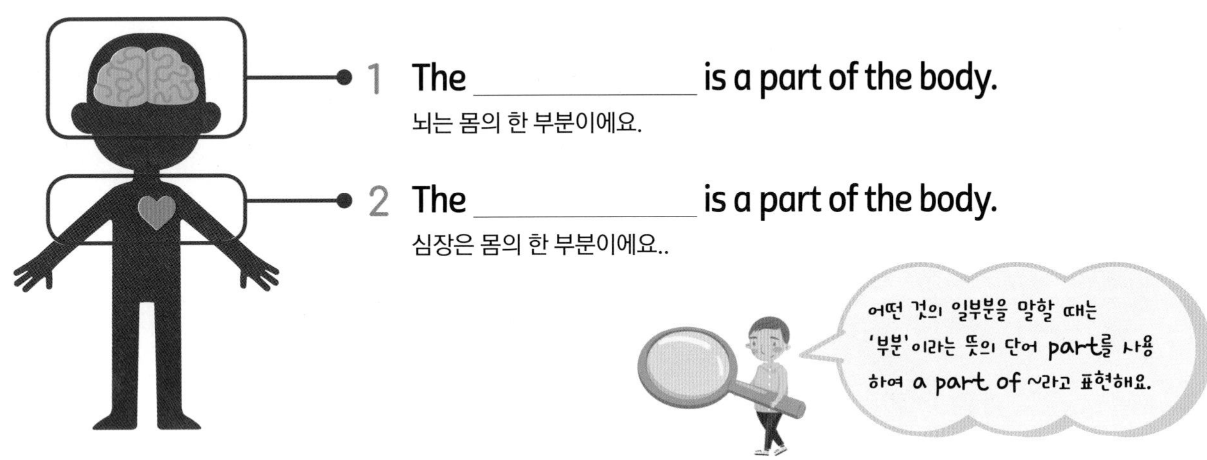

어떤 것의 일부분을 말할 때는
'부분'이라는 뜻의 단어 part를 사용
하여 a part of ~라고 표현해요.

1 The ______________ is a part of the body.
뇌는 몸의 한 부분이에요.

2 The ______________ is a part of the body.
심장은 몸의 한 부분이에요..

E 우리말에 맞게 알맞은 단어를 써서 문장을 완성하세요.

1 심장은 몸의 한 부분이에요.
The heart is a part of the ______________.

2 혀는 몸의 한 부분이에요.
The ______________ is a part of the body.

3 뇌는 몸의 한 부분이에요.
The brain is a ______________ of the ______________.

 오늘의 단어를 떠올리며, 오늘의 문장을 두 번씩 읽고 ✓ 하세요.

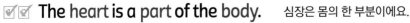

☑☑ The heart is a part of the body. 심장은 몸의 한 부분이에요.
1 2 The brain is a part of the body. 뇌는 몸의 한 부분이에요.
1 2 The tongue is a part of the body. 혀는 몸의 한 부분이에요.

DAY 30

물건과 재료

오늘의 단어를 듣고, 그림에서 찾아 동그라미 하세요.

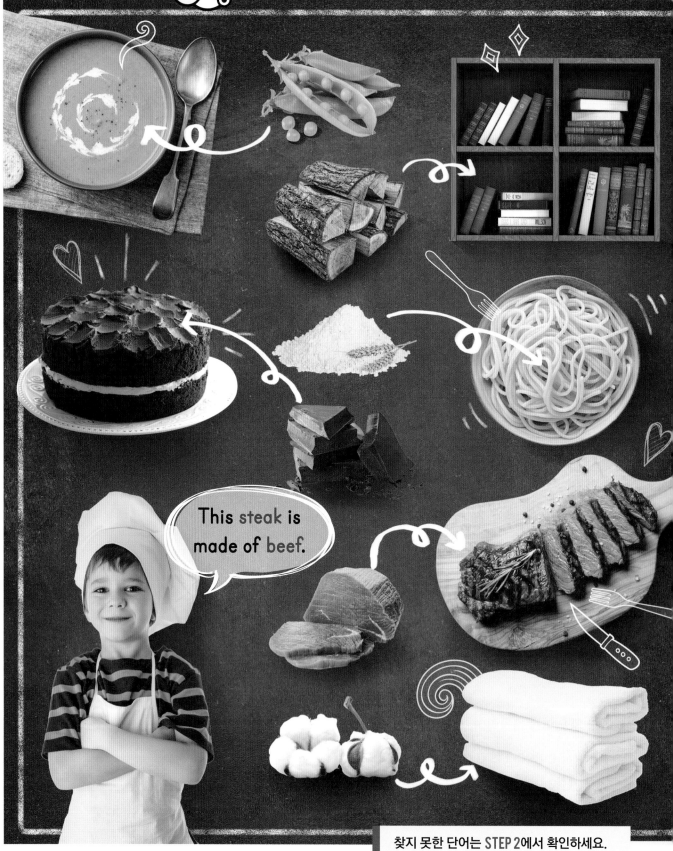

This steak is made of beef.

찾지 못한 단어는 STEP 2에서 확인하세요.

오늘의 문장 This steak is made of beef.

STEP 2 오늘의 단어를 확인하고, 따라 말하세요. 

noodles 국수

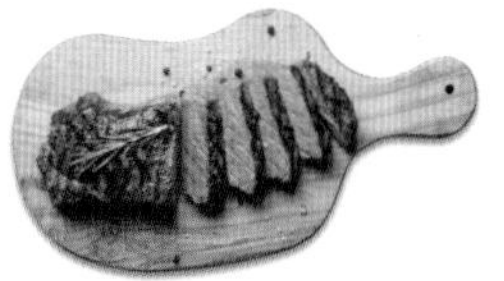
steak 스테이크

soup 수프

cake 케이크

towel 수건

bookshelf 책장

flour 밀가루

beef 소고기

bean 콩

chocolate 초콜릿

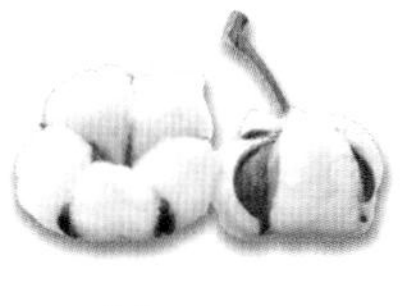
cotton 면, 솜

wood 나무

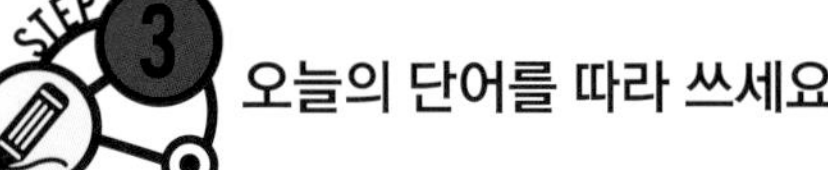
STEP 3 오늘의 단어를 따라 쓰세요.

n s

s c

t b

f b

b c

c w

DAY 30 Test

Ⓐ 그림을 보고, 알맞은 단어에 ✓ 하세요.

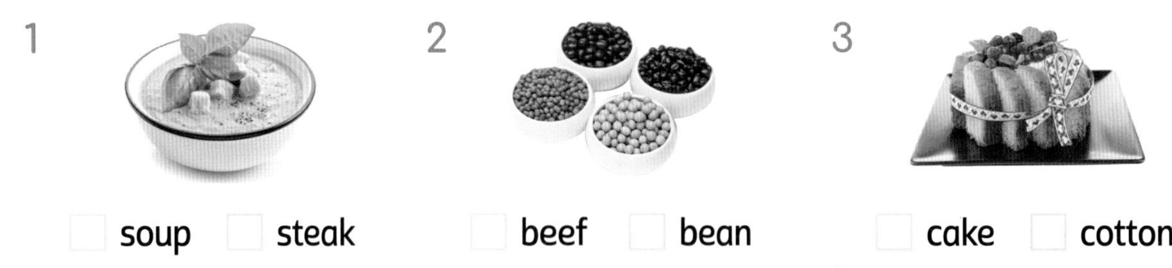

1 ☐ soup ☐ steak

2 ☐ beef ☐ bean

3 ☐ cake ☐ cotton

Ⓑ 우리말에 맞게 알파벳을 바르게 배열하여 단어를 쓰세요.

1	국수	endolos	________
2	수건	telwo	________
3	책장	esholfbok	________
4	면, 솜	ctoont	________
5	초콜릿	lachcoteo	________

Ⓒ 그림을 보고, 알맞은 단어를 찾아 쓰세요.

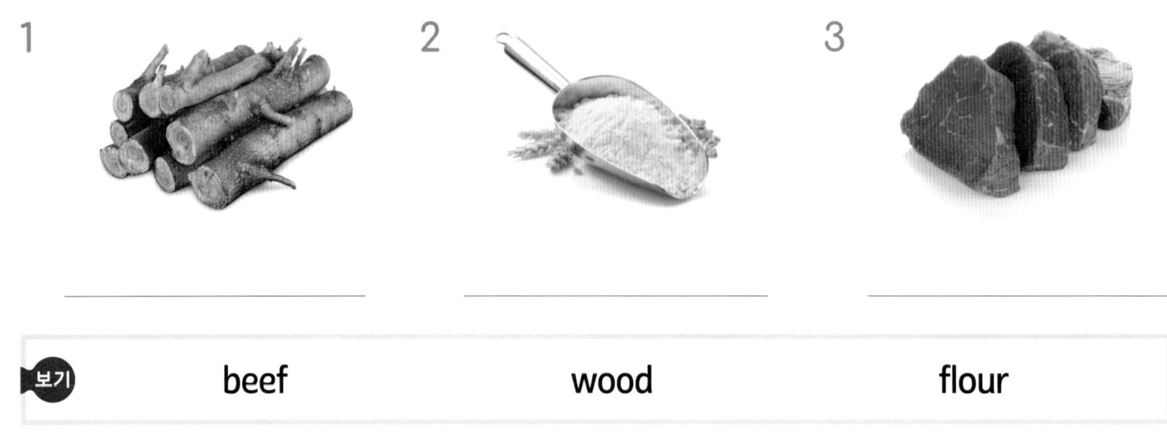

1 ________ 2 ________ 3 ________

보기	beef	wood	flour

정답 251쪽

D 우리말에 맞게 알맞은 단어에 ✓ 해서 문장을 완성하세요.

무엇으로 만들어졌는지 나타낼 때는 ~is/are made of를 사용해요.

1 이 책장은 나무로 만든 거예요.

This bookshelf is made of ______________.

☐ cotton
☐ wood

2 이 스테이크는 소고기로 만든 거예요.

This ___________ is made of beef.

☐ steak
☐ bean

E 그림을 보고, 알맞은 단어를 써서 문장을 완성하세요.

1 This cake is made of ______________.
이 케이크는 초콜릿으로 만든 거예요.

2 This ______________ is made of cotton.
이 수건은 면으로 만든 거예요.

3 These ______________ are made of ______________.
이 국수는 밀가루로 만든 거예요.

오늘의 단어를 떠올리며, 오늘의 문장을 두 번씩 읽고 ✓ 하세요.

☑ ☑ This steak is made of beef. 이 스테이크는 소고기로 만든 거예요.
1 2 This cake is made of chocolate. 이 케이크는 초콜릿으로 만든 거예요.
1 2 These noodles are made of flour. 이 국수는 밀가루로 만든 거예요.

DAY 31 학 교

오늘의 단어를 듣고, 그림에서 찾아 번호를 쓰세요.

찾지 못한 단어는 STEP 2에서 확인하세요.

오늘의 문장 I go to elementary school.

오늘의 단어를 확인하고, 따라 말하세요.

elementary school 초등학교

middle school 중학교

high school 고등학교

college 대학교

school uniform 교복

grade 학년

classmate 반 친구

classroom 교실

professor 교수

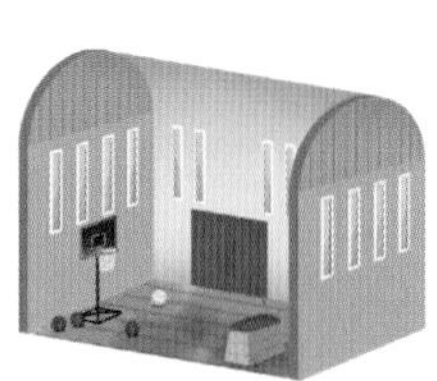

gym 체육관

board 게시판

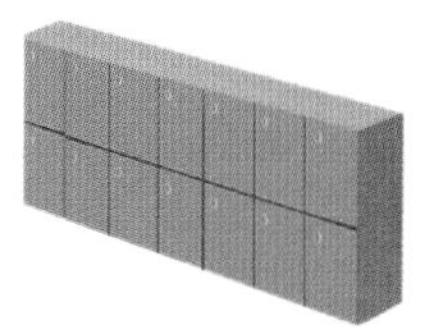

locker 사물함

오늘의 단어를 따라 쓰세요.

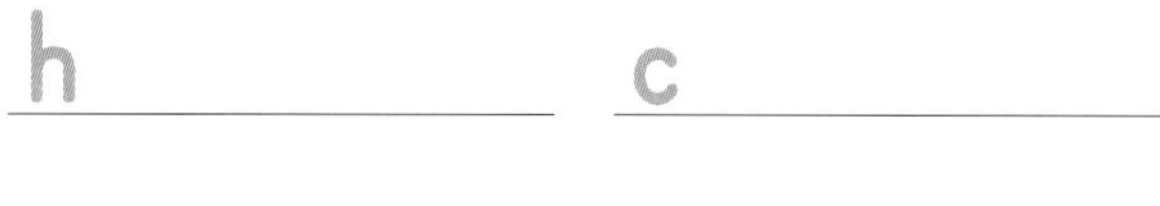

c ______ c ______

p ______ g ______

b ______ l ______

Ⓐ 그림을 보고, 알맞은 단어를 고르세요.

Ⓑ 그림을 보고, 알맞은 단어와 우리말 뜻을 연결하세요.

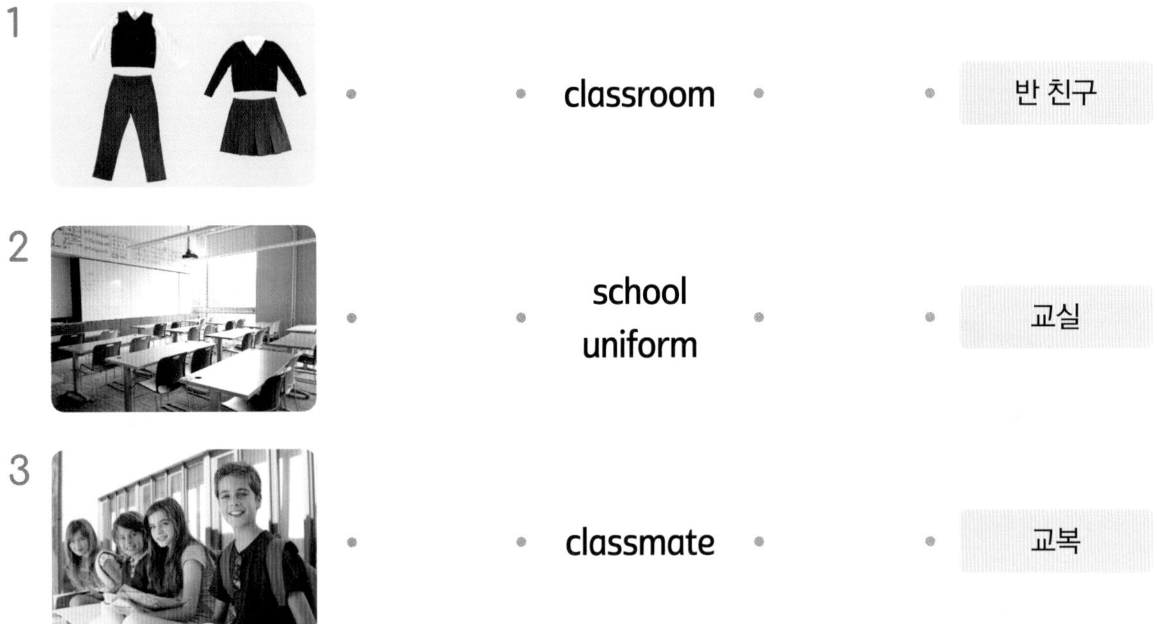

Ⓒ 우리말에 맞게 빈칸에 알맞은 알파벳을 써서 단어를 완성하세요.

1 대학교 co l e
2 학년 ad
3 게시판 b rd
4 사물함 o er

D 우리말에 맞게 퍼즐 조각을 맞추어 단어를 쓰세요.

high | school | elementary | middle | school | school

1 초등학교 ____________ ____________

2 중학교 ____________ ____________

3 고등학교 ____________ ____________

E 우리말에 맞게 알맞은 단어를 써서 문장을 완성하세요.

1 나는 초등학교에 다녀요.

I go to ____________ ____________.

2 그는 고등학교에 다녀요.

He goes to ____________ ____________.

3 우리는 대학교에 다녀요.

We go to ____________.

go는 '(학교에) 다니다'라는 뜻으로도 쓰여요. 문장에 He, She, 사람 이름이 나올 때는 go를 goes로 바꿔 써요.

 오늘의 단어를 떠올리며, 오늘의 문장을 두 번씩 읽고 ✓ 하세요.

☑☑ I go to elementary school. 나는 초등학교에 다녀요.

1 2 He goes to middle school. 그는 중학교에 다녀요.

1 2 She goes to high school. 그녀는 고등학교에 다녀요.

1 2 They go to college. 그들은 대학교에 다녀요.

DAY 32

장소와 위치

STEP 1 오늘의 단어를 듣고, 그림에서 찾아 동그라미 하세요.

I am standing on top of the hill.

OPEN

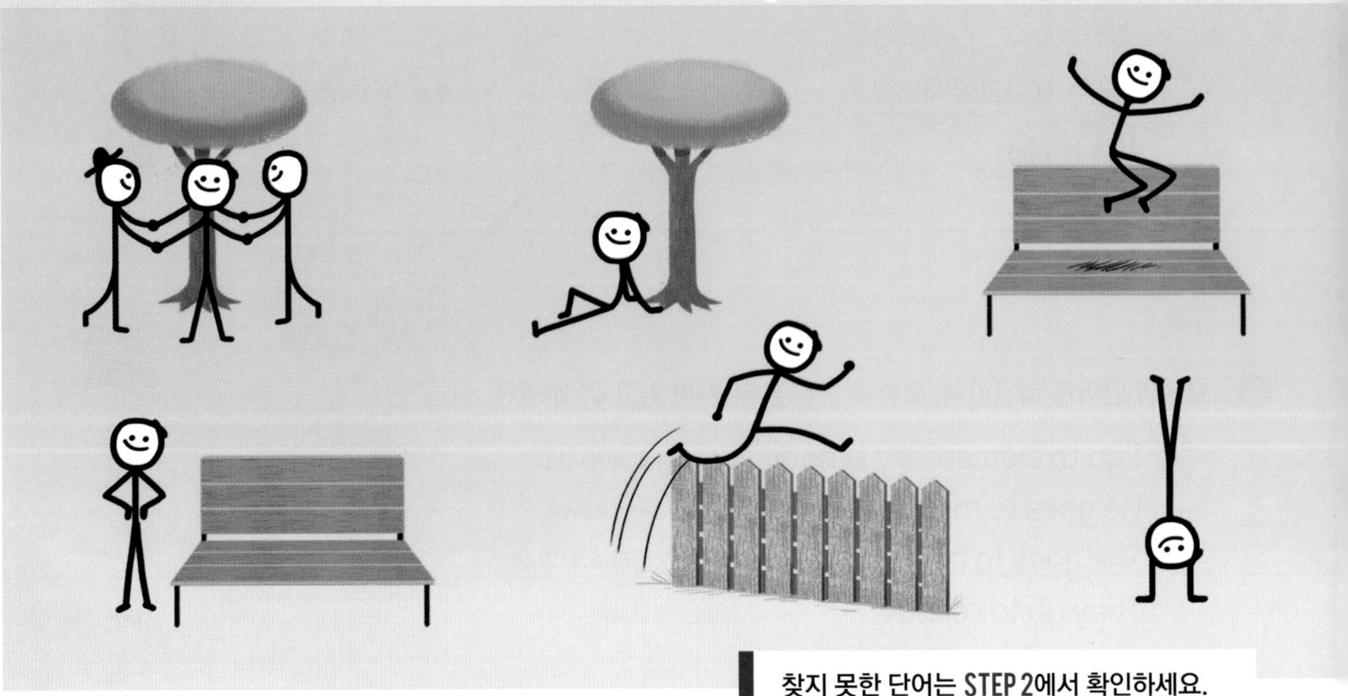

찾지 못한 단어는 STEP 2에서 확인하세요.

오 늘 의 문 장 I am standing on top of the hill.

오늘의 단어를 확인하고, 따라 말하세요.

hill 언덕

top 꼭대기, 맨 위

middle 중간, 한 가운데

bottom 바닥, 맨 아래

pool 수영장

store 가게, 상점

above ~(보다) 위에

below ~(보다) 아래에

over ~을 건너, 넘어

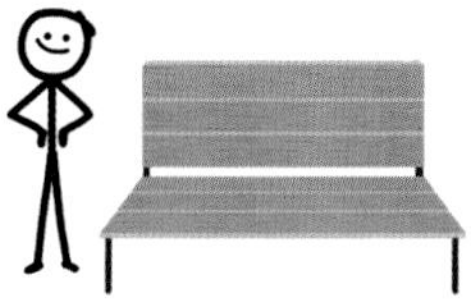

beside ~ 옆에

around ~의 주위를 돌아

upside down 거꾸로

오늘의 단어를 따라 쓰세요.

h ______ t ______

m ______ b ______

p ______ s ______

a ______ b ______

o ______ b ______

a ______ u ______

DAY **32** Test

A 그림을 보고, 알맞은 단어를 골라 기호를 쓰세요.

보기 ⓐ bottom ⓑ top ⓒ store ⓓ middle ⓔ pool

B 그림을 보고, 공룡의 위치와 모습을 나타내는 단어를 찾아 쓰세요.

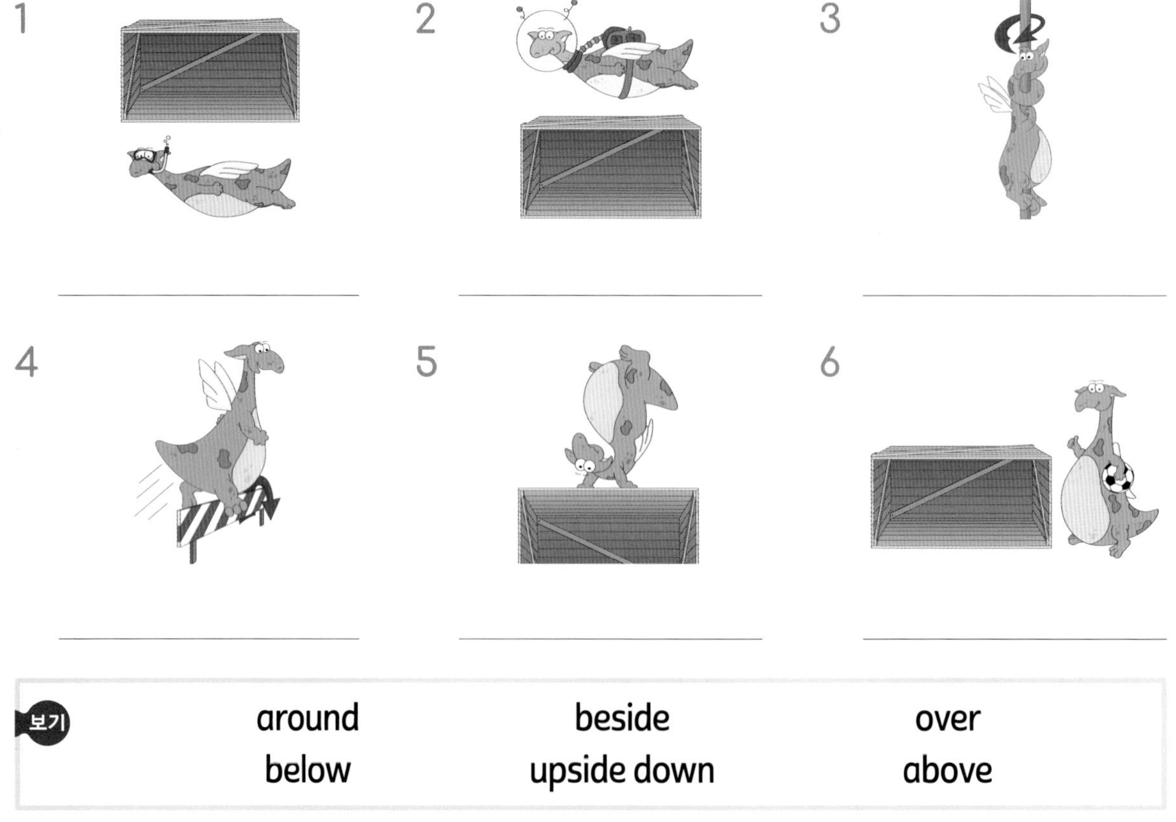

보기 around beside over below upside down above

정답 252쪽

 그림을 보고, 알맞은 단어를 골라 문장을 완성하세요.

1 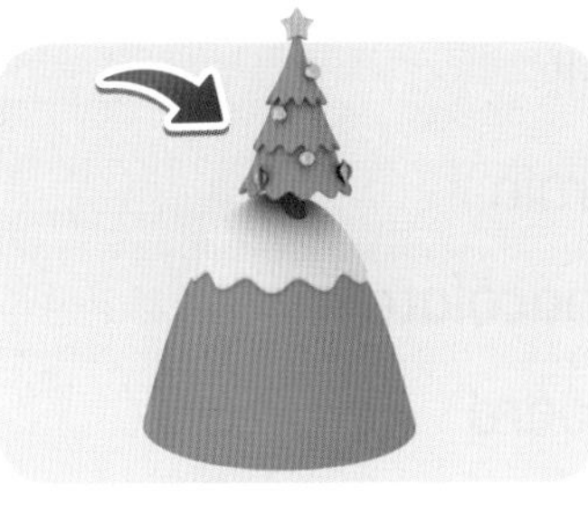

The tree is on (bottom / top) of the hill.
나무는 언덕 꼭대기에 있어요.

2 

The cat is sleeping (beside / below) the store.
고양이는 상점 옆에서 잠자고 있어요.

D 우리말에 맞게 알맞은 단어를 써서 문장을 완성하세요.

1 제과점은 모퉁이를 돌아서 있어요.

The bakery is ____________ the corner.

2 남자아이는 수영장 옆에 서 있어요.

The boy is standing beside the ____________.

3 상점은 언덕 꼭대기에 있어요.

The ____________ is on top of the ____________.

 오늘의 단어를 떠올리며, 오늘의 문장을 두 번씩 읽고 ✓ 하세요.

☑☑ I am standing on top of the hill. 나는 언덕 꼭대기에 서 있어요.
1 2 The dog is sitting beside the pool. 개는 수영장 옆에 앉아 있어요.
1 2 The store is around the corner. 상점은 모퉁이를 돌아서 있어요.

Review Test

A 다음 단어의 우리말 뜻을 쓰세요.

1 gym ____________
2 above ____________
3 muscle ____________
4 wood ____________
5 skin ____________
6 professor ____________
7 find ____________
8 soup ____________
9 outside ____________
10 upside down ____________
11 grade ____________
12 noodles ____________
13 hill ____________
14 brain ____________
15 chocolate ____________
16 board ____________
17 over ____________
18 part ____________
19 bottom ____________
20 cake ____________
21 high school ____________
22 beef ____________
23 store ____________
24 college ____________

B 다음 우리말 뜻에 해당하는 단어를 쓰세요.

1 밀가루 ____________
2 교실 ____________
3 몸, 몸통 ____________
4 ~(보다) 아래에 ____________
5 수건 ____________
6 혀 ____________
7 반 친구 ____________
8 수영장 ____________
9 안, 내부 ____________
10 콩 ____________
11 중간, 한 가운데 ____________
12 초등학교 ____________
13 피, 혈액 ____________
14 ~ 옆에 ____________
15 면, 솜 ____________
16 책장 ____________
17 심장, 가슴 ____________
18 꼭대기, 맨 위 ____________
19 중학교 ____________
20 ~의 주위를 돌아 ____________
21 스테이크 ____________
22 뼈 ____________
23 사물함 ____________
24 교복 ____________

C 우리말에 맞게 알맞은 단어를 찾아 써서 문장을 완성하세요.

1 이 국수는 밀가루로 만든 거예요.

These noodles are made of ________.

2 나는 초등학교에 다녀요.

I go to ________ ________.

3 그는 수영장 옆에 앉아 있어요.

He is sitting ________ the ________.

4 뇌는 몸의 한 부분이에요.

The ________ is a part of the ________.

보기
pool
body
brain
flour
elementary school
beside

D 주어진 단어를 바르게 배열하여 문장을 쓰세요.

1 is made of / cotton / . / This towel

이 수건은 면으로 만든 거예요.

→ ________________________

2 a part of / . / the body / The heart / is

심장은 몸의 한 부분이에요.

→ ________________________

3 goes to / middle school / She / .

그녀는 중학교에 다녀요.

→ ________________________

4 The store / the hill / on top of / . / is

상점은 언덕 꼭대기에 있어요.

→ ________________________

DAY 33

캠핑 준비와 규칙

STEP 1 오늘의 단어를 듣고, 그림에서 찾아 동그라미 하세요.

http://www.ilikecamping.oom

camping

Camping

Home
About
Menu
Contact

Camping

You should carry a first-aid kit.

NO!

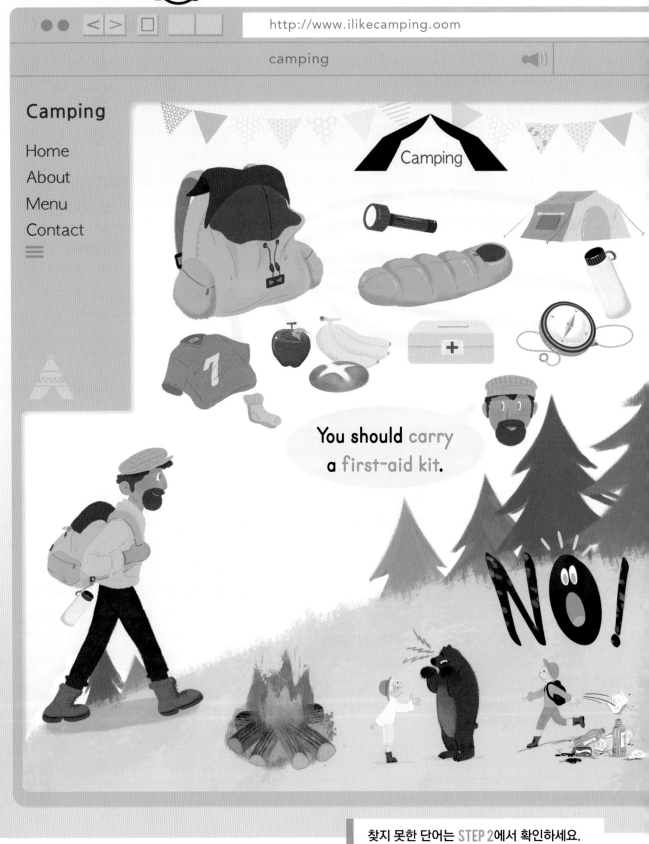

찾지 못한 단어는 STEP 2에서 확인하세요.

STEP 2 오늘의 단어를 확인하고, 따라 말하세요.

tent 텐트

backpack 배낭

sleeping bag
침낭

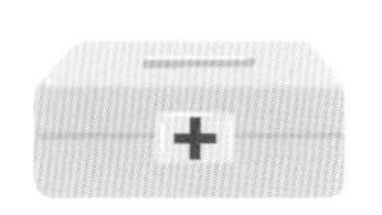

first-aid kit
구급상자

clothes 옷

snack 간식

compass 나침반

flashlight 손전등

carry
들고 가다, 가지고 다니다

leave
떠나다, 두고 오다

burn (불에) 태우다

near ~에 가까이

STEP 3 오늘의 단어를 따라 쓰세요.

t ______ b ______

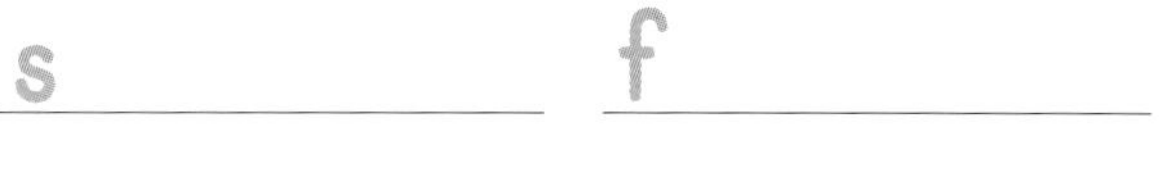

s ______ f ______

c ______ s ______

c ______ f ______

c ______ l ______

b ______ n ______

DAY 33 Test

A 그림을 보고, 알맞은 단어에 ✓ 하세요.

1
- [ ] compass
- [ ] clothes

2
- [ ] first-aid kit
- [ ] flashlight

3
- [ ] snack
- [ ] sleeping bag

B 우리말에 맞게 빈칸에 알맞은 알파벳을 써서 단어를 완성하세요.

1 ~에 가까이 ___ e ___ r

2 태우다 bu ___ ___

3 떠나다, 두고 오다 l ___ ___ ___ e

4 구급상자 fir ___ ___ - a ___ d ___ it

5 침낭 s ___ eep ___ ng b ___ ___

C 그림을 보고, 주어진 알파벳으로 시작하는 단어를 쓰세요.

1 b________

2 t________

3 c________

D 목록을 보고, 목록에 있는 준비물에 모두 ✓ 해서 문장을 완성하세요.

캠핑 준비물
- ☐ 손전등
- ☐ 나침반
- ☐ 구급상자

You should carry ______________.

- ☐ a flashlight
- ☐ a first-aid kit
- ☐ some snacks
- ☐ a compass

해야 하는 일을 나타낼 때는 단어 should를 사용합니다. 반대로 하지 말아야 하는 것은 should not (shouldn't)으로 나타낼 수 있어요.

E 그림을 보고, 알맞은 단어를 써서 문장을 완성하세요.

1 
O

You should ______________ a backpack.
배낭을 들고 가야 해.

2 
O

You should carry a ______________ ______________.
침낭을 들고 가야 해.

3 
X

You shouldn't ______________ the garbage behind.
뒤에 쓰레기를 두고 오지 말아야 해.

 오늘의 단어를 떠올리며, 오늘의 문장을 두 번씩 읽고 ✓ 하세요.

☑ ☑	You should carry a first-aid kit.	구급상자를 들고 가야 해.
1 2	You should carry a compass.	나침반을 들고 가야 해.
1 2	You should carry warm clothes.	따뜻한 옷을 들고 가야 해.
1 2	You shouldn't leave the garbage behind.	뒤에 쓰레기를 두고 오지 말아야 해.

DAY 34

운동 경기

STEP 1 오늘의 단어를 듣고, 그림에서 찾아 번호를 쓰세요.

I am good at hitting the ball.

찾지 못한 단어는 STEP 2에서 확인하세요.

STEP 2 오늘의 단어를 확인하고, 따라 말하세요.

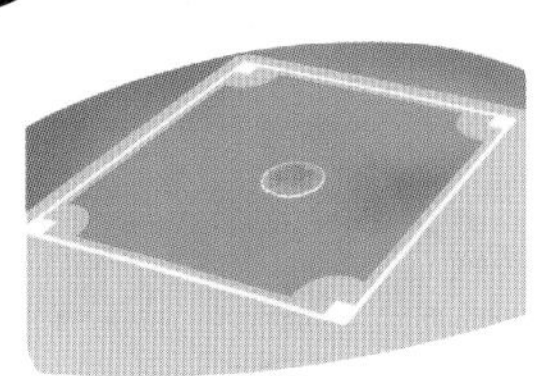

field 경기장

crowd 군중

coach 코치, 감독

player (운동) 선수

throw 던지다

hit (공을) 치다

pass (공을) 주고받다

catch 잡다, 받다

kick 발로 차다

cheer 응원하다

start 시작하다

finish 끝나다

STEP 3 오늘의 단어를 따라 쓰세요.

f ______ c ______

c ______ p ______

t ______ h ______

p ______ c ______

k ______ c ______

s ______ f ______

DAY 34 Test

Ⓐ 그림을 보고, 알맞은 단어에 ✓ 하세요.

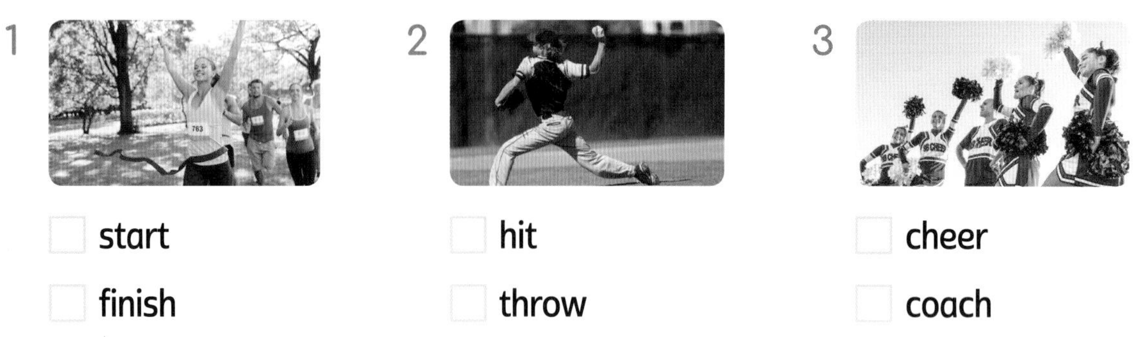

1 □ start □ finish

2 □ hit □ throw

3 □ cheer □ coach

Ⓑ 우리말에 맞게 알파벳을 바르게 배열하여 단어를 쓰세요.

1 (공을) 주고받다 saps ________

2 (운동) 선수 erlpay ________

3 경기장 deifl ________

4 시작하다 sttra ________

5 던지다 rthwo ________

Ⓒ 그림을 보고, 알맞은 단어를 골라 기호를 쓰세요.

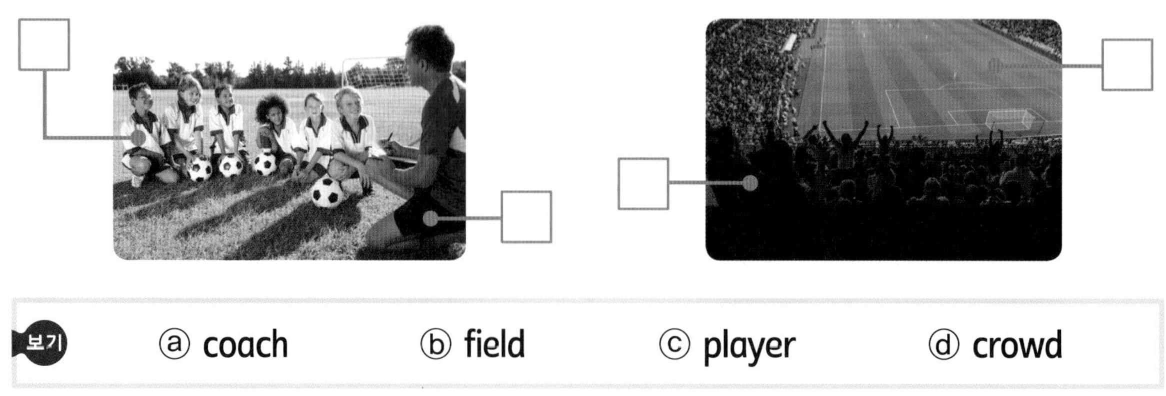

보기 ⓐ coach ⓑ field ⓒ player ⓓ crowd

D 〈보기〉를 보고, 단어의 형태를 바꿔 쓰세요.

보기 throw → throwing
던지다 → 던지는 것

1 catch → ______
잡다 → 잡는 것

2 kick → ______
발로 차다 → 발로 차는 것

3 start → ______
시작하다 → 시작하는 것

4 cheer → ______
응원하다 → 응원하는 것

내가 잘 하는 일을 나타낼 때는 I am good at ~을 사용해요. 이때 at 뒤에 동작을 나타내는 단어에는 -ing를 붙여서 형태를 바꿔요. hit은 뒤에 t를 하나 더 붙여서 hitting으로 써야 해요.

E 그림을 보고, 알맞은 단어를 써서 문장을 완성하세요.

1 I am good at ______ the ball.
나는 공을 차는 것을 잘해.

2 I am good at ______ the ball.
나는 공을 잡는 것을 잘해.

3 I am good at ______ the ball.
나는 공을 치는 것을 잘해.

오늘의 단어를 떠올리며, 오늘의 문장을 두 번씩 읽고 ✓ 하세요.

- ☑☑ I am good at hitting the ball. 나는 공을 치는 것을 잘해.
- 1 2 I am good at catching the ball. 나는 공을 잡는 것을 잘해.
- 1 2 I am good at throwing the ball. 나는 공을 던지는 것을 잘해.
- 1 2 I am good at kicking the ball. 나는 공을 차는 것을 잘해.

DAY 35 도 형

STEP 1 오늘의 단어를 듣고, 그림에서 찾아 동그라미 하세요.

How about drawing a triangle?

찾지 못한 단어는 STEP 2에서 확인하세요.

STEP 2 오늘의 단어를 확인하고, 따라 말하세요.

connect 연결하다, 잇다

dot 점

line 선, 줄

circle 원

triangle 삼각형

square 정사각형

cube 정육면체

wheel 바퀴

house 집

rocket 로켓

truck 트럭

arrow 화살표, 화살

STEP 3 오늘의 단어를 따라 쓰세요.

c d

l c

t s

c w

h r

t a

A 그림을 보고, 각 단어가 나타내는 도형이 몇 개인지 숫자를 쓰세요.

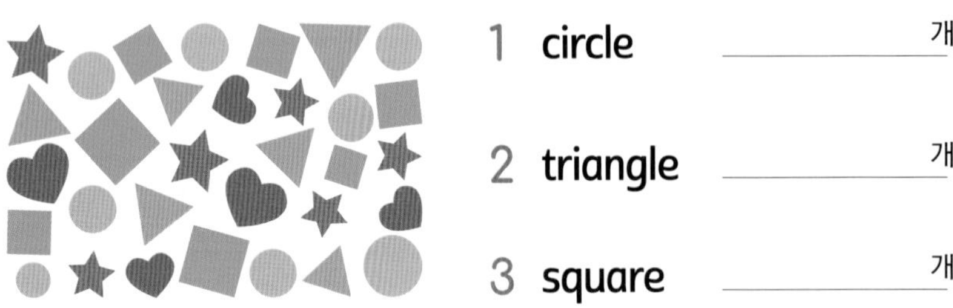

1 circle ________ 개

2 triangle ________ 개

3 square ________ 개

B 우리말에 맞게 빈칸에 알맞은 알파벳을 써서 단어를 완성하세요.

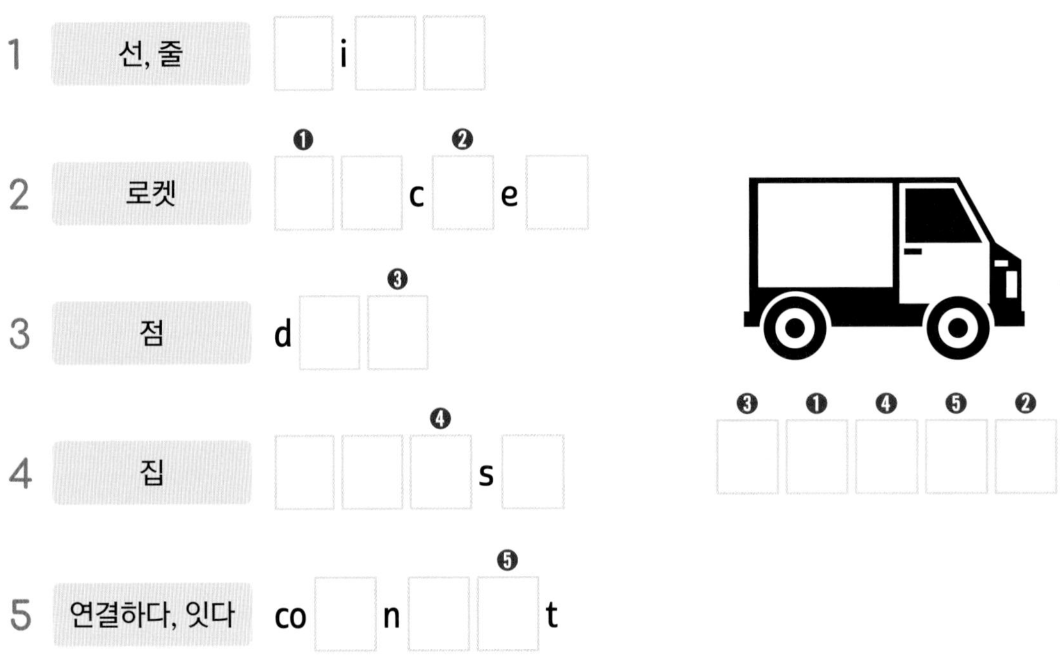

1 선, 줄 _ i _ _

2 로켓 ❶_ _ c ❷_ e _

3 점 d _ ❸_

4 집 _ _ ❹_ s _

5 연결하다, 잇다 co _ n _ ❺_ t

❸ ❶ ❹ ❺ ❷

C 그림을 보고, 주어진 알파벳으로 시작하는 단어를 쓰세요.

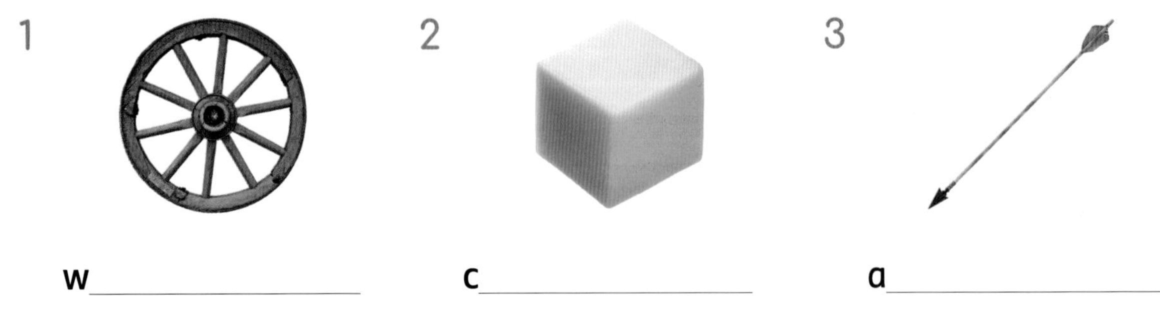

1 w________

2 c________

3 a________

정답 254쪽

D 그림을 보고, 알맞은 단어를 써서 문장을 완성하세요.

1 How about drawing a ____________?
로켓을 그리는 게 어때?

2 How about drawing a ____________?
트럭을 그리는 게 어때?

3 How about drawing a ____________?
집을 그리는 게 어때?

How about 동사-ing?는 어떠한 행동을 하자고 제안할 때 쓰는 표현입니다.

E 빨간색으로 표시된 점을 이어 도형을 그리고, 문장을 완성하세요.

1 How about drawing a ____________?
정사각형을 그리는 게 어때?

2 How about drawing a ____________?
삼각형을 그리는 게 어때?

3 How about drawing an ____________?
화살표를 그리는 게 어때?

오늘의 단어를 떠올리며, 오늘의 문장을 두 번씩 읽고 ✓ 하세요.

☑☑ How about drawing a triangle? 삼각형을 그리는 게 어때?
1 2 How about drawing a circle? 원을 그리는 게 어때?
1 2 How about drawing a square? 정사각형을 그리는 게 어때?

DAY **36** 동 화

STEP 1 오늘의 단어를 듣고, 그림에서 찾아 동그라미 하세요.

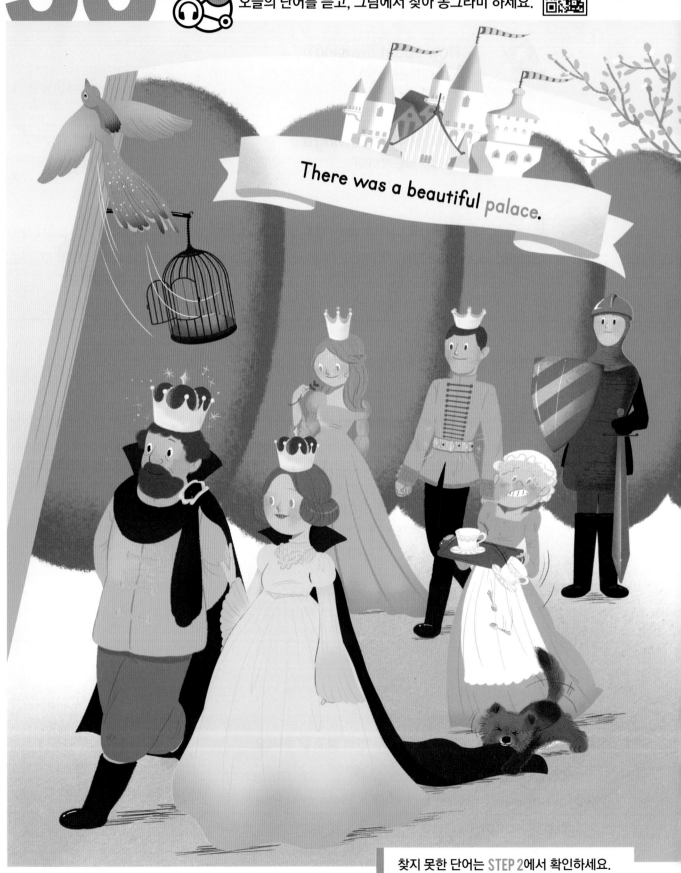

There was a beautiful palace.

찾지 못한 단어는 STEP 2에서 확인하세요.

오늘의 단어를 확인하고, 따라 말하세요.

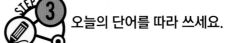

king 왕

queen 여왕

prince 왕자

princess 공주

knight 기사

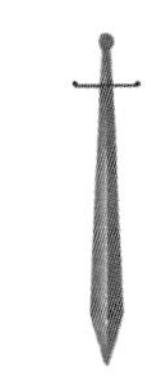
sword 칼, 검

palace 궁전

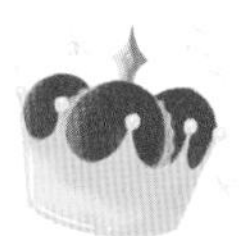
crown 왕관

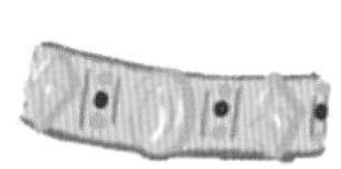
belt 허리띠

cage 새장, 우리

bite (깨)물다

drop 떨어뜨리다

오늘의 단어를 따라 쓰세요.

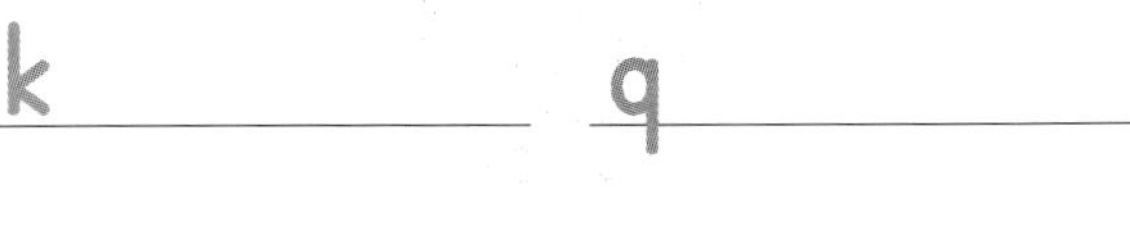

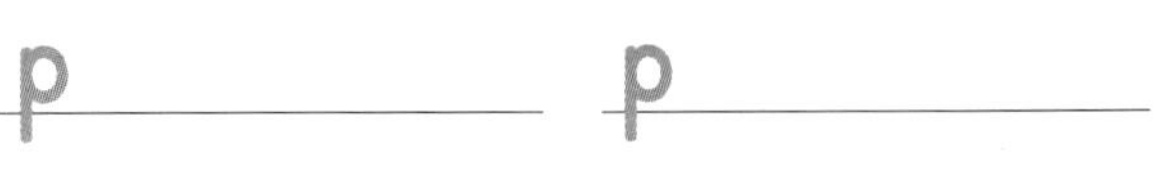

k s

p c

b c

b d

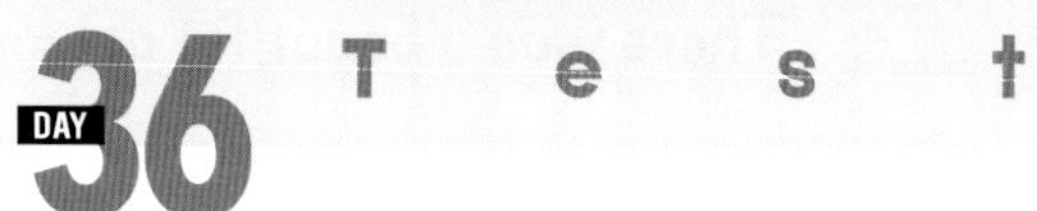

DAY 36 Test

A 그림을 보고, 알맞은 단어를 고르세요.

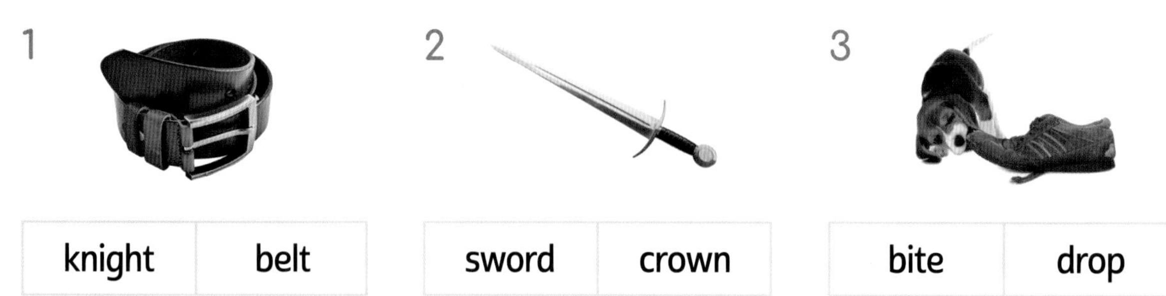

1		2		3	
knight	belt	sword	crown	bite	drop

B 그림을 보고, 알맞은 단어와 우리말 뜻을 연결하세요.

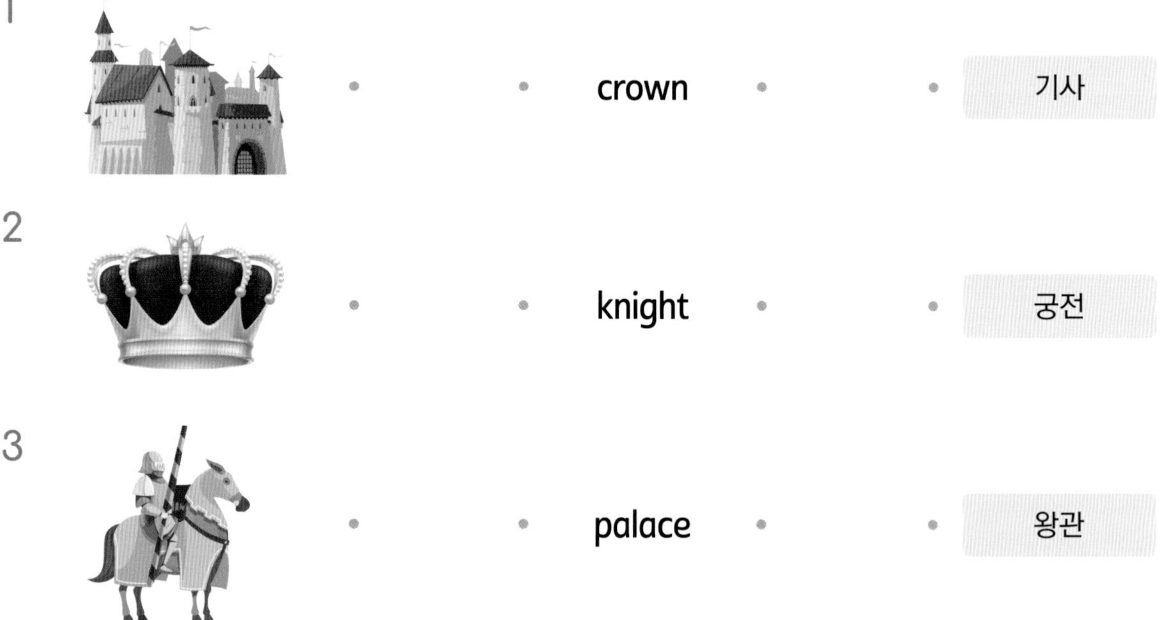

1 • • crown • • 기사

2 • • knight • • 궁전

3 • • palace • • 왕관

C 우리말에 맞게 알맞은 단어를 찾아 쓰세요.

cesjdropprinswordbidcagekinybiteeiga

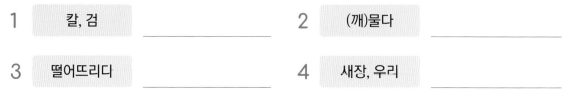

1 칼, 검 ________ 2 (깨)물다 ________

3 떨어뜨리다 ________ 4 새장, 우리 ________

정답 254쪽

D 그림을 보고, 알맞은 단어를 골라 문장을 완성하세요.

1 There was an old (king / knight).
나이 든 왕이 있었어요.

2 There was a handsome (prince / princess).
잘생긴 왕자가 있었어요.

3 The queen and the (palace / princess) were smart.
여왕과 공주는 똑똑했어요.

E 우리말에 맞게 알맞은 단어를 써서 문장을 완성하세요.

1 커다란 궁전이 있었어요.
There was a big ______________.

2 기사는 친절하고 용감했어요.
The ______________ was kind and brave.

3 여왕과 왕자는 행복했어요.
The ______________ and the ______________ were happy.

오늘의 단어를 떠올리며, 오늘의 문장을 두 번씩 읽고 ✓ 하세요.

☑ ☑	There was a beautiful palace.	아름다운 궁전이 있었어요.
1 2	There was a kind queen.	친절한 여왕이 있었어요.
1 2	The prince and the princess were happy.	왕자와 공주는 행복했어요.
1 2	The knight was brave.	기사는 용감했어요.

Review Test

A 다음 단어의 우리말 뜻을 쓰세요.

1 prince ______
2 cube ______
3 carry ______
4 hit ______
5 tent ______
6 princess ______
7 field ______
8 snack ______
9 catch ______
10 king ______
11 square ______
12 leave ______
13 belt ______
14 player ______
15 compass ______
16 truck ______
17 palace ______
18 crowd ______
19 arrow ______
20 near ______
21 queen ______
22 finish ______
23 dot ______
24 connect ______

B 다음 우리말 뜻에 해당하는 단어를 쓰세요.

1 응원하다 ______
2 왕관 ______
3 손전등 ______
4 새장, 우리 ______
5 던지다 ______
6 시작하다 ______
7 원 ______
8 칼, 검 ______
9 (공을) 주고받다 ______
10 배낭 ______
11 삼각형 ______
12 바퀴 ______
13 침낭 ______
14 집 ______
15 발로 차다 ______
16 (깨)물다 ______
17 옷 ______
18 기사 ______
19 로켓 ______
20 (불에) 태우다 ______
21 코치, 감독 ______
22 선, 줄 ______
23 떨어뜨리다 ______
24 구급상자 ______

정답 266쪽

C 우리말에 맞게 알맞은 단어를 찾아 써서 문장을 완성하세요.

보기: carry / queen / clothes / circle / catching / king

1 나는 공을 잡는 것을 잘해.
I am good at __________ the ball.

2 원을 그리는 게 어때?
How about drawing a __________?

3 따뜻한 옷을 들고 가야 해.
You should __________ warm __________.

4 왕과 여왕은 키가 컸어요.
The __________ and the __________ were tall.

D 주어진 단어를 바르게 배열하여 문장을 쓰세요.

1 throwing / I / am good at / . / the ball
나는 공을 던지는 것을 잘해.
→ ______________________________

2 There / . / brave knight / was / a
용감한 기사가 있었어요.
→ ______________________________

3 drawing / a house / ? / How about
집을 그리는 게 어때?
→ ______________________________

4 carry / a compass / should / You / .
너는 나침반을 들고 가야 해.
→ ______________________________

DAY 37 수와 양

STEP 1 오늘의 단어를 듣고, 그림에서 찾아 동그라미 하세요.

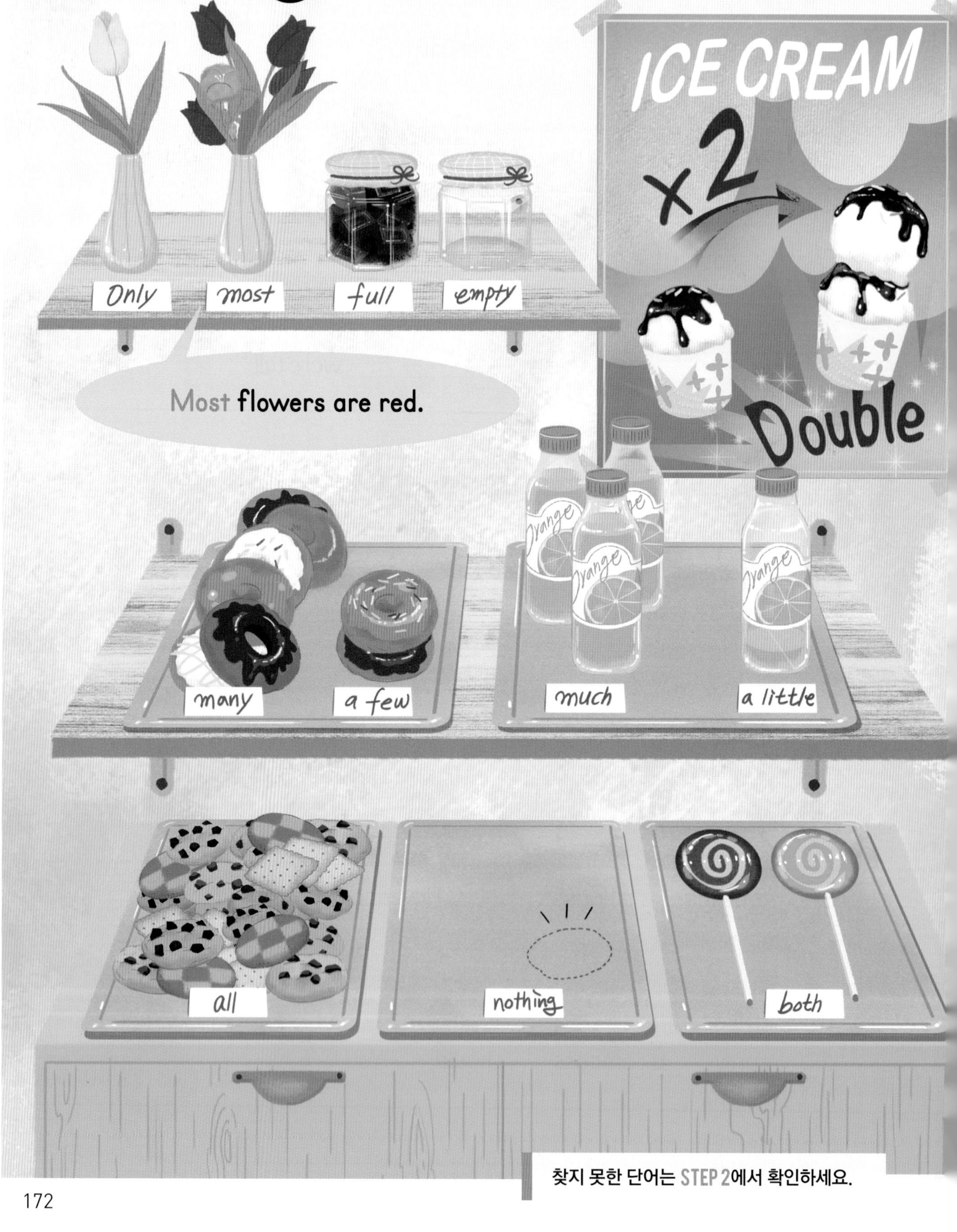

찾지 못한 단어는 STEP 2에서 확인하세요.

STEP 2 오늘의 단어를 확인하고, 따라 말하세요.

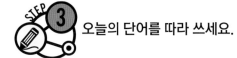

all 모든

nothing 아무것도 ~ 없음

only 단 하나의

most 대부분

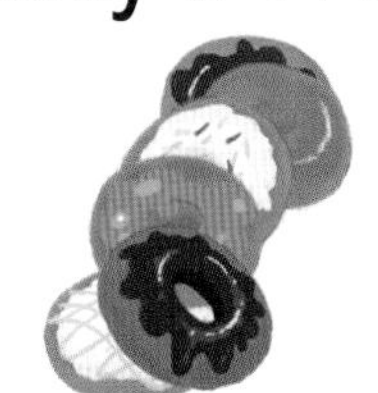

many 많은(셀 수 있는 것)

a few 약간의(셀 수 있는 것)

much 많은(셀 수 없는 것)

a little 약간의(셀 수 없는 것)

full 가득 찬

empty 비어 있는

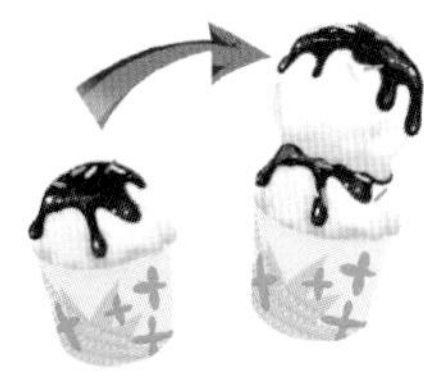

double 두 배

both 둘 다

STEP 3 오늘의 단어를 따라 쓰세요.

a ______ n ______

o ______ m ______

m ______ a ______

m ______ a ______

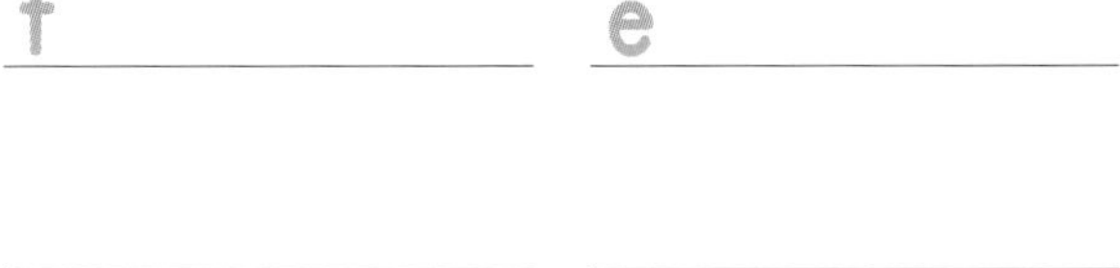

f ______ e ______

d ______ b ______

Ⓐ 그림을 보고, 알맞은 단어에 ✓ 하세요.

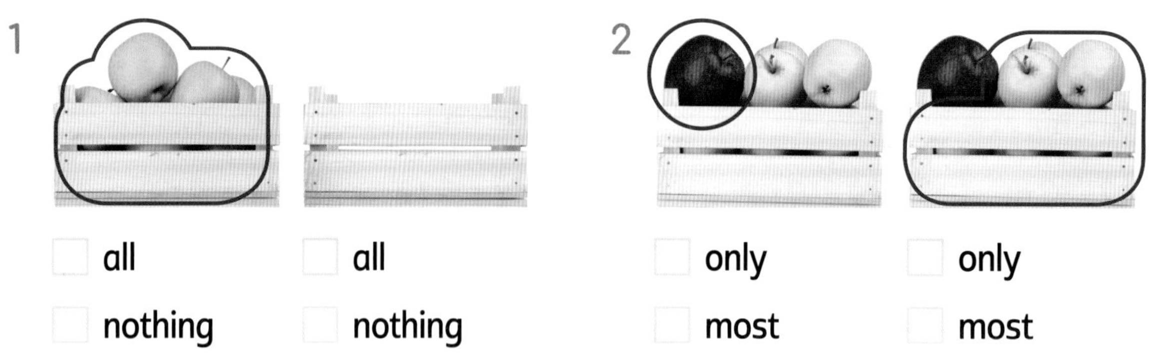

1
- [ ] all
- [ ] nothing

- [ ] all
- [ ] nothing

2
- [ ] only
- [ ] most

- [ ] only
- [ ] most

Ⓑ 그림을 보고, 알맞은 단어를 찾아 쓰세요.

비어 있는 | 가득 찬 | 둘 다 | 두 배

보기: both double empty full

Ⓒ 우리말에 맞게 알맞은 단어를 연결하세요.

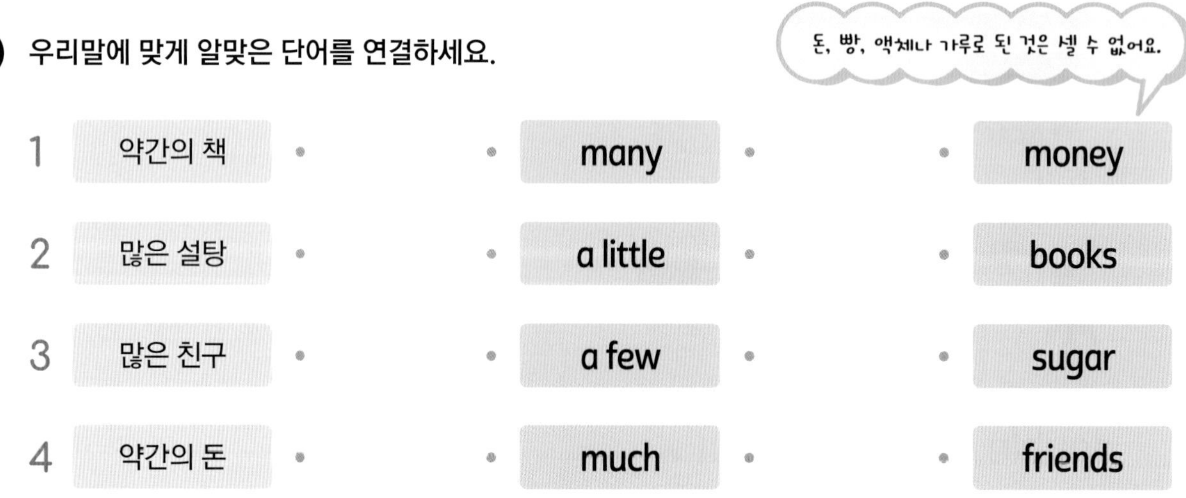

1	약간의 책	many	money
2	많은 설탕	a little	books
3	많은 친구	a few	sugar
4	약간의 돈	much	friends

정답 255쪽

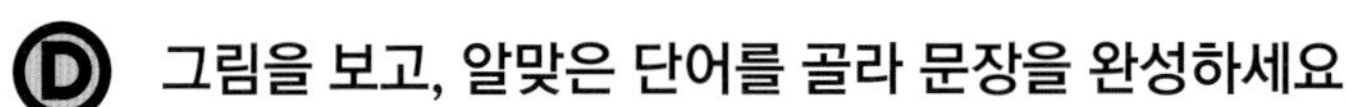

D 그림을 보고, 알맞은 단어를 골라 문장을 완성하세요.

1 

I have (a few / many) friends.
나는 약간의 친구들이 있어.

셀 수 있는 것 앞에는 many와 a few가 오고, 셀 수 없는 것 앞에는 much와 a little이 와요.

2 I have (a little / much) money.
나는 많은 돈이 있어.

E 우리말에 맞게 알맞은 단어를 써서 문장을 완성하세요.

1 대부분의 책들이 유용해.

_______________ books are useful.

2 모든 개들이 귀여워.

_______________ dogs are cute.

3 두 케이크가 다 초콜릿으로 만든 거야.

_______________ cakes are made of chocolate.

오늘의 단어를 떠올리며, 오늘의 문장을 두 번씩 읽고 ✓ 하세요.

- ☑☑ I have many flowers in my garden. 나는 정원에 꽃이 많아.
- 1 2 Most flowers are red. 대부분의 꽃들이 빨간색이야.
- 1 2 Both flowers are yellow. 두 송이의 꽃이 다 노란색이야.
- 1 2 All flowers are pretty. 모든 꽃들이 예뻐.

DAY 38

몸짓 (제스처)

STEP 1 오늘의 단어를 듣고, 그림에서 찾아 동그라미 하세요.

gesture

apple 사과

wish

She crosses her fingers.

찾지 못한 단어는 STEP 2에서 확인하세요.

오늘의 문장 She crosses her fingers.

STEP 2 오늘의 단어를 확인하고, 따라 말하세요.

gesture 몸짓, 제스처

meaning 의미

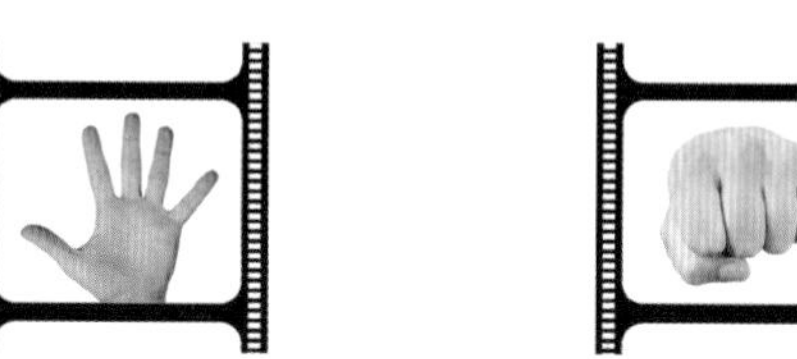

palm 손바닥

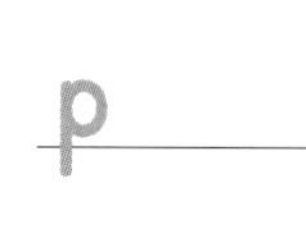

fist 주먹

thumb 엄지손가락

lip 입술

luck 행운

wish 바라다, 원하다

raise 들어 올리다

put 놓다, 두다

cross 겹치다, 교차하다

bend 굽히다, (머리를) 숙이다

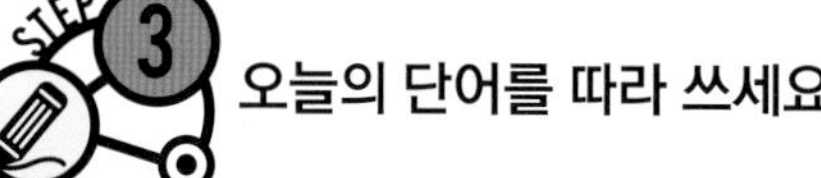

STEP 3 오늘의 단어를 따라 쓰세요.

g ______ m ______

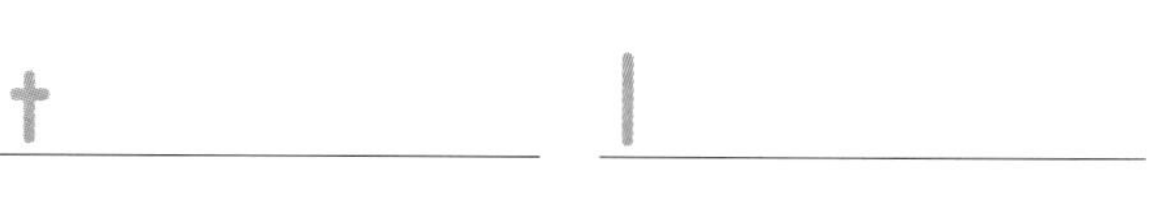

p ______ f ______

t ______ l ______

l ______ w ______

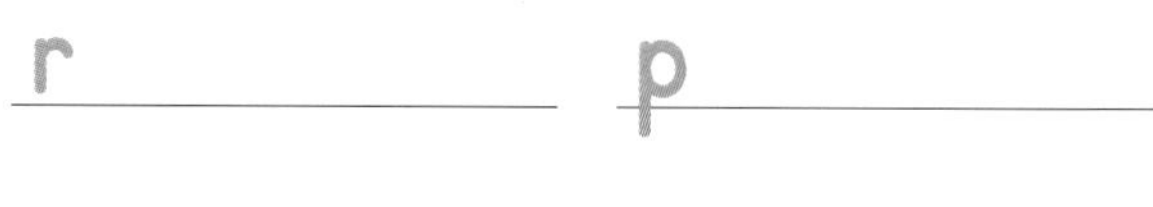

r ______ p ______

c ______ b ______

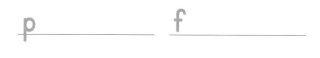

DAY 38 Test

Ⓐ 그림을 보고, 알맞은 단어에 ✓ 하세요.

1
- [ ] raise
- [ ] meaning

2
- [ ] put
- [ ] bend

3
- [ ] fist
- [ ] wish

Ⓑ 그림을 보고, 알맞은 단어와 우리말 뜻을 연결하세요.

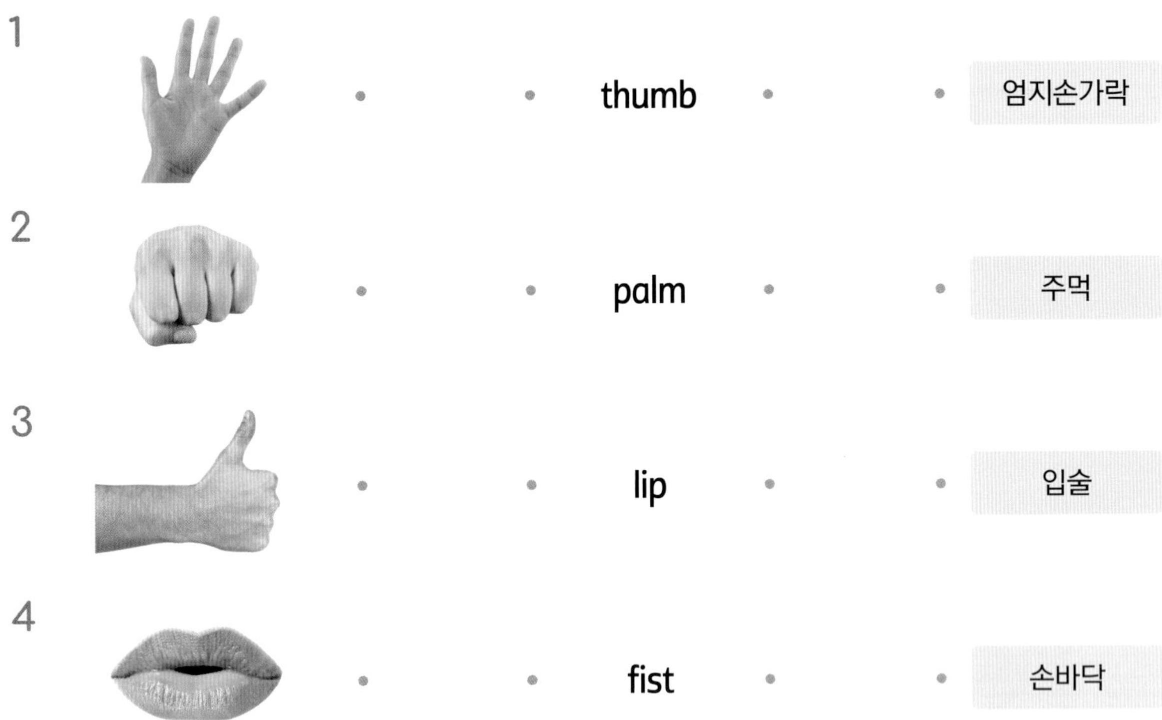

1	thumb	엄지손가락
2	palm	주먹
3	lip	입술
4	fist	손바닥

Ⓒ 우리말에 맞게 빈칸에 알맞은 알파벳을 써서 단어를 완성하세요.

1 의미 m ☐ ☐ ning

2 행운 ☐ u ☐ k

3 놓다, 두다 ☐ u ☐

4 몸짓, 제스처 ge ☐ ☐ ☐ re

정답 255쪽

D 그림을 보고, 관련 있는 단어를 두 개씩 찾아 쓰세요.

1 손가락을 겹치다

2 엄지손가락을 들어 올리다

3 손바닥을 마주 대다

보기 raise put cross palms fingers thumb

E 우리말에 맞게 알맞은 단어를 찾아 써서 문장을 완성하세요.

1 그는 손가락을 겹쳐.

He ____________ his fingers.

2 그는 행운을 빌어.

He ____________ a good ____________.

3 그녀는 두 손바닥을 마주 대.

She puts her ____________ together.

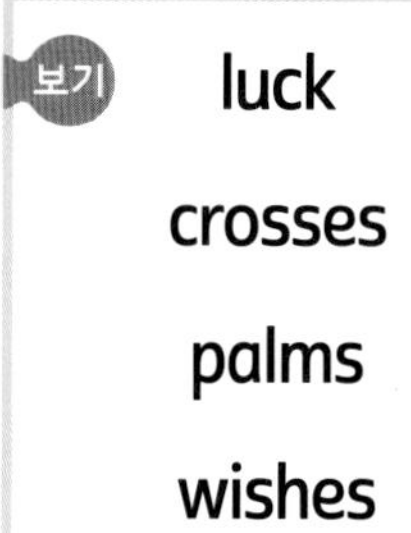
보기
luck
crosses
palms
wishes

 오늘의 단어를 떠올리며, 오늘의 문장을 두 번씩 읽고 ✓ 하세요.

☑☑ She crosses her fingers. 그녀는 손가락을 겹쳐.

1 2 She wishes a good luck. 그녀는 행운을 빌어.

1 2 He raises his thumb up. 그는 엄지손가락을 들어 올려.

DAY 39 철자 묻기

오늘의 단어를 듣고, 그림에서 찾아 동그라미 하세요.

need

How do you spell "guess"?

찾지 못한 단어는 STEP 2에서 확인하세요.

STEP 2 오늘의 단어를 확인하고, 따라 말하세요.

spell
철자를 쓰다(말하다)

need
~을 필요로 하다

advise 조언하다

believe 믿다

choose 고르다

practice 연습하다

discuss 토론하다

decide 결정하다

guess 추측하다

thank 감사하다

remember
기억하다

understand
이해하다

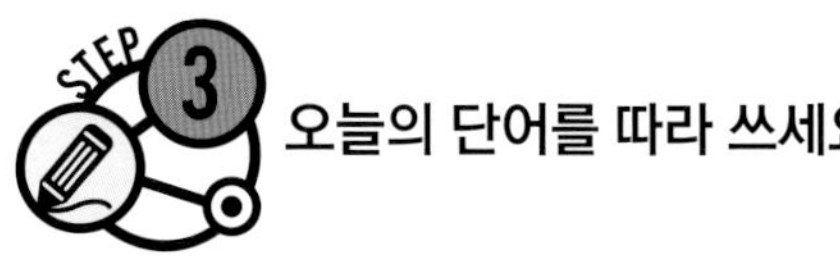

STEP 3 오늘의 단어를 따라 쓰세요.

s ______ n ______

a ______ b ______

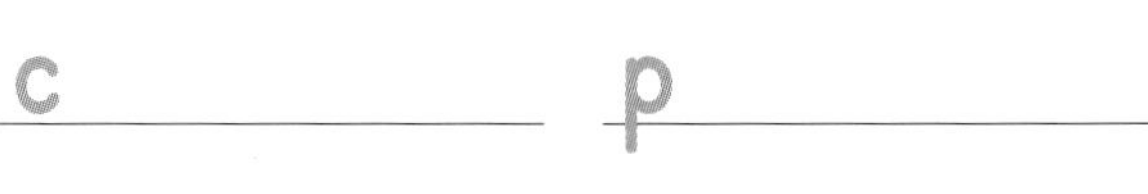

c ______ p ______

d ______ d ______

g ______ t ______

r ______ u ______

DAY **39** T e s t

A 그림을 보고, 알맞은 단어에 ✓ 하세요.

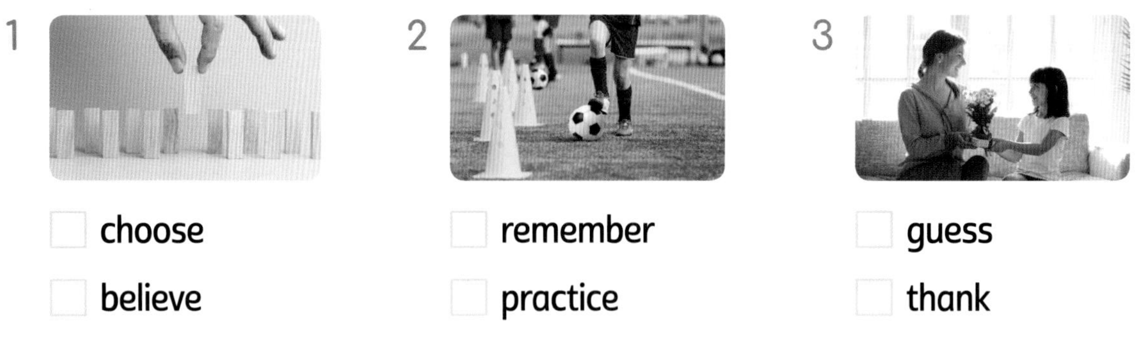

1 □ choose □ believe

2 □ remember □ practice

3 □ guess □ thank

B 우리말에 맞게 빈칸에 알맞은 알파벳을 써서 단어를 완성하세요.

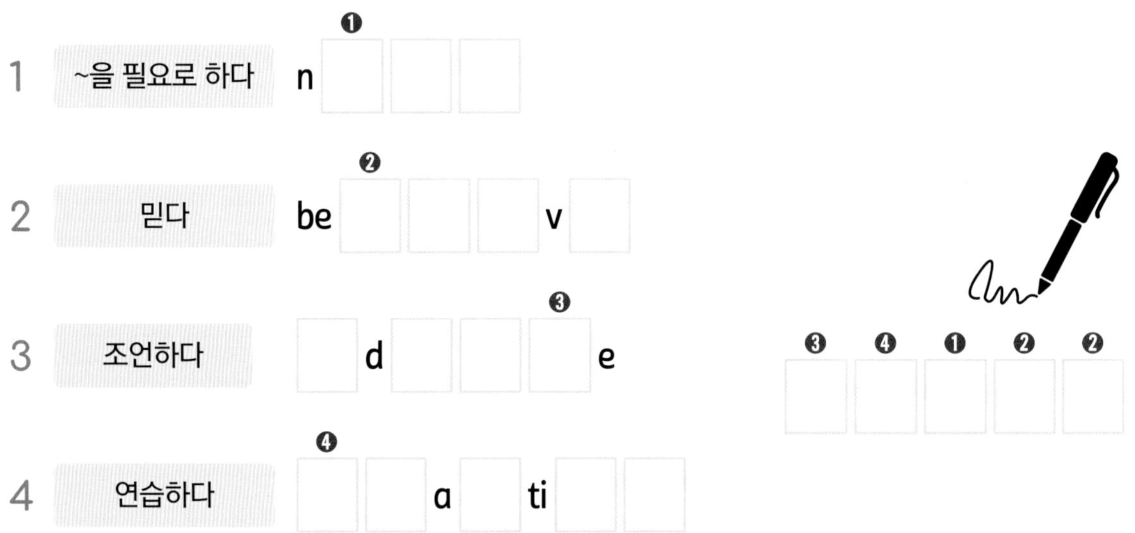

1 ~을 필요로 하다 n ❶□ □ □

2 믿다 be ❷□ □ □ v □

3 조언하다 □ d □ □ ❸□ e

4 연습하다 ❹□ □ a □ ti □ □

❸ ❹ ❶ ❷ ❷ □ □ □ □ □

C 우리말에 맞게 알맞은 단어를 찾아 쓰세요.

idecidengrememberejunderstandyspellow

1 결정하다 ____________ 2 기억하다 ____________

3 이해하다 ____________ 4 철지를 쓰다 ____________

D 그림을 보고, 알맞은 단어를 찾아 쓰세요.

1 

____

2 

____

3 

____

보기	guess	discuss	need

E 우리말에 맞게 주어진 알파벳을 이용하여 빈칸에 알맞은 단어를 쓰세요.

1 '고르다'의 철자는 무엇이니?
How do you spell "________________"? sochoe

2 '토론하다'의 철자는 무엇이니?
How do you spell "________________"? sdcissu

3 '감사하다'의 철자는 무엇이니?
How do you spell "________________"? kathn

 오늘의 단어를 떠올리며, 오늘의 문장을 두 번씩 읽고 ✓ 하세요.

☑☑ How do you spell "guess"? '추측하다'의 철자는 무엇이니?
1 2 How do you spell "decide"? '결정하다'의 철자는 무엇이니?
1 2 How do you spell "remember"? '기억하다'의 철자는 무엇이니?

DAY

40 비교하기 2

오늘의 단어를 듣고, 그림에서 찾아 번호를 쓰세요.

What is the biggest animal in the world?

찾지 못한 단어는 STEP 2에서 확인하세요.

오늘의 문장 What is the biggest animal in the world?

STEP 2 오늘의 단어를 확인하고, 따라 말하세요.

the biggest 가장 큰

the highest 가장 높은

the longest 가장 긴

the deepest 가장 깊은

curious 호기심이 많은

animal 동물

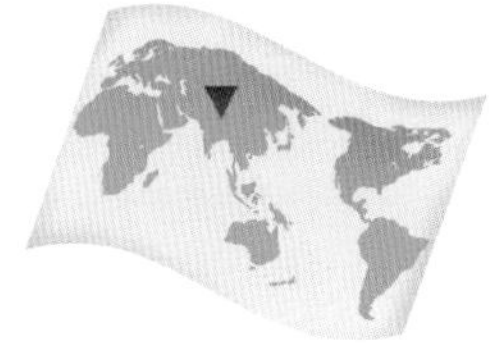

land 땅

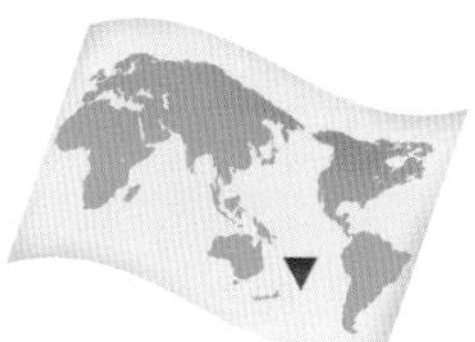

ocean 바다

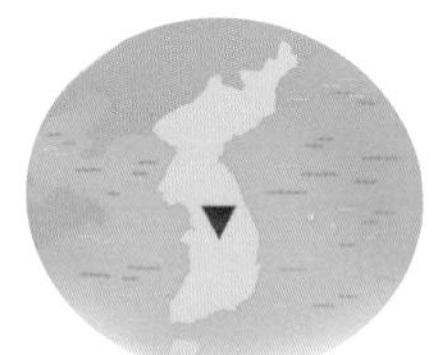

country 나라

island 섬

city 도시

countryside 시골, 지방

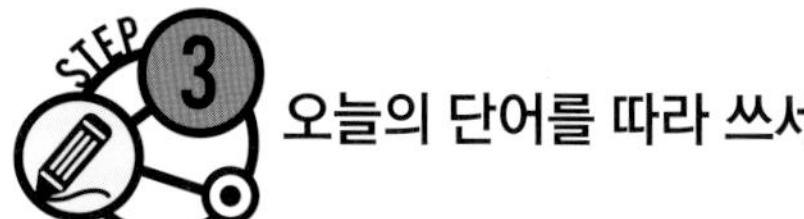

STEP 3 오늘의 단어를 따라 쓰세요.

t t

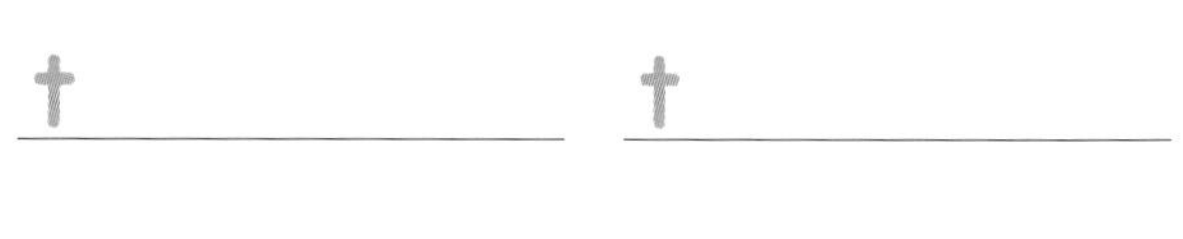

t t

c a

l o

c i

c c

DAY 40 Test

Ⓐ 그림을 보고, 알맞은 단어를 골라 기호를 쓰세요.

보기
ⓐ the longest
ⓑ the biggest
ⓒ the deepest
ⓓ the highest

Ⓑ 우리말에 맞게 알파벳을 바르게 배열하여 단어를 쓰세요.

1 땅 daln ______________

2 나라 cyotrun ______________

3 섬 ilansd ______________

4 바다 neaoc ______________

5 시골, 지방 cnesidoutry ______________

Ⓒ 그림을 보고, 주어진 알파벳으로 시작하는 단어를 쓰세요.

c______________ a______________ c______________

D 우리말에 맞게 알맞은 단어를 연결하세요.

1 가장 큰 동물 • • the longest • • ocean

2 가장 긴 나라 • • the deepest • • animal

3 가장 깊은 바다 • • the biggest • • country

E 그림을 보고, 알맞은 단어를 써서 문장을 완성하세요.

1 A: What is the ________ mountain in the world?
세계에서 가장 높은 산은 무엇이니?

B: It is Mt. Everest. 에베레스트산이야.

2 A: What is the ________ ________ in the world?
세계에서 가장 큰 섬은 무엇이니?

B: It is Greenland. 그린란드야.

오늘의 단어를 떠올리며, 오늘의 문장을 두 번씩 읽고 ✓ 하세요.

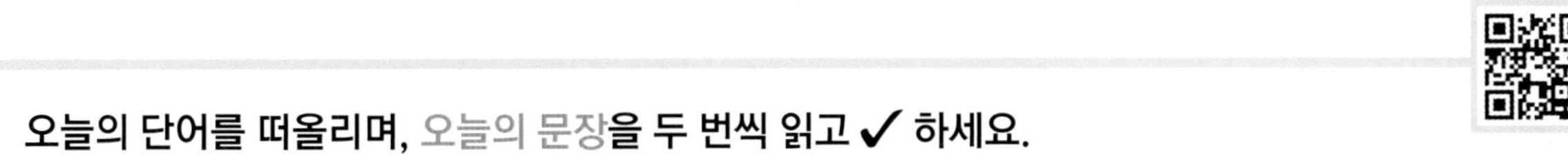

☑☑ A: What is the biggest animal in the world? 세계에서 가장 큰 동물은 무엇이니?
1 2 B: It is the blue whale. 대왕고래야.
1 2 A: What is the deepest ocean in the world? 세계에서 가장 깊은 바다는 무엇이니?
1 2 B: It is the Pacific Ocean. 태평양이야.

Review Test

A 다음 단어의 우리말 뜻을 쓰세요.

1 full ________
2 guess ________
3 a few ________
4 cross ________
5 the longest ________
6 choose ________
7 ocean ________
8 raise ________
9 double ________
10 discuss ________
11 wish ________
12 nothing ________
13 land ________
14 advise ________
15 all ________
16 country ________
17 bend ________
18 put ________
19 the deepest ________
20 many ________
21 practice ________
22 lip ________
23 need ________
24 a little ________

B 다음 우리말 뜻에 해당하는 단어를 쓰세요.

1 단 하나의 ________
2 행운 ________
3 기억하다 ________
4 동물 ________
5 결정하다 ________
6 가장 높은 ________
7 의미 ________
8 둘 다 ________
9 호기심이 많은 ________
10 이해하다 ________
11 주먹 ________
12 시골, 지방 ________
13 철자를 쓰다(말하다) ________
14 감사하다 ________
15 많은(셀 수 없는 것) ________
16 도시 ________
17 믿다 ________
18 대부분 ________
19 섬 ________
20 엄지손가락 ________
21 가장 큰 ________
22 비어 있는 ________
23 몸짓, 제스처 ________
24 손바닥 ________

정답 266쪽

C 우리말에 맞게 알맞은 단어를 찾아 써서 문장을 완성하세요.

보기: raises / empty / spell / the biggest / remember / thumb / Both

1 두 유리잔이 다 비어 있어.

_______ glasses are _______.

2 '기억하다'의 철자는 무엇이니?

How do you _______ "_______"?

3 그는 엄지손가락을 들어 올려.

He _______ his _______ up.

4 세계에서 가장 큰 동물은 무엇이니?

What is _______ _______ animal in the world?

D 주어진 단어를 바르게 배열하여 문장을 쓰세요.

1 her / fingers / . / She / crosses

그녀는 손가락을 교차해.

→ _______________

2 mountain / the highest / What is / ? / in the world

세계에서 가장 높은 산은 무엇이니?

→ _______________

3 tomatoes / red / Most / . / are

대부분의 토마토들이 빨간색이야.

→ _______________

4 "thank" / do / How / you / spell / ?

'감사하다'의 철자는 무엇이니?

→ _______________

DAY 41

과거와 현재

STEP 1 오늘의 단어를 듣고, 그림에서 찾아 번호를 쓰세요.

We pay by credit card.

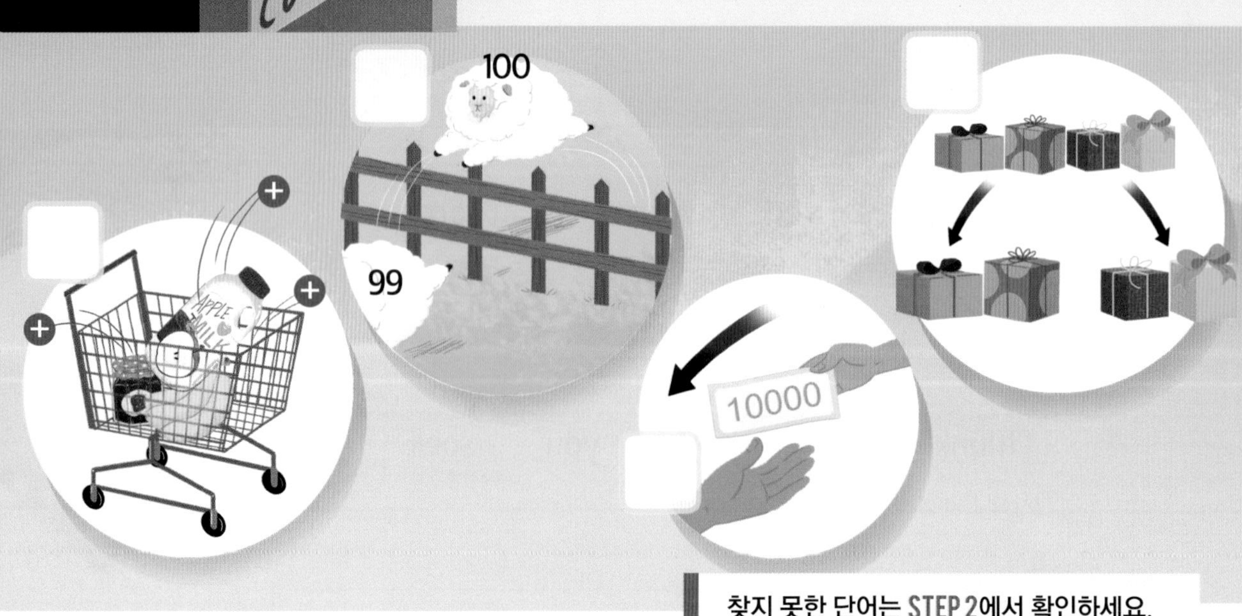

찾지 못한 단어는 STEP 2에서 확인하세요.

오늘의 문장 We pay by credit card.

STEP 2 오늘의 단어를 확인하고, 따라 말하세요.

factory 공장

business 사업

silver 은

gold 금

cash 현금

credit card 신용 카드

bill 지폐

coin 동전

pay 지불하다

count (숫자를) 세다

add 더하다

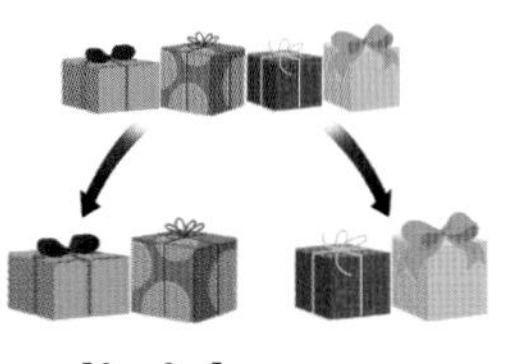

divide 나누다

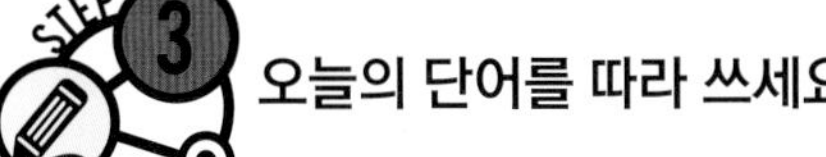

STEP 3 오늘의 단어를 따라 쓰세요.

a d

DAY 41 Test

Ⓐ 그림을 보고, 알맞은 단어에 ✓ 하세요.

1 ☐ pay ☐ factory

2 ☐ credit card ☐ cash

3 ☐ add ☐ divide

Ⓑ 그림을 보고, 알맞은 단어를 골라 기호를 쓰세요.

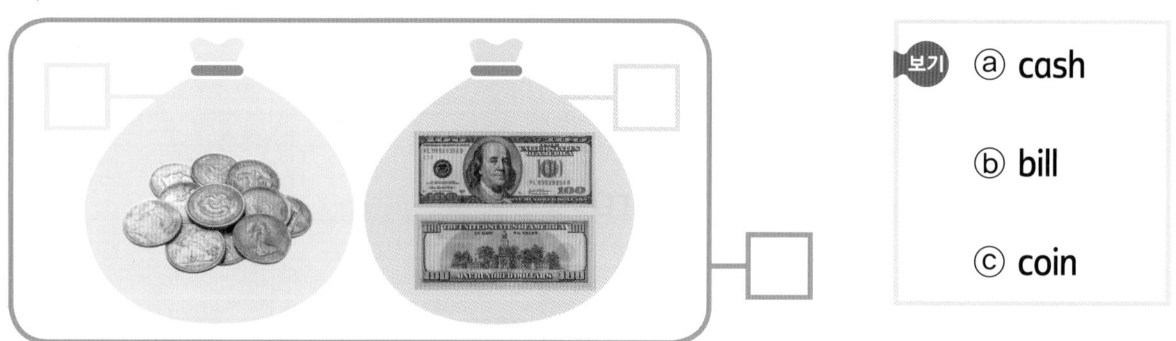

보기 ⓐ cash ⓑ bill ⓒ coin

Ⓒ 우리말에 맞게 알파벳을 바르게 배열하여 단어를 쓰세요.

1 지불하다 yap ______

2 (숫자를) 세다 ouctn ______

3 사업 biusssne ______

4 나누다 ieddvi ______

5 신용 카드 ccreaditrd ______ ______

D 그림을 보고, 알맞은 단어를 찾아 쓰세요.

1 ____________ ____________

2 ____________ ____________

보기 divide silver gold add

E 우리말에 맞게 알맞은 단어를 써서 문장을 완성하세요.

1 그들은 은으로 지불했어.
They paid with ____________.

2 우리는 현금으로 지불해.
We pay in ____________.

3 우리는 신용 카드로 지불해.
We pay by ____________ ____________.

'지불하다'라는 의미로 pay를 사용할 때 다양한 결제 수단에 따라 pay 뒤에 with, in, by 등을 붙여요. paid는 '지불했다'라는 뜻이에요.

 오늘의 단어를 떠올리며, 오늘의 문장을 두 번씩 읽고 ✓ 하세요.

- ☑☑ They paid with silver. 그들은 은으로 지불했어.
- 1 2 They paid with gold. 그들은 금으로 지불했어.
- 1 2 We pay in cash. 우리는 현금으로 지불해.
- 1 2 We pay by credit card. 우리는 신용 카드로 지불해.

DAY 42

의견 말하기

오늘의 단어를 듣고, 그림에서 찾아 동그라미 하세요.

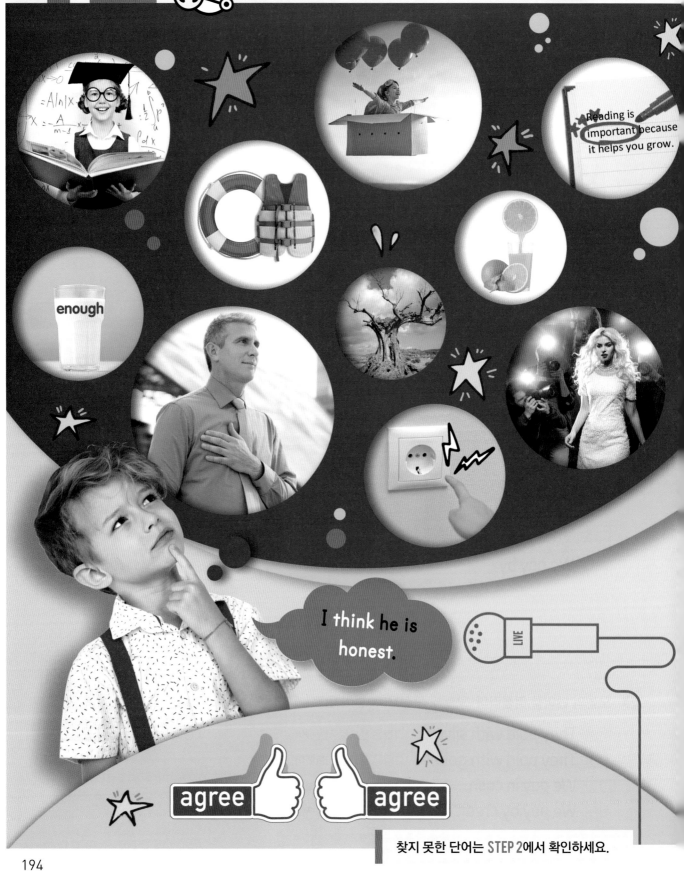

찾지 못한 단어는 STEP 2에서 확인하세요.

STEP 2 오늘의 단어를 확인하고, 따라 말하세요.

think 생각하다

agree 동의하다

honest 정직한

clever 영리한

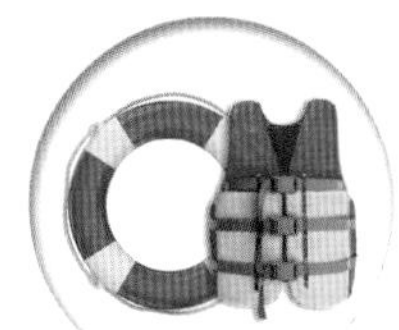

safe
안전한

dangerous
위험한

famous 유명한

enough 충분한

important
중요한

fantastic
기막히게 좋은, 엄청난

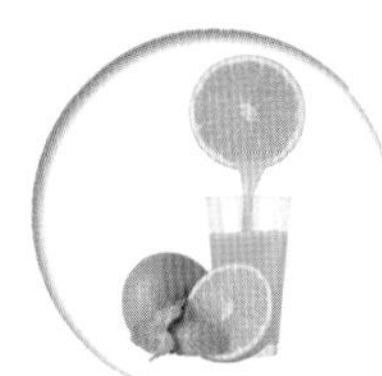

fresh 신선한

dead 죽은

STEP 3 오늘의 단어를 따라 쓰세요.

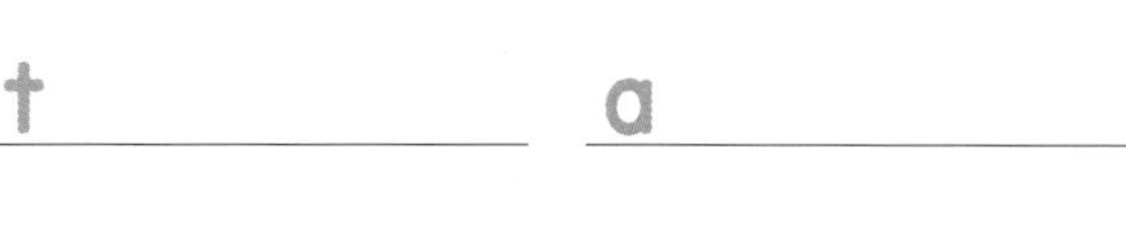

t a

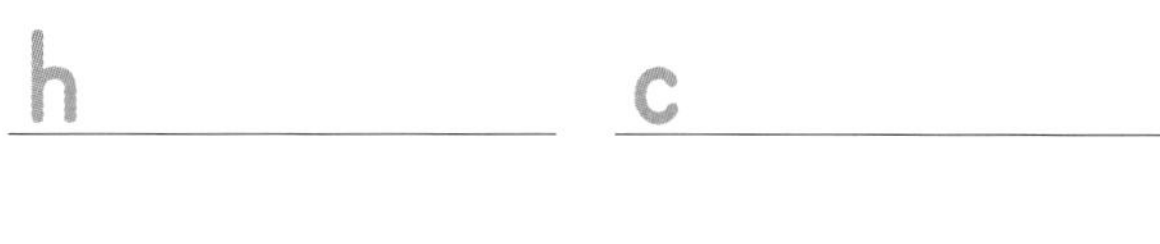

h c

s d

f e

i f

f d

DAY 42 Test

Ⓐ 그림을 보고, 알맞은 단어를 고르세요.

1		2		3	
clever	honest	dead	fresh	agree	think

Ⓑ 우리말에 맞게 빈칸에 알맞은 알파벳을 써서 단어를 완성하세요.

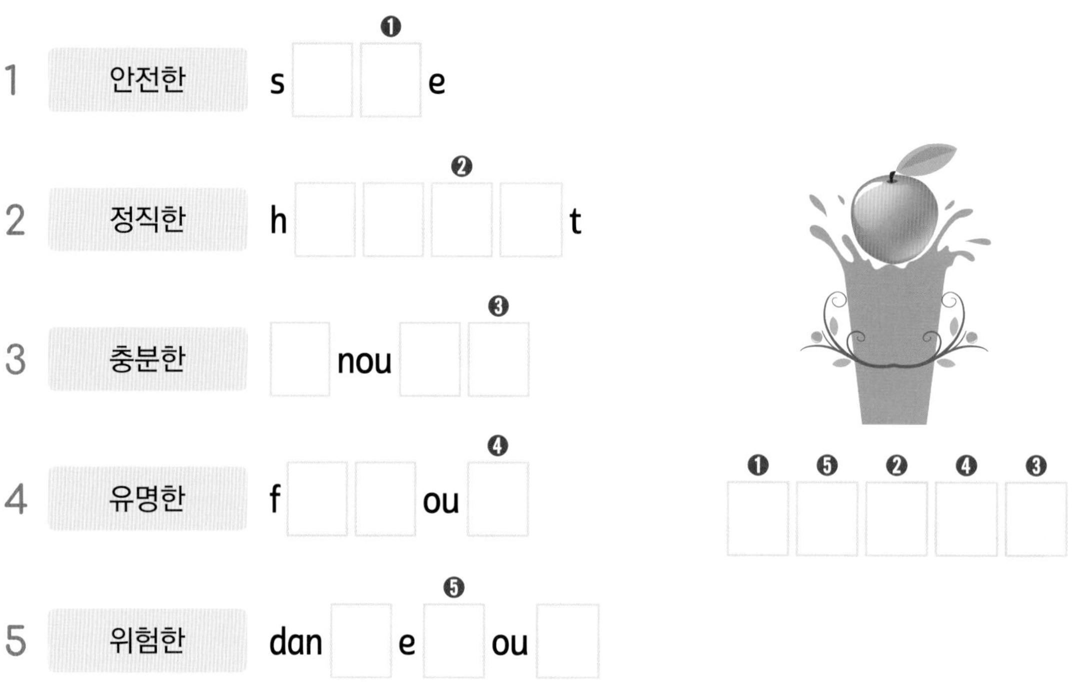

1 안전한 s __ __❶ e

2 정직한 h __ __ __❷ __ t

3 충분한 __ nou __ __❸

4 유명한 f __ __ ou __❹

5 위험한 dan __ e __❺ ou __

❶ ❺ ❷ ❹ ❸

Ⓒ 우리말에 맞게 알맞은 단어를 찾아 쓰세요.

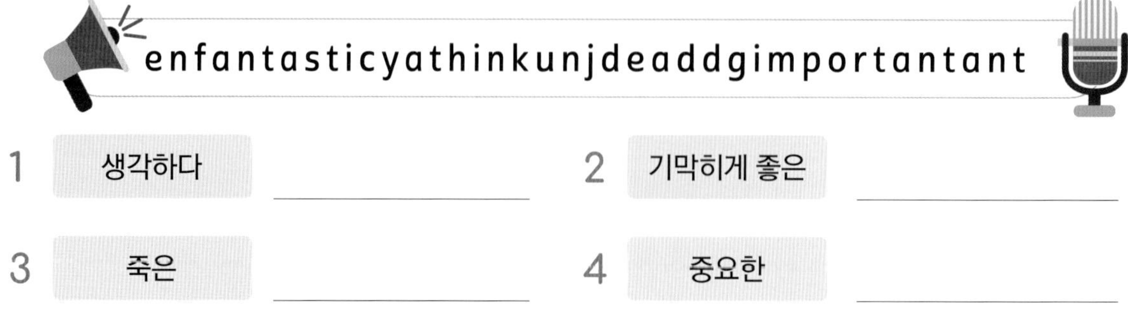

1 생각하다 ____________ 2 기막히게 좋은 ____________

3 죽은 ____________ 4 중요한 ____________

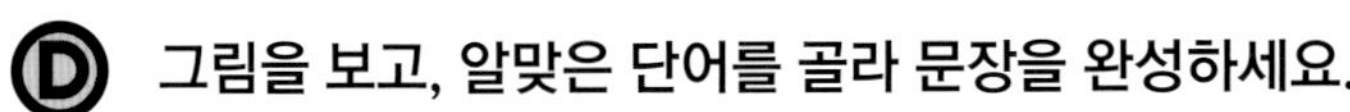

Ⓓ 그림을 보고, 알맞은 단어를 골라 문장을 완성하세요.

1 

I think he is (clever / important).
나는 그가 영리하다고 생각해.

2 

I think she is (fresh / famous).
나는 그녀가 유명하다고 생각해.

자신의 의견을 표현할 때는 I think 다음에 자신의 생각을 말해요.

Ⓔ 주어진 단어를 바르게 배열하여 문장을 쓰세요.

1 I | it is | . | think | dangerous
나는 그것이 위험하다고 생각해.
→ ______________________________

2 think | . | fresh | it is | I
나는 그것이 신선하다고 생각해.
→ ______________________________

3 he is | I | think | honest | .
나는 그가 정직하다고 생각해.
→ ______________________________

오늘의 단어를 떠올리며, 오늘의 문장을 두 번씩 읽고 ✓ 하세요.

- ☑ ☑ I think you are clever. 나는 네가 영리하다고 생각해.
- 1 2 I think he is honest. 나는 그가 정직하다고 생각해.
- 1 2 I think she is famous. 나는 그녀가 유명하다고 생각해.
- 1 2 I think it is important. 나는 그것이 중요하다고 생각해.

DAY 43

교통안전 규칙

STEP 1 오늘의 단어를 듣고, 그림에서 찾아 번호를 쓰세요.

BUS

SPEED

You must use the crosswalk.

찾지 못한 단어는 STEP 2에서 확인하세요.

STEP 2 오늘의 단어를 확인하고, 따라 말하세요.

fasten 매다

seat belt 안전벨트

stop 멈추다

wait 기다리다

keep quiet 조용히 하다

crosswalk 횡단보도

traffic jam 교통 체증

traffic light 신호등

helmet 안전모

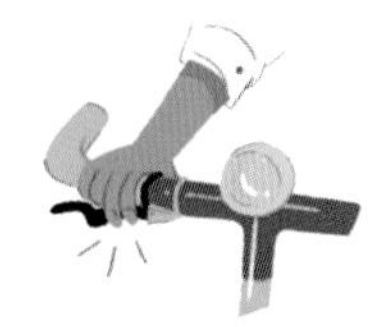

brakes 브레이크

speed 속도

quickly 빠르게

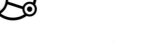

STEP 3 오늘의 단어를 따라 쓰세요.

f ________ s ________

s ________ w ________

k ________ c ________

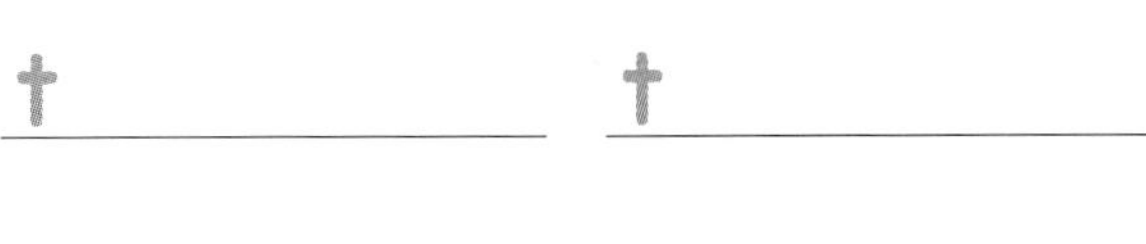

t ________ t ________

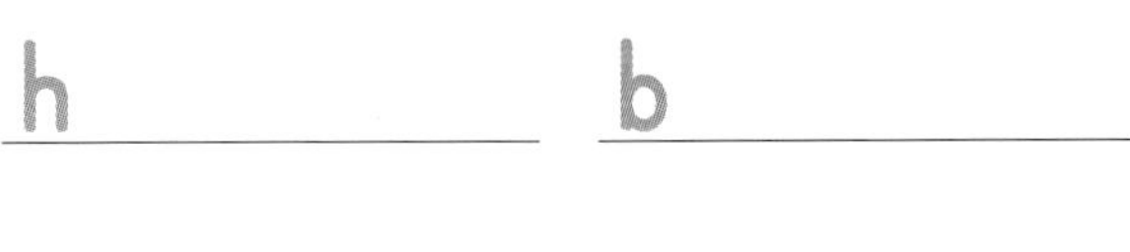

h ________ b ________

s ________ q ________

DAY 43 Test

Ⓐ 그림을 보고, 알맞은 단어의 기호를 쓰세요.

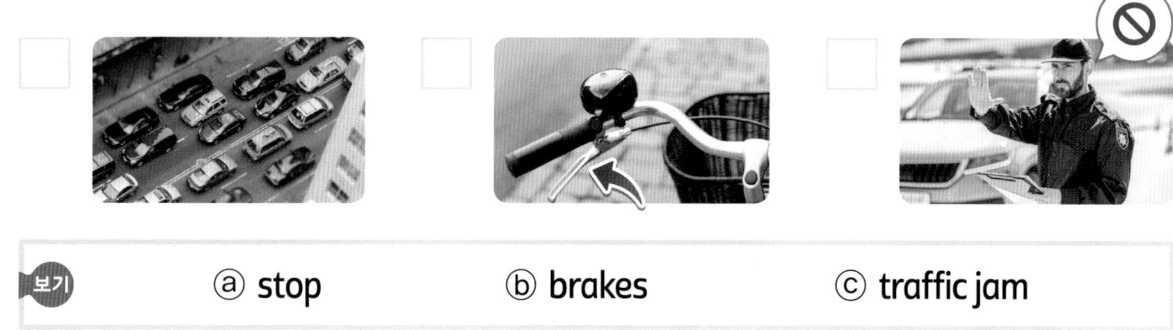

보기 ⓐ stop ⓑ brakes ⓒ traffic jam

Ⓑ 우리말에 맞게 빈칸에 알맞은 알파벳을 써서 단어를 완성하세요.

1 기다리다 w _ _ t

2 속도 _ pe _ _

3 조용히 하다 k _ _ p _ _ _ et

4 교통 체증 _ _ affi _ _ am

5 신호등 t _ a _ _ ic _ i _ _ t

Ⓒ 그림을 보고, 주어진 알파벳으로 시작하는 단어를 쓰세요.

1 h________

2 q________

3 c________

정답 258쪽

D 그림을 보고, 알맞은 단어에 ✓ 해서 문장을 완성하세요.

You must use the ____________.

- ☐ brakes
- ☐ crosswalk
- ☐ seat belt

must는 '~해야 해'라는 뜻으로, 꼭 해야만 하는 일을 나타낼 때 써요.

E 우리말에 맞게 알맞은 단어를 찾아 써서 문장을 완성하세요.

1 너는 안전모를 써야 해.

You must wear a ____________.

2 너는 안전벨트를 매야 해.

You must ____________ your ____________ ____________.

3 너는 버스에서 조용히 해야 해.

You must ____________ ____________ on the bus.

보기	helmet	seat belt	keep quiet	fasten

 오늘의 단어를 떠올리며, 오늘의 문장을 두 번씩 읽고 ✓ 하세요.

- ☑☑ You must use the crosswalk. 너는 횡단보도를 이용해야 해.
- 1 2 You must fasten your seat belt. 너는 안전벨트를 매야 해.
- 1 2 You must stop at the red light. 너는 빨간 신호에서 멈춰야 해.
- 1 2 You must keep quiet on the subway. 너는 지하철에서 조용히 해야 해.

DAY 44 취 미

STEP 1 오늘의 단어를 듣고, 그림에서 찾아 동그라미 하세요.

FREE TIME

hobby

I enjoy reading comic books.

enjoy

찾지 못한 단어는 STEP 2에서 확인하세요.

STEP 2 오늘의 단어를 확인하고, 따라 말하세요.

enjoy 즐기다

hobby 취미

travel 여행하다

collect 수집하다

hike 하이킹하다

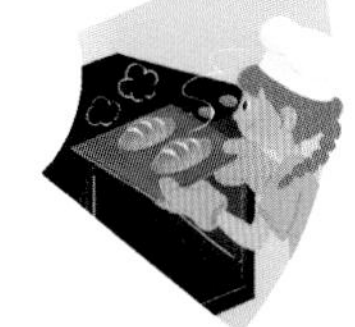

bake (빵 등을) 굽다

exercise 운동하다

comic book 만화책

crazy 열광하는

pie 파이

spend (시간을) 보내다

free time 자유 시간, 여가 시간

STEP 3 오늘의 단어를 따라 쓰세요.

e ______ h ______

t ______ c ______

h ______ b ______

e ______ c ______

c ______ p ______

s ______ f ______

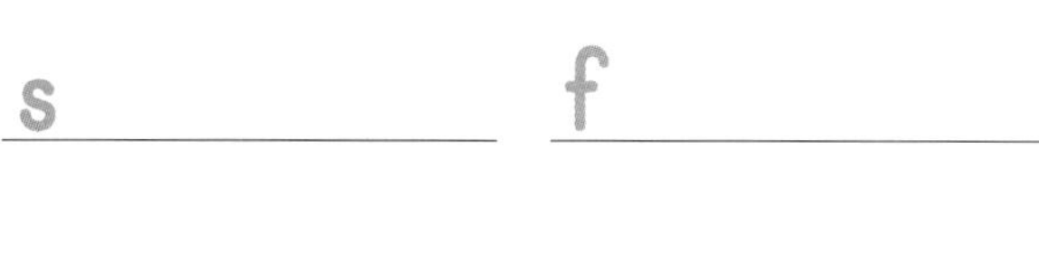

DAY 44 Test

Ⓐ 그림을 보고, 알맞은 단어를 골라 기호를 쓰세요.

보기 ⓐ hike ⓑ bake ⓒ travel ⓓ exercise

Ⓑ 그림을 보고, 알맞은 단어와 우리말 뜻을 연결하세요.

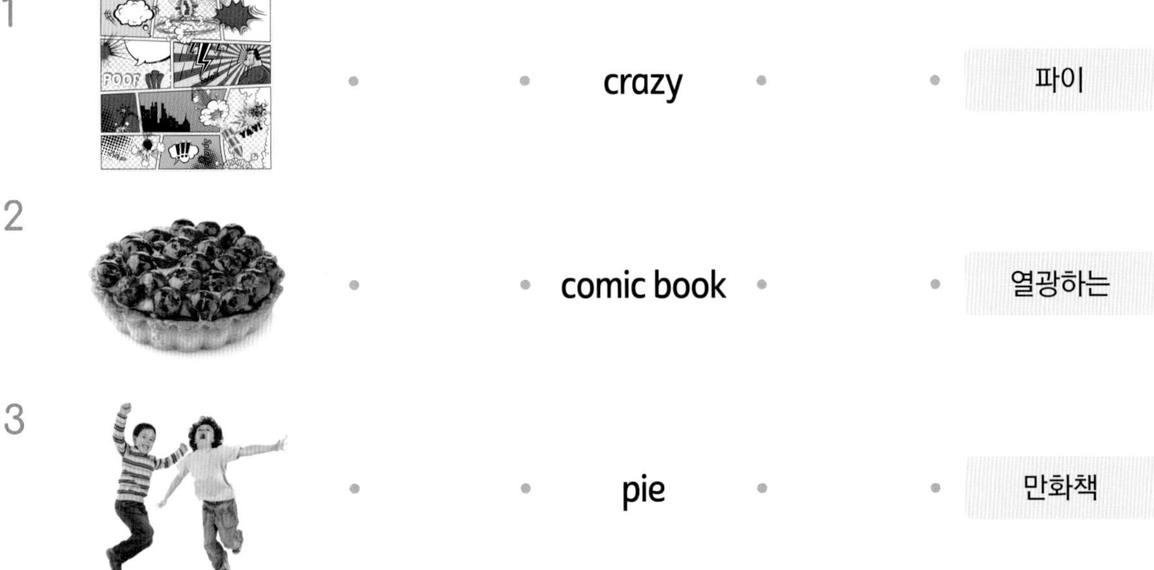

1	crazy	파이
2	comic book	열광하는
3	pie	만화책

Ⓒ 우리말에 맞게 알파벳을 바르게 배열하여 단어를 쓰세요.

1 취미 boyhb ______

2 시간을 보내다 densp ______

3 즐기다 yeojn ______

4 자유 시간 teeefirm ______ ______

D 그림을 보고, 알맞은 단어를 찾아 쓰세요.

1 enjoy ____________ cookies
쿠키 굽는 것을 즐기다

2 enjoy ____________
여행하는 것을 즐기다

3 enjoy ____________ toy cars
장난감 자동차를 모으는 것을 즐기다

enjoy 다음에 오는 동작을 나타내는 단어는 뒤에 -ing를 붙여 써요. 이때 bake는 e가 빠지고 baking으로 바뀌어요.

보기 collecting baking traveling

E 주어진 단어를 바르게 배열하여 문장을 쓰세요.

1 enjoy / comic books / . / reading / I
나는 만화책 보는 것을 즐겨.

→ ____

2 I / . / exercising / enjoy / in / my free time
나는 여가 시간에 운동하는 것을 즐겨.

→ ____

오늘의 단어를 떠올리며, 오늘의 문장을 두 번씩 읽고 ✓ 하세요.

☑ ☑	I enjoy **reading** comic books.	나는 만화책 읽는 것을 즐겨.
1 2	I enjoy hiking **in my** free time.	나는 여가 시간에 하이킹하는 것을 즐겨.
1 2	I enjoy baking pies **in my** free time.	나는 여가 시간에 파이 굽는 것을 즐겨.
1 2	I enjoy traveling **with my family.**	나는 가족들과 여행하는 것을 즐겨.

Review Test

A 다음 단어의 우리말 뜻을 쓰세요.

1 fasten ______
2 cash ______
3 safe ______
4 pie ______
5 credit card ______
6 dead ______
7 brakes ______
8 collect ______
9 fresh ______
10 exercise ______
11 enough ______
12 stop ______
13 enjoy ______
14 quickly ______
15 silver ______
16 fantastic ______
17 count ______
18 travel ______
19 crazy ______
20 seat belt ______
21 pay ______
22 think ______
23 business ______
24 traffic jam ______

B 다음 우리말 뜻에 해당하는 단어를 쓰세요.

1 (빵 등을) 굽다 ______
2 취미 ______
3 나누다 ______
4 횡단보도 ______
5 지폐 ______
6 중요한 ______
7 자유 시간, 여가 시간 ______
8 금 ______
9 안전모 ______
10 정직한 ______
11 공장 ______
12 조용히 하다 ______
13 영리한 ______
14 하이킹하다 ______
15 더하다 ______
16 동의하다 ______
17 (시간을) 보내다 ______
18 위험한 ______
19 기다리다 ______
20 만화책 ______
21 동전 ______
22 속도 ______
23 유명한 ______
24 신호등 ______

정답 267쪽

C 우리말에 맞게 알맞은 단어를 찾아 써서 문장을 완성하세요.

보기: clever / paid / gold / seat belt / collecting / think / enjoy

1 나는 인형 모으는 것을 즐겨.

I ________ ________ dolls.

2 나는 네가 영리하다고 생각해.

I ________ you are ________.

3 그들은 금으로 지불했어.

They ________ with ________.

4 너는 안전벨트를 매야 해.

You must fasten your ________ ________.

D 주어진 단어를 바르게 배열하여 문장을 쓰세요.

1 We / credit card / . / by / pay

우리는 신용 카드로 지불해.

→ ________________________________

2 think / fresh / it is / . / I

나는 그것이 신선하다고 생각해.

→ ________________________________

3 You / use / . / the crosswalk / must

너는 횡단보도를 이용해야 해.

→ ________________________________

4 enjoy / apple pies / baking / I / .

나는 사과파이 굽는 것을 즐겨.

→ ________________________________

DAY 45 결 혼

STEP 1 오늘의 단어를 듣고, 그림에서 찾아 동그라미 하세요.

Congratulations Wedding

The bride and groom are smiling.

찾지 못한 단어는 STEP 2에서 확인하세요.

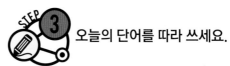

오늘의 문장 The bride and groom are smiling.

오늘의 단어를 확인하고, 따라 말하세요.

오늘의 단어를 따라 쓰세요.

wedding 결혼(식)

congratulations 축하, 축하해

bride 신부

groom 신랑

guest 손님

photographer 사진사

gift 선물

song 노래

clap 손뼉을 치다

smile 미소 짓다

love 사랑하다

hate 싫어하다

w ______ c ______

b ______ g ______

g ______ p ______

g ______ s ______

c ______ s ______

l ______ h ______

DAY 45 Test

Ⓐ 그림을 보고, 알맞은 단어에 ✓ 하세요.

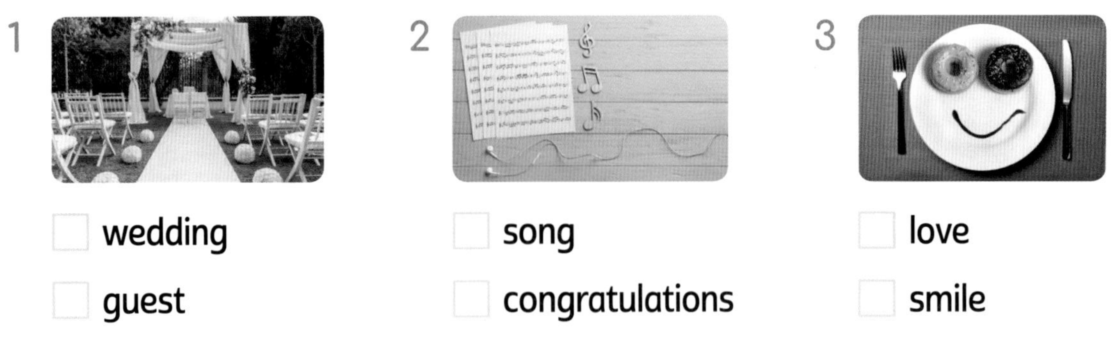

1 □ wedding □ guest

2 □ song □ congratulations

3 □ love □ smile

Ⓑ 그림을 보고, 알맞은 단어를 골라 기호를 쓰세요.

보기 ⓐ gift ⓑ groom ⓒ love ⓓ bride

Ⓒ 우리말에 맞게 빈칸에 알맞은 알파벳을 써서 단어를 완성하세요.

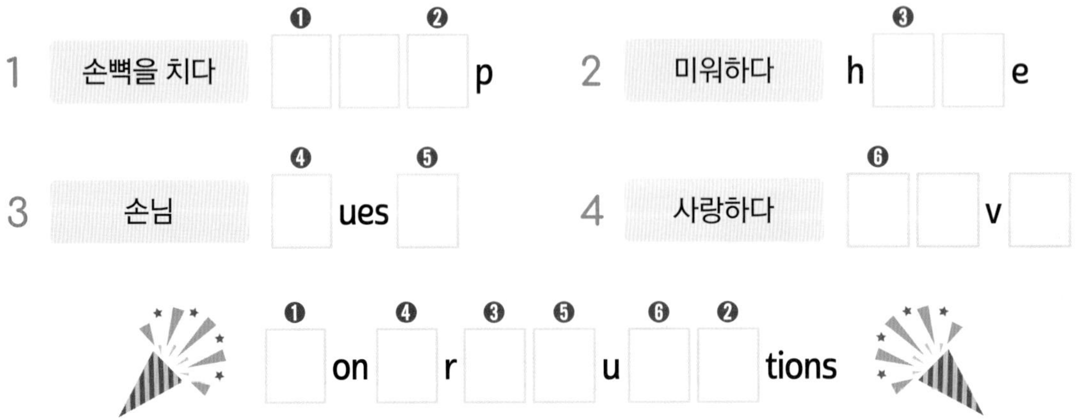

1 손뼉을 치다 ❶□ □ ❷□ p

2 미워하다 h ❸□ □ e

3 손님 ❹□ ues ❺□

4 사랑하다 ❻□ □ v □

❶□ on ❹□ r ❸□ ❺□ u ❻□ ❷□ tions

D 그림을 보고, 알맞은 단어를 골라 문장을 완성하세요.

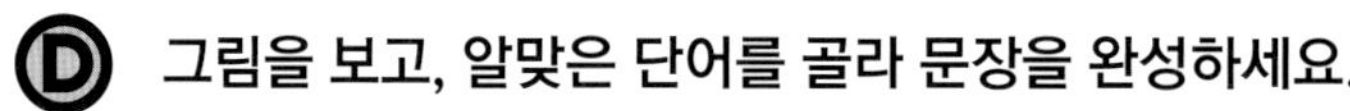

1 

The (bride / groom) is smiling.
신부는 미소 짓고 있어요.

2 

The (guest / photographer) is taking a picture.
사진사는 사진을 찍고 있어요.

E 우리말에 맞게 알맞은 단어를 찾아 써서 문장을 완성하세요.

1 신부는 손뼉을 치고 있어요.

The bride is ____________ her hands.

2 신랑은 노래를 부르고 있어요.

The groom is singing a ____________.

3 손님들은 신부와 신랑에게 선물을 주고 있어요.

The ____________ are giving ____________ to the bride and groom.

보기	clapping	gifts	song	guests

오늘의 단어를 떠올리며, 오늘의 문장을 두 번씩 읽고 ✓ 하세요.

☑☑ The bride and groom are smiling. 신부와 신랑은 미소 짓고 있어요.

1 2 The photographer is taking a picture. 사진사는 사진을 찍고 있어요.

1 2 The guests are clapping their hands. 손님들은 손뼉을 치고 있어요.

DAY 46 모험

STEP 1 오늘의 단어를 듣고, 그림에서 찾아 동그라미 하세요.

찾지 못한 단어는 STEP 2에서 확인하세요.

오 늘 의 문 장 Hunt the giant, and you will get the treasure.

오늘의 단어를 확인하고, 따라 말하세요.

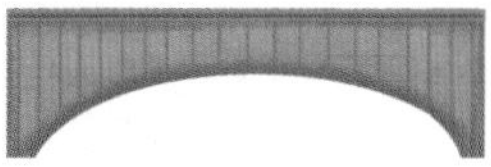

bridge 다리

tower 타워, 탑

castle 성

church 교회

map 지도

treasure 보물

angel 천사

ghost 유령

hunt 사냥하다

giant 거인

return 돌아가다

die 죽다

오늘의 단어를 따라 쓰세요.

b ______ t ______

c ______ c ______

m ______ t ______

a ______ g ______

h ______ g ______

r ______ d ______

DAY 46 Test

Ⓐ 그림을 보고, 알맞은 단어를 고르세요.

1 

church	castle

2

treasure	tower

3 

bridge	map

Ⓑ 우리말에 맞게 알파벳을 바르게 배열하여 단어를 쓰세요.

1 사냥하다 nuht ____________

2 죽다 edi ____________

3 돌아가다 nrretu ____________

4 거인 iatng ____________

5 유령 hogts ____________

Ⓒ 그림을 보고, 알맞은 단어를 찾아 쓰세요.

1 

____

2 

____

3 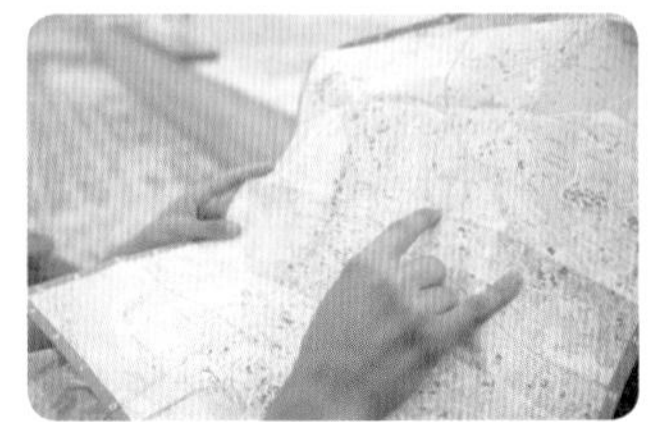

____

보기: map tower angel

D 그림을 보고, 알맞은 단어를 써서 문장을 완성하세요.

1 Go to the ______________.
교회에 가세요.

2 You will meet an ______________.
당신은 천사를 만날 거예요.

3 ______________ to the castle.
성으로 돌아가세요.

4 You will find the ______________.
당신은 보물을 찾을 거예요.

E 우리말에 맞게 알맞은 단어를 써서 문장을 완성하세요.

1 지도를 보면, 당신은 다리를 찾을 거예요.
Look at the ______________, and you will find a ______________.

2 성으로 가면, 당신은 유령을 볼 거예요.
Go to the ______________, and you will see a ______________.

3 거인을 사냥하면, 당신은 보물을 얻을 거예요.
______________ the ______________, and you will get the treasure.

오늘의 단어를 떠올리며, 오늘의 문장을 두 번씩 읽고 ✓ 하세요.

☑ ☑	Look at the map, and you will find a tower.	지도를 보면, 당신은 탑을 찾을 거예요.
1 2	Go to the tower, and you will see a giant.	탑으로 가면, 당신은 거인을 볼 거예요.
1 2	Hunt the giant, and you will get the treasure.	거인을 사냥하면, 당신은 보물을 얻을 거예요.

DAY 47 장래 희망

오늘의 단어를 듣고, 그림에서 찾아 동그라미 하세요.

job

I want to be a vet.

NEWS

IDEA

PLAN

START

become

2035

dream

CHANCE

찾지 못한 단어는 STEP 2에서 확인하세요.

STEP 2 오늘의 단어를 확인하고, 따라 말하세요.

actor 배우

pianist 피아니스트

announcer 아나운서

fashion model 패션모델

vet 수의사
veterinarian

barista 바리스타
전문적으로 커피를 만드는 사람

become ~이 되다

dream 꿈꾸다

chance 기회

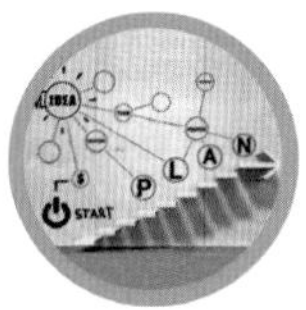

plan 계획

job 직업

future 미래

STEP 3 오늘의 단어를 따라 쓰세요.

a ______ p ______

a ______ f ______

v ______ b ______

b ______ d ______

c ______ p ______

j ______ f ______

DAY 47 Test

Ⓐ 그림을 보고, 알맞은 단어를 고르세요.

1		2		3	
become	chance	actor	job	future	vet

Ⓑ 우리말에 맞게 빈칸에 알맞은 알파벳을 써서 단어를 완성하세요.

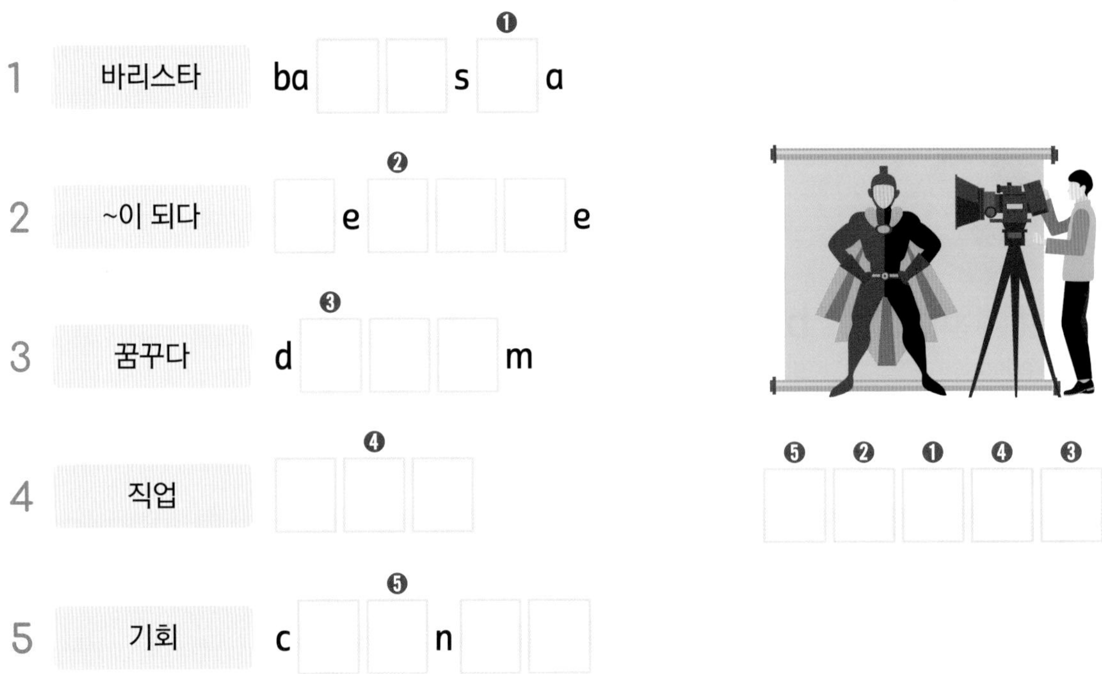

1 바리스타 ba _ _ s ❶_ a

2 ~이 되다 _ e ❷_ _ _ e

3 꿈꾸다 d ❸_ _ _ m

4 직업 _ ❹_ _

5 기회 c _ ❺_ n _ _

❺ ❷ ❶ ❹ ❸

Ⓒ 우리말에 맞게 알맞은 단어를 찾아 쓰세요.

nycfuturejjoplannabbfashionmodelening

1 미래 ______________

2 계획 ______________

3 패션모델 ______________ ______________

정답 260쪽

D 그림을 보고, 알맞은 문장에 ✓ 하세요.

1
- ☐ I want to be a pianist.
- ☐ I want to be a barista.

2
- ☐ I want to be an announcer.
- ☐ I want to be a fashion model.

자신의 장래 희망을 말할 때에는 I want to be 뒤에 희망하는 직업을 넣어서 말해요.

E 우리말에 맞게 알맞은 단어를 찾아 쓰세요.

1 너는 미래에 무엇이 되고 싶니?

What do you want to be in the ____________?

2 나는 아나운서가 되고 싶어.

I want to be an ____________.

3 지훈이는 수의사가 되고 싶어 해.

Jihun wants be to a ____________.

보기 announcer vet future

오늘의 단어를 떠올리며, 오늘의 문장을 두 번씩 읽고 ✓ 하세요.

☑☑	What do you want to be in the future?	너는 미래에 무엇이 되고 싶니?
1 2	I want to be a vet.	나는 수의사가 되고 싶어.
1 2	Brian wants to be an actor.	브라이언은 배우가 되고 싶어 해.
1 2	Mina wants to be a barista.	미나는 바리스타가 되고 싶어 해.

Review Test

A 다음 단어의 우리말 뜻을 쓰세요.

1 bridge ____________

2 future ____________

3 die ____________

4 groom ____________

5 ghost ____________

6 announcer ____________

7 hate ____________

8 treasure ____________

9 song ____________

10 become ____________

11 church ____________

12 vet ____________

13 chance ____________

14 pianist ____________

15 love ____________

16 job ____________

17 giant ____________

18 wedding ____________

B 다음 우리말 뜻에 해당하는 단어를 쓰세요.

1 꿈꾸다 ____________

2 천사 ____________

3 사진사 ____________

4 타워, 탑 ____________

5 미소 짓다 ____________

6 성 ____________

7 돌아가다 ____________

8 바리스타 ____________

9 지도 ____________

10 배우 ____________

11 선물 ____________

12 사냥하다 ____________

13 손뼉을 치다 ____________

14 신부 ____________

15 계획 ____________

16 축하, 축하해 ____________

17 손님 ____________

18 패션모델 ____________

C 우리말에 맞게 알맞은 단어를 찾아 써서 문장을 완성하세요.

보기: bride / bridge / announcer / clapping / map / smiling

1 나는 아나운서가 되고 싶어.
I want to be an __________.

2 신부는 미소 짓고 있어요.
The __________ is __________.

3 신랑은 손뼉을 치고 있어요.
The groom is __________ his hands.

4 지도를 보면, 당신은 다리를 찾을 거예요.
Look at the __________, and you will find a __________.

D 주어진 단어를 바르게 배열하여 문장을 쓰세요.

1 the castle, / you will find / Go to / the treasure / and / .
성으로 가면, 당신은 보물을 찾을 거예요.
→ ______________________________

2 She / be / a vet / . / wants to
그녀는 수의사가 되고 싶어 해.
→ ______________________________

3 the giant, / . / you will meet / Hunt / an angel / and
거인을 사냥하면, 당신은 천사를 만날 거예요.
→ ______________________________

4 is / The photographer / a picture / . / taking
사진사는 사진을 찍고 있어요.
→ ______________________________

DAY 48 공 항

STEP 1 오늘의 단어를 듣고, 그림에서 찾아 번호를 쓰세요.

10:50
Departures
Arrivals

The flight leaves after 12.

PASSPORT

찾지 못한 단어는 STEP 2에서 확인하세요.

STEP 2 오늘의 단어를 확인하고, 따라 말하세요. 

airport 공항

flight 비행, 항공편

departure 출발

arrival 도착

pilot
조종사

flight attendant
승무원

luggage 짐, 수하물

passport 여권

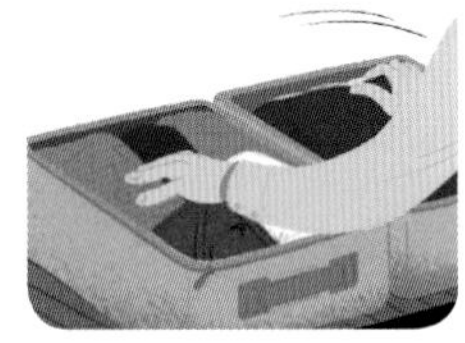
search
찾다, 수색하다

ground
땅, 지면

before ~ 전에, 앞에

after ~ 후에, 뒤에

STEP 3 오늘의 단어를 따라 쓰세요.

a ______ f ______

d ______ a ______

p ______ f ______

l ______ p ______

s ______ g ______

b ______ a ______

DAY 48 Test

Ⓐ 그림을 보고, 알맞은 단어를 고르세요.

1 pilot / passport

2 ground / luggage

3 flight / airport

Ⓑ 각 단어의 우리말 뜻을 쓰고, 짝을 이루는 단어와 연결하세요.

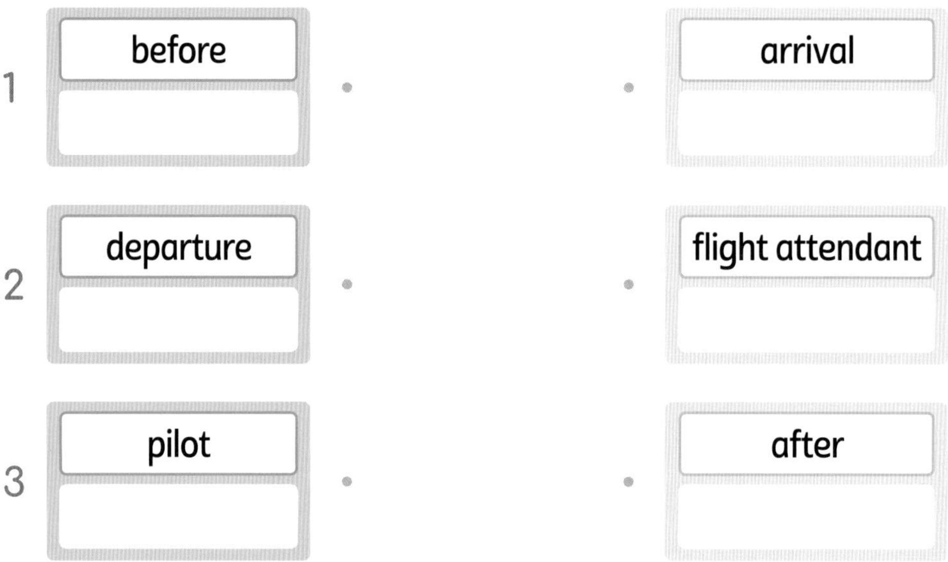

1 before • • arrival

2 departure • • flight attendant

3 pilot • • after

Ⓒ 우리말에 맞게 알파벳을 바르게 배열하여 단어를 쓰세요.

1 땅, 지면 gunord ____________

2 공항 aorpirt ____________

3 찾다, 수색하다 chaers ____________

4 여권 rtasspop ____________

정답 260쪽

D 그림을 보고, 알맞은 문장과 연결하세요.

1  •

2 •

• I am a pilot.

• I am a flight attendant.

• Is this your passport?

• Is this your luggage?

E 우리말에 맞게 알맞은 단어를 찾아 써서 문장을 완성하세요.

1 비행기는 3시 이후에 출발해.

The flight leaves ______________ 3.

2 비행기는 정오 이전에 출발해.

The ______________ leaves ______________ noon.

3 이곳은 부산 공항이야.

This is Busan ______________.

airport after flight before

오늘의 단어를 떠올리며, 오늘의 문장을 두 번씩 읽고 ✓ 하세요.

- ☑ ☑ This is Incheon airport. 이곳은 인천 공항이야.
- 1 2 He is a pilot. 그는 조종사야.
- 1 2 She is a flight attendant. 그녀는 승무원이야.
- 1 2 The flight leaves after 12. 비행기는 12시 이후에 출발해.

DAY **49** 상징과 의미

STEP 1 오늘의 단어를 듣고, 선을 따라가 상징과 의미를 확인하세요.

Symbol

The owl is a symbol of wisdom.

찾지 못한 단어는 STEP 2에서 확인하세요.

STEP 2 오늘의 단어를 확인하고, 따라 말하세요.

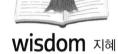

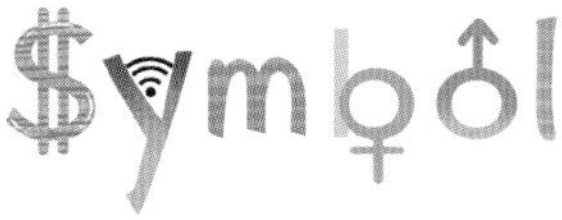

symbol 상징
rose 장미 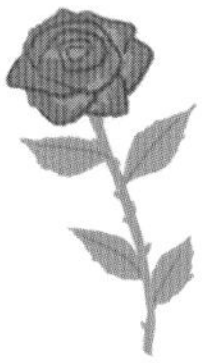
owl 부엉이 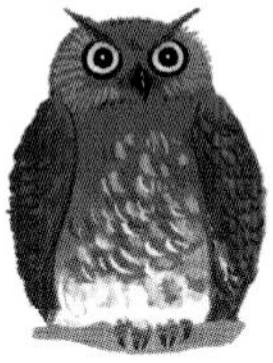
wisdom 지혜 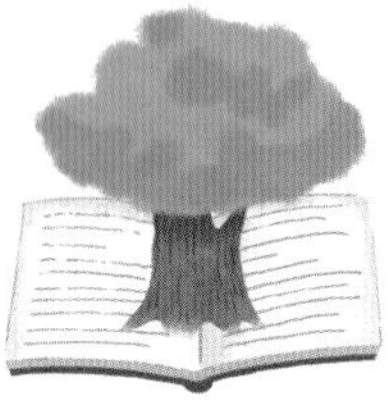
kid 어린이 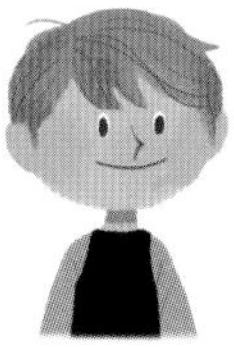
hope 희망 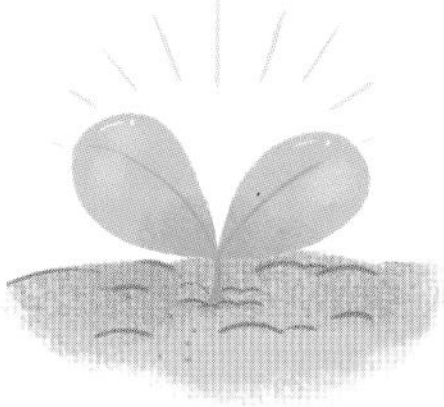
dove 비둘기 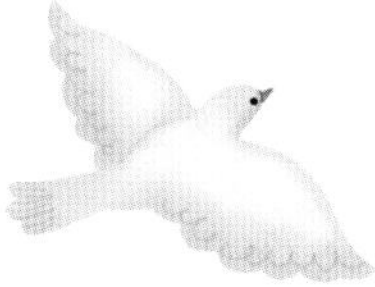
peace 평화 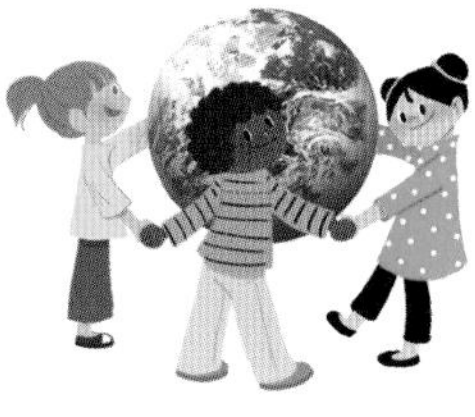
wing 날개 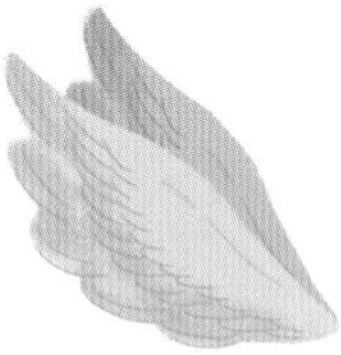
freedom 자유 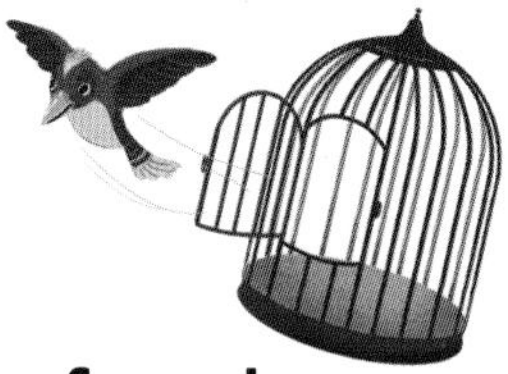
eagle 독수리 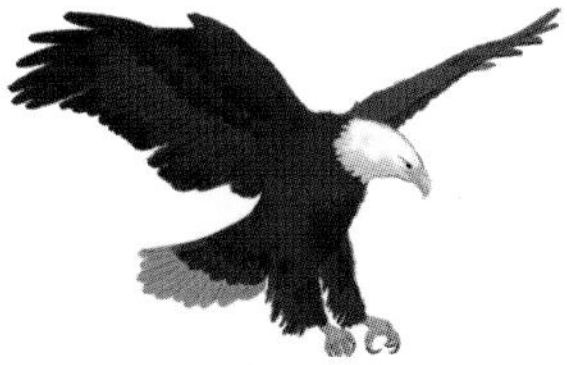
strength 힘 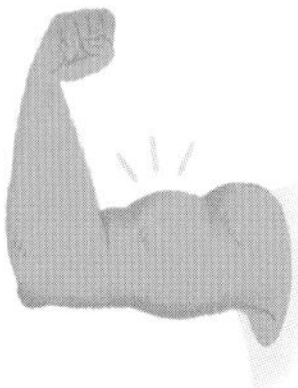

STEP 3 오늘의 단어를 따라 쓰세요.

s ____ r ____
o ____ w ____
k ____ h ____
d ____ p ____
w ____ f ____
e ____ s ____

DAY 49 Test

Ⓐ 그림을 보고, 알맞은 단어를 고르세요.

1 rose / hope

2 symbol / kid

3 wing / peace

Ⓑ 그림을 보고, 알맞은 단어와 우리말 뜻을 연결하세요.

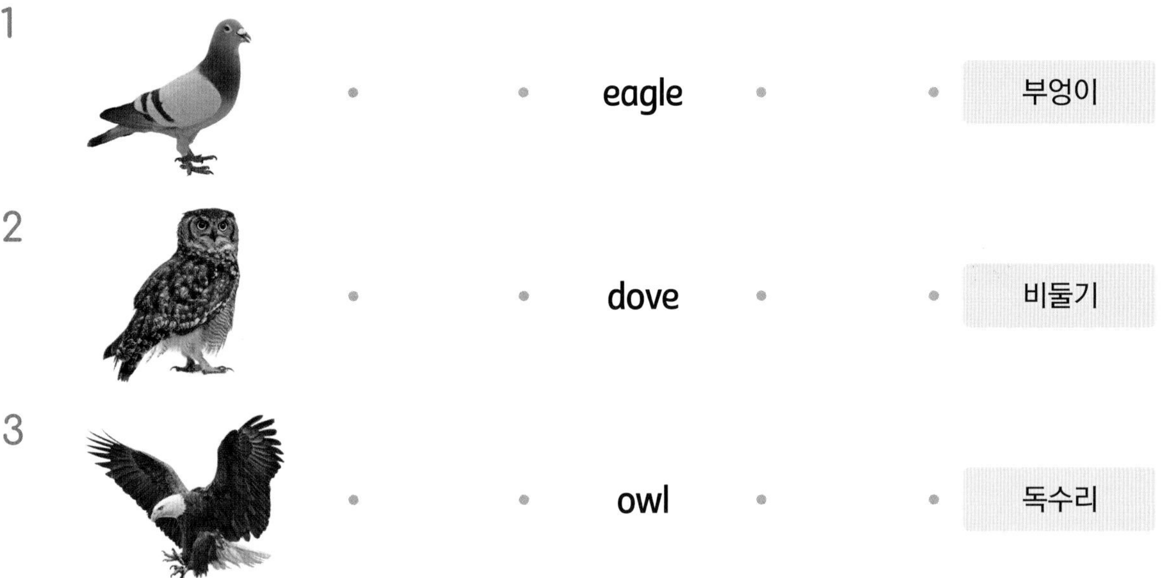

1	eagle	부엉이
2	dove	비둘기
3	owl	독수리

Ⓒ 우리말에 맞게 빈칸에 알맞은 알파벳을 써서 단어를 완성하세요.

1 상징 s ☐ ☐ ☐ ol

2 평화 p ☐ ☐ c ☐

3 힘 ☐ tr ☐ ☐ ☐ th

4 지혜 ☐ ☐ s ☐ om

정답 261쪽

D 우리말에 맞게 알맞은 단어를 찾아 쓰세요.

'~의'를 뜻하는 단어 of를 사용해서 어떤 것이 무엇을 상징하는지 나타낼 수 있어요.

1 부엉이 ____________

지혜의 상징 a symbol of ____________

2 날개 ____________

자유의 상징 a symbol of ____________

보기 wisdom wing owl freedom

E 우리말에 맞게 알맞은 단어를 써서 문장을 완성하세요.

1 

장미는 사랑의 상징이야.

The ____________ is a ____________ of love.

2 

어린이들은 희망의 상징이야.

The kids are a symbol of ____________.

3

독수리는 힘의 상징이야.

The ____________ is a symbol of ____________.

 오늘의 단어를 떠올리며, 오늘의 문장을 두 번씩 읽고 ✓ 하세요.

- ☑☑ The owl is a symbol of wisdom. 부엉이는 지혜의 상징이야.
- 1 2 The dove is a symbol of peace. 비둘기는 평화의 상징이야.
- 1 2 The kids are a symbol of hope. 어린이들은 희망의 상징이야.
- 1 2 The wings are a symbol of freedom. 날개는 자유의 상징이야.

DAY 50 우 주

STEP 1 오늘의 단어를 듣고, 그림에서 찾아 동그라미 하세요.

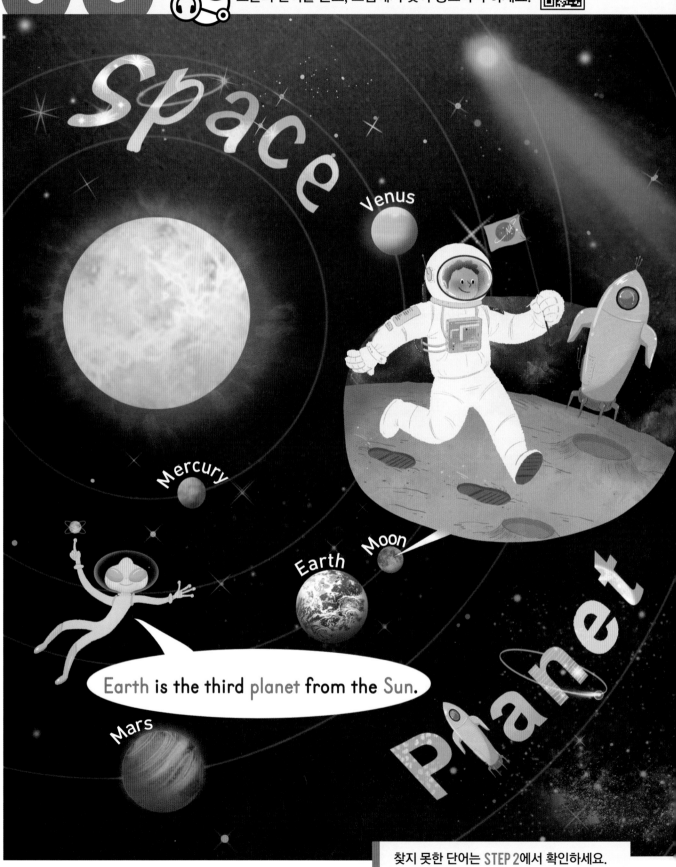

Space

Venus

Mercury

Moon

Earth

Planet

Mars

Earth is the third planet from the Sun.

찾지 못한 단어는 STEP 2에서 확인하세요.

오늘의 문장 Earth is the third planet from the Sun.

STEP 2 오늘의 단어를 확인하고, 따라 말하세요.

space 우주

planet 행성

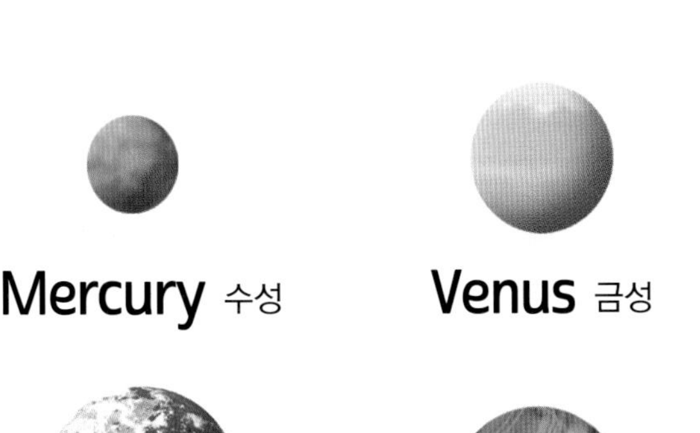

Sun 태양, 해

Moon 달

Mercury 수성

Venus 금성

Earth 지구

Mars 화성

astronaut
우주 비행사

spaceship
우주선

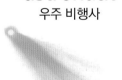

shooting star
별똥별

footprint
발자국

STEP 3 오늘의 단어를 따라 쓰세요.

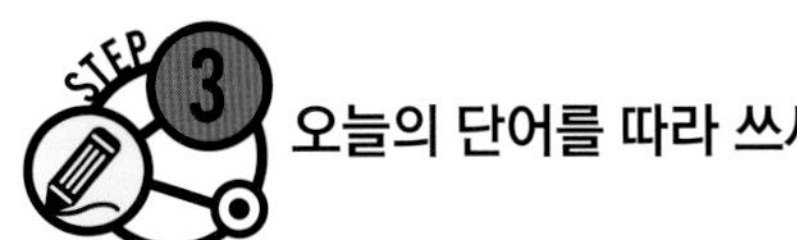

s ____ p ____

S ____ M ____

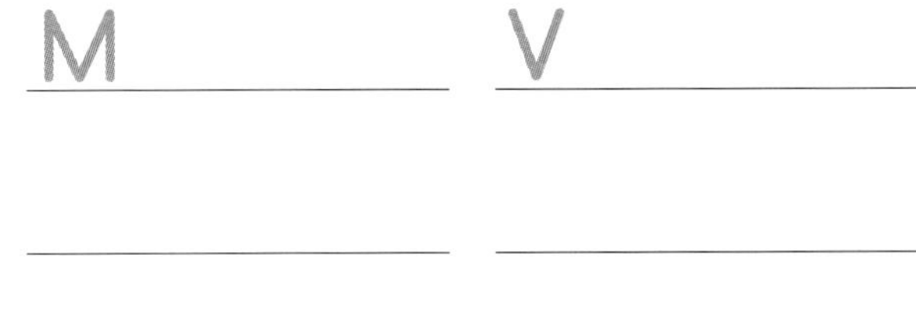

M ____ V ____

E ____ M ____

a ____ s ____

s ____ f ____

DAY 50 Test

Ⓐ 그림을 보고, 알맞은 단어에 ✓ 하세요.

1 ☐ planet ☐ astronaut

2 ☐ footprint ☐ space

3 ☐ spaceship ☐ shooting star

Ⓑ 우리말에 맞게 빈칸에 알맞은 알파벳을 써서 단어를 완성하세요.

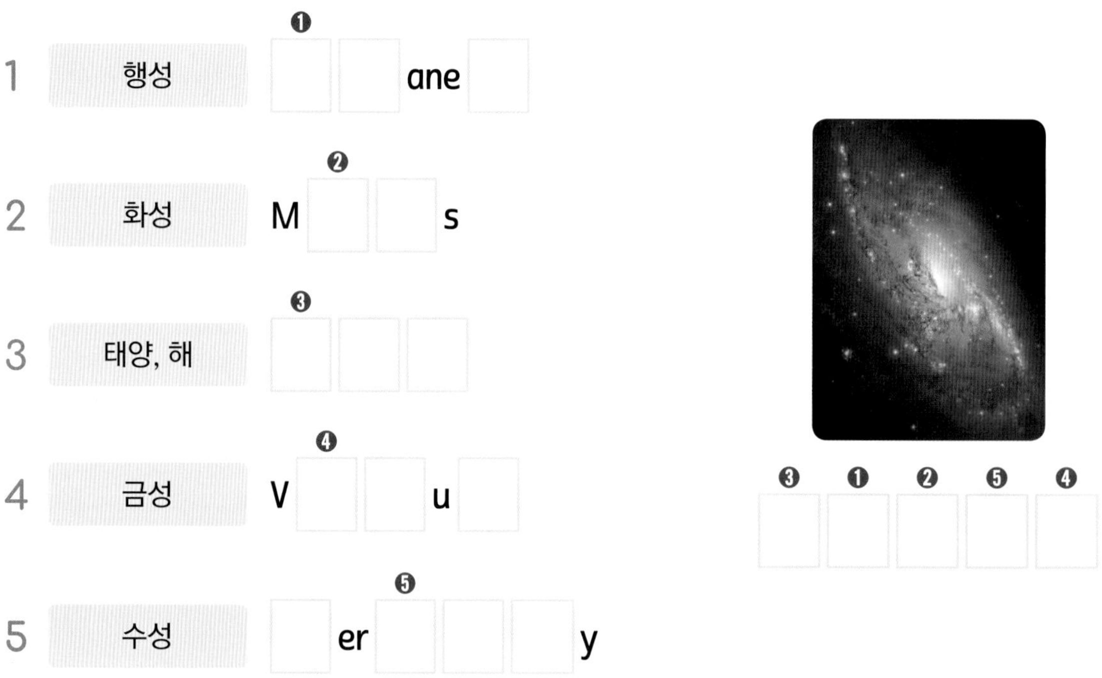

1 행성 ❶☐ ☐ ane ☐

2 화성 M ❷☐ ☐ s

3 태양, 해 ❸☐ ☐ ☐

4 금성 V ❹☐ ☐ u ☐

5 수성 ☐ er ❺☐ ☐ ☐ y

❸ ❶ ❷ ❺ ❹
☐ ☐ ☐ ☐ ☐

Ⓒ 우리말에 맞게 알맞은 단어를 찾아 쓰세요.

jiEartharfootprintIngMoonyuTspaceshipp

1 지구 ______ 2 발자국 ______

3 달 ______ 4 우주선 ______

Ⓓ 우리말에 맞게 알맞은 단어에 ✓ 해서 문장을 완성하세요.

1 지구는 태양으로부터 세 번째 행성이야.

Earth is the third ____________ from the Sun.

- ☐ space
- ☐ planet

'~의'를 뜻하는 단어 of를 사용해서 어떤 것이 무엇을 상징하는지 나타낼 수 있어요.

2 금성은 태양으로부터 두 번째 행성이야.

Venus is the second planet from the ____________.

- ☐ Sun
- ☐ Moon

Ⓔ 그림을 보고, 알맞은 단어를 써서 문장을 완성하세요.

Mars
Moon
Earth
Venus
Mercury

1 ____________ is the first planet from the Sun.
수성은 태양으로부터 첫 번째 행성이야.

2 ____________ is the third planet from the Sun.
지구는 태양으로부터 세 번째 행성이야.

3 ____________ is the fourth planet from the Sun.
화성은 태양으로부터 네 번째 행성이야.

 오늘의 단어를 떠올리며, 오늘의 문장을 두 번씩 읽고 ✓ 하세요.

- ☑ ☑ Mercury is the first planet from the Sun. 수성은 태양으로부터 첫 번째 행성이야.
- 1 2 Venus is the second planet from the Sun. 금성은 태양으로부터 두 번째 행성이야.
- 1 2 Earth is the third planet from the Sun. 지구는 태양으로부터 세 번째 행성이야.
- 1 2 Mars is the fourth planet from the Sun. 화성은 태양으로부터 네 번째 행성이야.

Review Test

A 다음 단어의 우리말 뜻을 쓰세요.

1 space ______
2 pilot ______
3 owl ______
4 symbol ______
5 Venus ______
6 wing ______
7 airport ______
8 astronaut ______
9 Earth ______
10 Moon ______
11 wisdom ______
12 search ______
13 eagle ______
14 Sun ______
15 before ______
16 flight ______
17 peace ______
18 arrival ______

B 다음 우리말 뜻에 해당하는 단어를 쓰세요.

1 승무원 ______
2 화성 ______
3 희망 ______
4 우주선 ______
5 땅, 지면 ______
6 수성 ______
7 비둘기 ______
8 출발 ______
9 별똥별 ______
10 힘 ______
11 어린이 ______
12 행성 ______
13 짐, 수하물 ______
14 자유 ______
15 발자국 ______
16 ~ 후에, 뒤에 ______
17 장미 ______
18 여권 ______

C 우리말에 맞게 알맞은 단어를 찾아 써서 문장을 완성하세요.

보기: hope, flight, Sun, after, Earth, strength, kids

1 독수리는 힘의 상징이야.
The eagle is a symbol of ____________.

2 비행기는 6시 이후에 출발해.
The ____________ leaves ____________ 6.

3 어린이들은 희망의 상징이야.
The ____________ are a symbol of ____________.

4 지구는 태양으로부터 세 번째 행성이야.
____________ is the third planet from the ____________.

D 주어진 단어를 바르게 배열하여 문장을 쓰세요.

1 the first planet / . / from the Sun / Mercury / is
수성은 태양으로부터 첫 번째 행성이야.
→ ________________________________

2 freedom / are / a symbol of / The wings / .
날개는 자유의 상징이야.
→ ________________________________

3 before / The flight / noon / . / leaves
비행기는 정오 이전에 출발해.
→ ________________________________

4 Venus / the second planet / is / . / from the Sun
금성은 태양으로부터 두 번째 행성이야.
→ ________________________________

정답
Answer

교육부 권장 영단어와 초등학교 교과서를 분석하여 선정한
초등 필수 영단어를 50일에 완전 정복하고
〈정답〉을 통해 학습한 내용을 확인해 보자!

cloud

sun

bird

DAY 01 | pp. 12~13

Ⓐ 그림을 보고, 알맞은 단어에 ✓ 하세요.

1 
☐ Korean
✓ English

2 
✓ favorite
☐ P.E.

3 
☐ club
✓ class

Ⓑ 우리말에 맞게 알파벳을 바르게 배열하여 단어를 쓰세요.

1 과목 stujecb subject
2 동아리 ubcl club
3 가장 좋아하는 efarivot favorite
4 수업 casls class
5 사회 ssoileciatuds social studies

Ⓒ 그림을 보고, 알맞은 단어를 찾아 쓰세요.

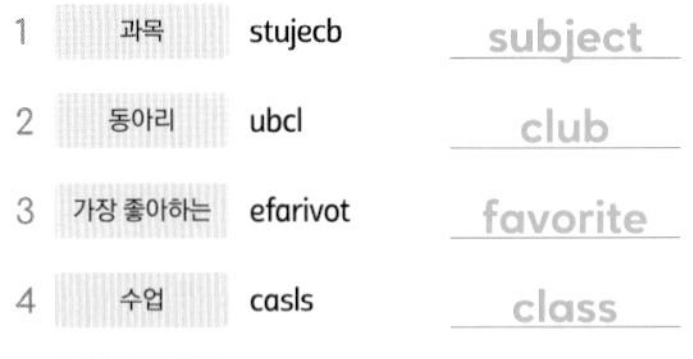

1 music
2 P.E.
3 science

보기 P.E. science music

Ⓓ 그림을 보고, 알맞은 단어를 골라 문장을 완성하세요.

1 
My favorite subject is (P.E. / (math)).
내가 가장 좋아하는 과목은 수학이야.

2 
My favorite subject is ((art) / music).
내가 가장 좋아하는 과목은 미술이야.

Ⓔ 우리말에 맞게 알맞은 단어를 찾아 써서 문장을 완성하세요.

1 네가 가장 좋아하는 과목은 뭐니?
What is your favorite subject ?

2 내가 가장 좋아하는 과목은 국어야.
My favorite subject is Korean .

3 내가 가장 좋아하는 과목은 사회야.
My favorite subject is social studies .

상대방이 가장 좋아하는 것을 물을 때는 What is your favorite 뒤에 묻고 싶은 것을 넣어 말해요.

보기 favorite social studies Korean subject

오늘의 단어를 떠올리며, 오늘의 문장을 두 번씩 읽고 ✓ 하세요.

✓✓ What is your favorite subject? 네가 가장 좋아하는 과목은 뭐니?
☐☐ My favorite subject is music. 내가 가장 좋아하는 과목은 음악이야.
☐☐ My favorite subject is science. 내가 가장 좋아하는 과목은 과학이야.
☐☐ My favorite subject is English. 내가 가장 좋아하는 과목은 영어야.

DAY 02 | pp. 16~17

Ⓐ 그림을 보고, 알맞은 단어를 고르세요.

1 
(world) capital

2 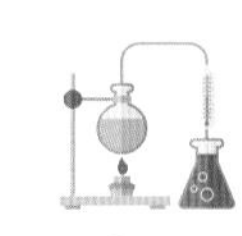
flag (language)

Ⓑ 우리말에 맞게 빈칸에 알맞은 알파벳을 써서 단어를 완성하세요.

1 중국 Ch i n a
2 문화 cul t u r e
3 세계 w o r l d
4 ~에 살다 l i v e i n
5 수도 c a p i t a l

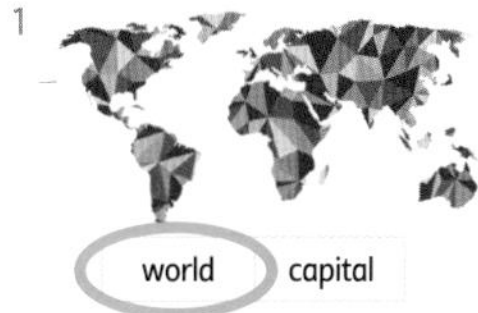

I n d i a

Ⓒ 그림을 보고, 주어진 알파벳으로 시작하는 단어를 쓰세요.

1 flag
2 culture
3 language

Ⓓ 그림을 보고, 알맞은 단어를 찾아 쓰세요.

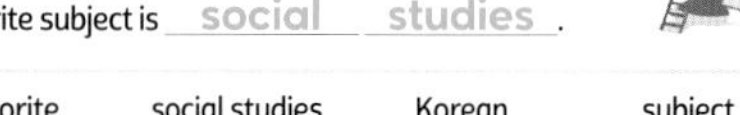

1 nation
2 live in
3 France

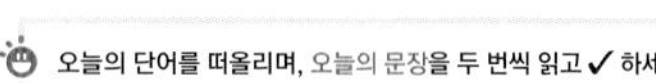

보기 France nation live in

Ⓔ 우리말에 맞게 알맞은 단어를 써서 문장을 완성하세요.

1 나는 미국 출신이야.
I am from the U.S .

2 그녀는 인도 출신이야.
She is from India .

3 우리는 한국 출신이야.
We are from Korea .

나라 이름의 첫 글자는 항상 대문자로 쓴다는 것을 기억하세요.

오늘의 단어를 떠올리며, 오늘의 문장을 두 번씩 읽고 ✓ 하세요.

✓✓ I am from Korea. 나는 한국 출신이야.
☐☐ He is from France. 그는 프랑스 출신이야.
☐☐ She is from the U.S. 그녀는 미국 출신이야.
☐☐ They are from China. 그들은 중국 출신이야.

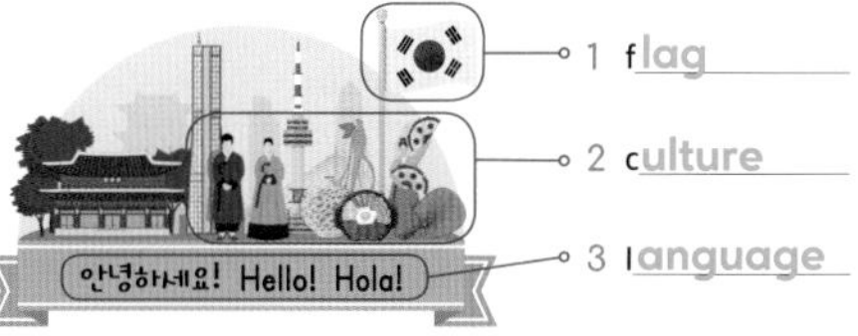

DAY 03 | pp. 20~21

A 그림을 보고, 알맞은 단어를 골라 기호를 쓰세요.

ⓒ ⓐ ⓓ ⓑ

보기 ⓐ sand ⓑ grass ⓒ leaf ⓓ stone

B 우리말에 맞게 알맞은 단어를 찾아 쓰세요.

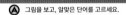

1	강	river	2	나뭇가지	branch
3	돌	stone	4	동굴	cave
5	자연	nature	6	나뭇잎	leaf

C 그림을 보고, 빈칸에 알맞은 알파벳을 써서 단어를 완성하세요.

1 l a k e 2 fo r e s t

3 b r an c h 4 r i v er

20

정답 238쪽

D 그림을 보고, 알맞은 문장에 ✓ 하세요.

1 ☐ Let's go to the forest. 숲에 가요.
✓ Let's go to the beach. 바닷가에 가요.

2 ✓ Let's go to the mountain. 산에 가요.
☐ Let's go to the river. 강에 가요.

E 주어진 단어를 바르게 배열하여 문장을 쓰세요.

1 go to / the cave / . / Let's
동굴에 가요.
→ Let's go to the cave.

2 Let's / . / together / the lake / go to
함께 호수에 가요.
→ Let's go to the lake together.

3 the river / Let's / together / go to / .
함께 강에 가요.
→ Let's go to the river together.

오늘의 단어를 떠올리며, 오늘의 문장을 두 번씩 읽고 ✓ 하세요.

- ✓✓ Let's go to the beach. 바닷가에 가요.
- ☐☐ Let's go to the forest. 숲에 가요.
- ☐☐ Let's go to the mountain. 산에 가요.
- ☐☐ Let's go to the cave together. 함께 동굴에 가요.

21

DAY 04 | pp. 24~25

A 그림을 보고, 알맞은 단어를 고르세요.

1 (roof) gate 2 (pig) duck 3 farm (fence)

B 그림을 보고, 빈칸에 알맞은 알파벳을 써서 단어를 완성하세요.

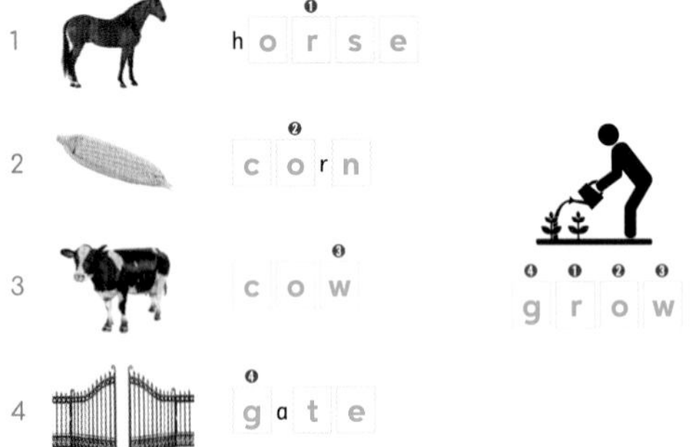

1 h o r s e
2 c o r n
3 c o w
4 g a t e

g r o w

C 우리말에 맞게 주어진 알파벳으로 시작하는 단어를 쓰세요.

1	농장	farm	2	당근	carrot
3	기르다, 키우다	grow	4	오리	duck

24

정답 238쪽

D 우리말에 맞게 알맞은 단어를 써서 대화를 완성하세요.

1 이것은 오리인가요? Is this a duck?
네, 맞아요. Yes, it is.

2 저것은 돼지인가요? Is that a pig?
아니요, 말이에요. No, it is not. It is a horse.

어떤 것이 맞는지 아닌지 확인할 때는 Is this/that ~?으로 질문해요. 맞으면 Yes, it is. 맞지 않으면 No, it is not.이라고 답합니다.

E 그림을 보고, 알맞은 단어를 써서 문장을 완성하세요.

1 Is this a carrot?
이것은 당근인가요?

2 Is this a sweet potato?
이것은 고구마인가요?

3 Is that a corn?
저것은 옥수수인가요?

오늘의 단어를 떠올리며, 오늘의 문장을 두 번씩 읽고 ✓ 하세요.

- ✓✓ Is this a horse? 이것은 말인가요?
- ☐☐ Is this a cow? 이것은 소인가요?
- ☐☐ Is that a fence? 저것은 울타리인가요?
- ☐☐ Is that a sweet potato? 저것은 고구마인가요?

25

DAY 05 pp. 30~31

Ⓐ 그림을 보고, 알맞은 단어에 ✓ 하세요.

1 ✓ pencil case / ruler
2 umbrella / ✓ toothbrush
3 ✓ cell phone / whose

Ⓑ 그림을 보고, 알맞은 단어를 찾아 쓰세요.

1 ring
2 ruler
3 fan
4 wallet

보기 ruler wallet fan ring

Ⓒ 우리말에 맞게 빈칸에 알맞은 단어를 쓰세요.

1 who 누구 → whose 누구의
2 my 나의 → mine 나의 것
3 your 너의 → yours 너의 것

30

정답 239쪽

Ⓓ 그림을 보고, 알맞은 문장과 연결하세요.

1 2 3

Whose key is this? 이것은 누구의 열쇠일까?
Whose ring is this? 이것은 누구의 반지일까?
It is mine. 그건 내 거야.

Ⓔ 우리말에 맞게 알맞은 단어를 써서 문장을 완성하세요.

1 이것은 누구의 우산일까?
Whose umbrella is this?

2 저것은 누구의 지갑일까?
Whose wallet is that?

3 그건 네 거야.
It is yours.

누구의 물건인지 묻을 때는 「Whose+물건+is this/that?」으로 말해요.
대답은 It is 뒤에 mine, yours 등을 넣어 말할 수 있어요.

오늘의 단어를 떠올리며, 오늘의 문장을 두 번씩 읽고 ✓ 하세요.

- Whose key is this? 이것은 누구의 열쇠일까?
- Whose toothbrush is this? 이것은 누구의 칫솔일까?
- Whose cell phone is that? 저것은 누구의 휴대 전화일까?
- It is mine. 그건 내 거야.

31

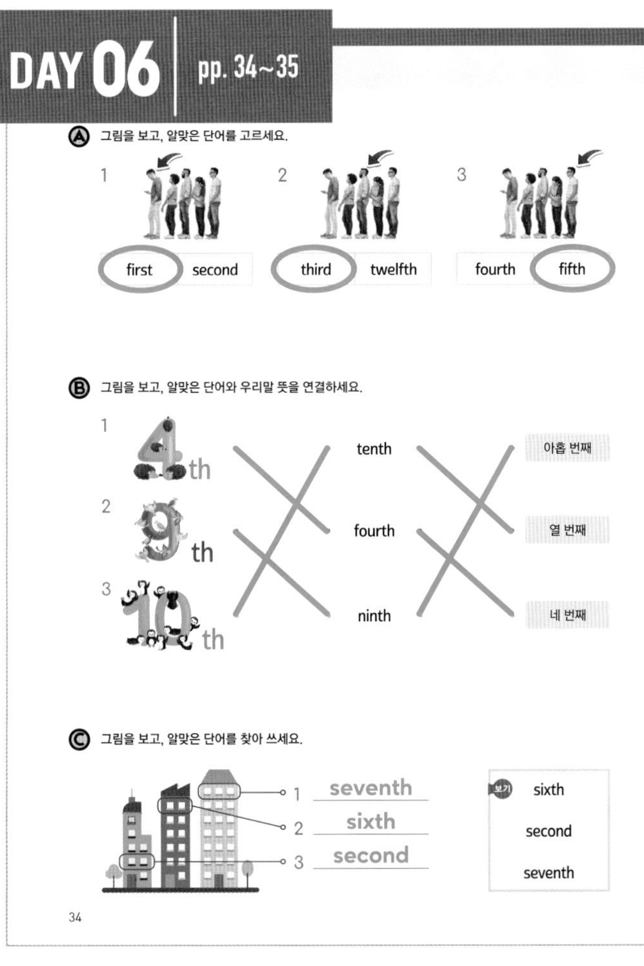
DAY 06 pp. 34~35

Ⓐ 그림을 보고, 알맞은 단어를 고르세요.

1 (first) second
2 (third) twelfth
3 fourth (fifth)

Ⓑ 그림을 보고, 알맞은 단어와 우리말 뜻을 연결하세요.

1 4th — fourth — 네 번째
2 9th — ninth — 아홉 번째
3 10th — tenth — 열 번째

(tenth / fourth / ninth — 아홉 번째 / 열 번째 / 네 번째)

Ⓒ 그림을 보고, 알맞은 단어를 찾아 쓰세요.

1 seventh
2 sixth
3 second

보기 sixth second seventh

34

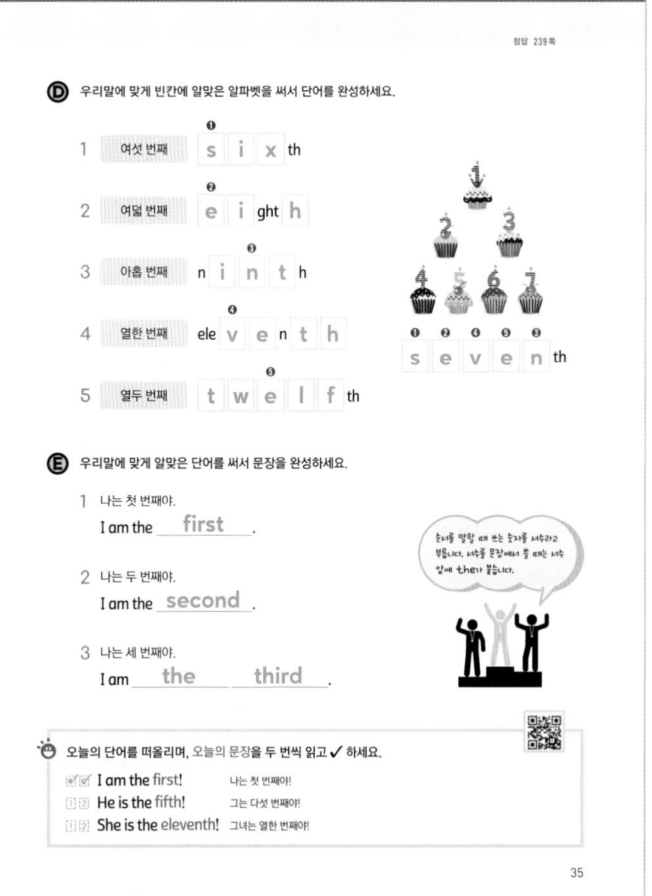
정답 239쪽

Ⓓ 우리말에 맞게 빈칸에 알맞은 알파벳을 써서 단어를 완성하세요.

1 여섯 번째 s i x th
2 여덟 번째 e i ght h
3 아홉 번째 n i n t h
4 열한 번째 ele v e n t h
5 열두 번째 t w e l f th

❶❷❹❺❸ s e v e n th

Ⓔ 우리말에 맞게 알맞은 단어를 써서 문장을 완성하세요.

1 나는 첫 번째야.
I am the first.

2 나는 두 번째야.
I am the second.

3 나는 세 번째야.
I am the third.

순서를 말할 때 쓰는 숫자를 서수라고 부릅니다. 서수를 문장에서 쓸 때는 서수 앞에 the가 붙습니다.

오늘의 단어를 떠올리며, 오늘의 문장을 두 번씩 읽고 ✓ 하세요.

- I am the first! 나는 첫 번째야!
- He is the fifth! 그는 다섯 번째야!
- She is the eleventh! 그녀는 열한 번째야!

35

DAY 07 pp. 38~39

Ⓐ 그림을 보고, 알맞은 단어를 고르세요.

1 
call / give — call

2 
letter / ticket — ticket

3 
marry / show — marry

Ⓑ 우리말에 맞게 알파벳을 바르게 배열하여 단어를 쓰세요.

1 전화하다 lcal call
2 해결하다, 풀다 sloev solve
3 질문 qeutisno question
4 문제 melpbro problem
5 안내하다 deiug guide

Ⓒ 그림을 보고, 알맞은 단어를 찾아 쓰세요.

I know!

1 answer 2 guide 3 question

보기 guide answer question

Ⓓ 우리말에 맞게 알맞은 단어를 골라 문장을 완성하세요.

1 제게 그림을 보여 주시겠어요?
Can you (show / send) me a picture? — show

2 제게 쿠키를 좀 주시겠어요?
Can you (give / guide) me some cookies? — give

can은 능력을 나타낼 때 자주 쓰이는 말이지만, Can you ~?는 상대에게 어떤 것을 요청하는 말로도 쓰여요.

Ⓔ 주어진 단어를 바르게 배열하여 문장을 쓰세요.

1 show / Can you / me / your ticket / ?
제게 당신의 티켓을 보여 주시겠어요?
→ Can you show me your ticket?

2 me / a letter / Can you / ? / send
제게 편지를 보내 주시겠어요?
→ Can you send me a letter?

3 Can you / an apple / ? / me / give
제게 사과를 주시겠어요?
→ Can you give me an apple?

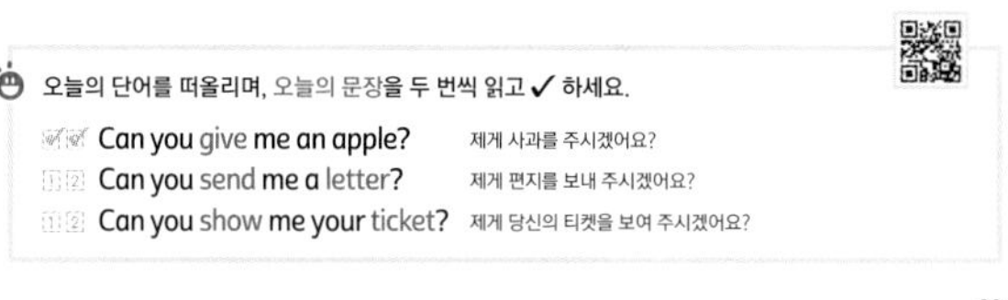

오늘의 단어를 떠올리며, 오늘의 문장을 두 번씩 읽고 ✓ 하세요.

- Can you give me an apple? 제게 사과를 주시겠어요?
- Can you send me a letter? 제게 편지를 보내 주시겠어요?
- Can you show me your ticket? 제게 당신의 티켓을 보여 주시겠어요?

DAY 08 pp. 42~43

Ⓐ 그림을 보고, 알맞은 단어에 ✓ 하세요.

1 
✓ cut
cook

2
engineer
✓ doctor

3 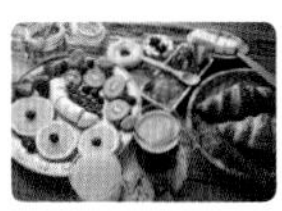
✓ people
fire

Ⓑ 그림을 보고, 주어진 알파벳으로 시작하는 단어를 쓰세요.

1 engineer 2 nurse 3 food

Ⓒ 우리말에 맞게 빈칸에 알맞은 알파벳을 써서 단어를 완성하세요.

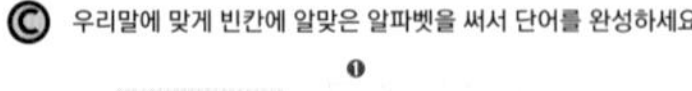

1 치과의사 d ❶e n t i st
2 음식 ❷f oo d
3 소방관 fi ❸r e fi g h ter
4 미용사 h a i r des ❹i gn e r

❷ ❹ ❸ ❶
f i r e

Ⓓ 각 직업과 그 직업을 설명하는 말을 연결하세요.

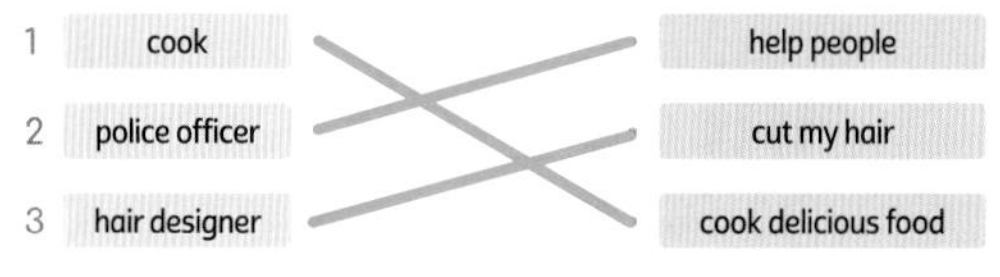

1 cook — cook delicious food
2 police officer — help people
3 hair designer — cut my hair

Ⓔ 그림을 보고, 알맞은 단어를 써서 문장을 완성하세요.

1 
He is a cook. 그는 요리사야.
He cooks delicious food. 그는 맛있는 음식을 요리해.

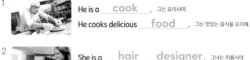

2 
She is a hair designer. 그녀는 미용사야.
She cuts my hair. 그녀는 내 머리카락을 잘라.

3 
She is a police officer. 그녀는 경찰관이야.
She helps people. 그녀는 사람들을 도와.

오늘의 단어를 떠올리며, 오늘의 문장을 두 번씩 읽고 ✓ 하세요.

- He is a hair designer. 그는 미용사야.
- He cuts my hair. 그는 내 머리카락을 잘라.
- She is a police officer. 그녀는 경찰관이야.
- She helps people. 그녀는 사람들을 도와.

DAY 09 | pp. 48~49

정답 241쪽

Ⓐ 그림을 보고, 알맞은 단어를 골라 기호를 쓰세요.

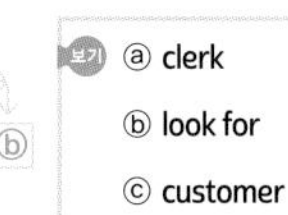

ⓒ ⓐ ⓑ

보기 ⓐ clerk ⓑ look for ⓒ customer

Ⓑ 각 단어의 우리말 뜻을 쓰고, 짝을 이루는 단어끼리 연결하세요.

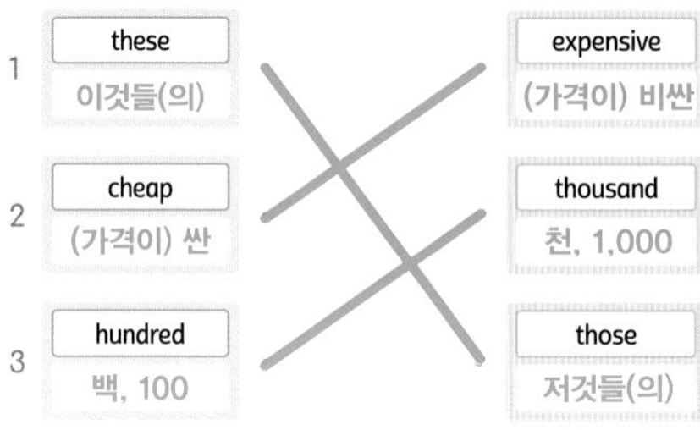

1 these 이것들(의) — those 저것들(의)
2 cheap (가격이) 싼 — expensive (가격이) 비싼
3 hundred 백, 100 — thousand 천, 1,000

Ⓒ 우리말에 맞게 주어진 알파벳으로 시작하는 단어를 쓰세요.

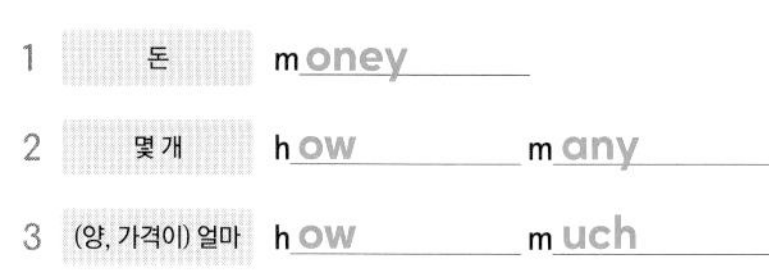

1 돈 m oney
2 몇 개 h ow m any
3 (양, 가격이) 얼마 h ow m uch

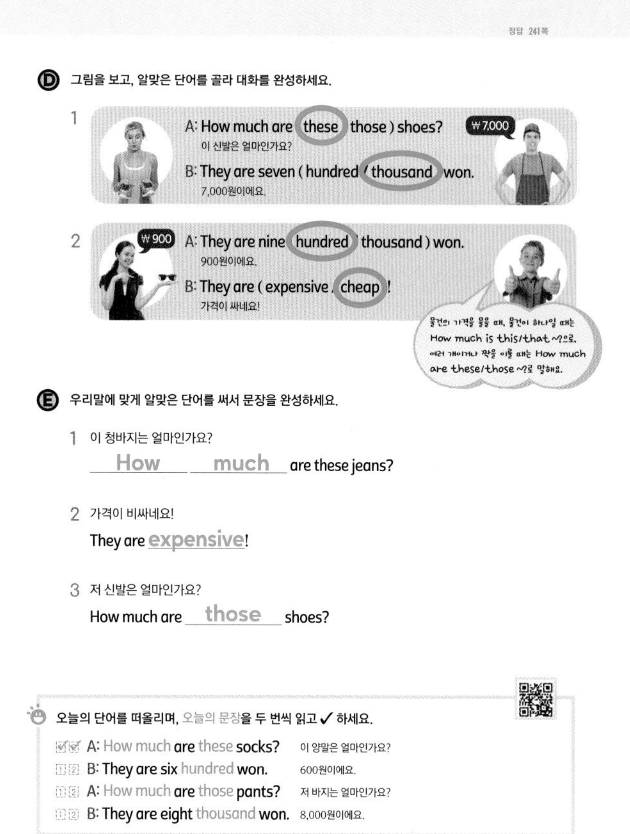

Ⓓ 그림을 보고, 알맞은 단어를 골라 대화를 완성하세요.

1 A: How much are (these / those) shoes? ₩7,000
이 신발은 얼마인가요?
B: They are seven (hundred / thousand) won.
7,000원이에요.

2 ₩900 A: They are nine (hundred / thousand) won.
900원이에요.
B: They are (expensive / cheap)!
가격이 싸네요!

물건의 가격을 물을 때, 물건이 하나일 때는 How much is this/that ~?으로, 여러 개이거나 짝을 이룰 때는 How much are these/those ~?로 말해요.

Ⓔ 우리말에 맞게 알맞은 단어를 써서 문장을 완성하세요.

1 이 청바지는 얼마인가요?
How much are these jeans?

2 가격이 비싸네요!
They are expensive!

3 저 신발은 얼마인가요?
How much are those shoes?

오늘의 단어를 떠올리며, 오늘의 문장을 두 번씩 읽고 ✓ 하세요.

A: How much are these socks? 이 양말은 얼마인가요?
B: They are six hundred won. 600원이에요.
A: How much are those pants? 저 바지는 얼마인가요?
B: They are eight thousand won. 8,000원이에요.

DAY 10 | pp. 52~53

정답 241쪽

Ⓐ 그림을 보고, 알맞은 단어를 고르세요.

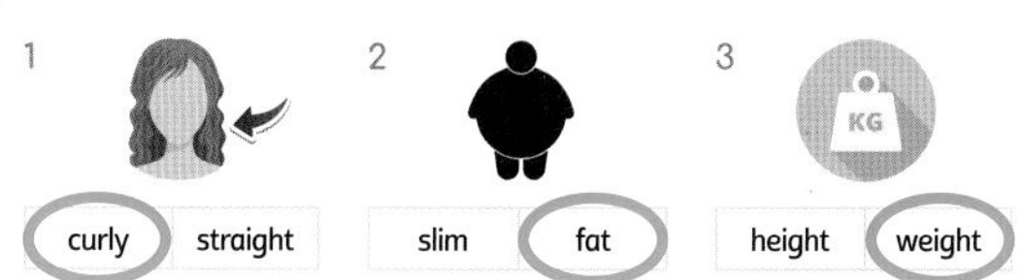

1 **curly** straight
2 slim **fat**
3 height **weight**

Ⓑ 그림을 보고, 알맞은 단어를 찾아 쓰세요.

1 ponytail
2 ugly
3 height

보기 ponytail height ugly

Ⓒ 우리말에 맞게 알파벳을 바르게 배열하여 단어를 쓰세요.

1 아름다운 eabuftiul beautiful
2 키가 큰 latl tall
3 멋진, 잘생긴 mansdohe handsome
4 곧은, 똑바른 aigstrht straight

Ⓓ 그림을 보고, 알맞은 단어를 골라 문장을 완성하세요.

What does she look like? 그녀는 어떻게 생겼니?

1 She is tall and (fat / **slim**).
그녀는 키가 크고 날씬해요.

2 She has long (**curly** / straight) hair.
그녀는 긴 곱슬머리를 가지고 있어요.

다른 사람의 외모를 묻는 말은 What does he/she look like?이에요. 답할 때는 외모를 표현하는 다양한 말을 사용해요.

Ⓔ 우리말에 맞게 알맞은 단어를 찾아 써서 문장을 완성하세요.

1 그는 키가 크고 멋있어요.
He is tall and handsome.

2 그녀는 포니테일 머리를 하고 있어요.
She has a ponytail.

3 그는 짧은 금발 머리를 가지고 있어요.
He has short blond hair.

보기 tall ponytail blond handsome

오늘의 단어를 떠올리며, 오늘의 문장을 두 번씩 읽고 ✓ 하세요.

Mina is beautiful. 미나는 아름다워요.
She has curly hair. 그녀는 곱슬머리를 가지고 있어요.
Henry is tall and handsome. 헨리는 키가 크고 멋있어요.
He has straight blond hair. 그는 금발의 생머리를 가지고 있어요.

pp. 56~57

Ⓐ 그림을 보고, 민호와의 관계를 나타내는 단어를 골라 기호를 쓰세요.

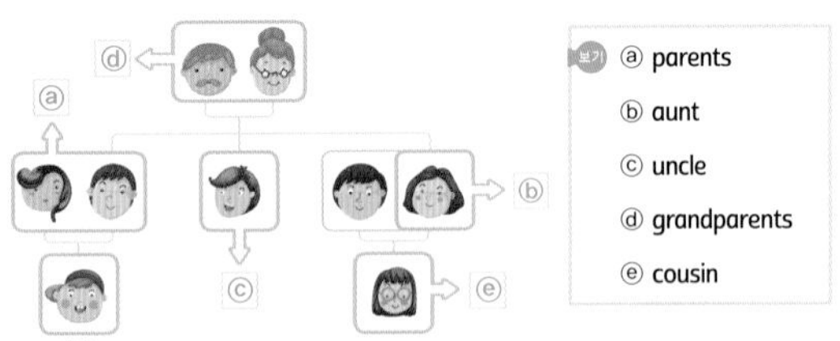

보기 ⓐ parents ⓑ aunt ⓒ uncle ⓓ grandparents ⓔ cousin

Ⓑ 그림을 보고, 빈칸에 알맞은 단어를 찾아 쓰세요.

1 아내 wife 남편 husband
2 딸 daughter 아들 son

보기 son husband daughter wife

Ⓒ 우리말에 맞게 알파벳을 바르게 배열하여 단어를 쓰세요.

1 돌보다 acer care
2 탄생 bthir birth
3 가족 amfily family

Ⓓ 우리말에 맞게 빈칸에 알맞은 단어를 쓰세요.

1 엄마의 여동생 이모 Mom's sister → aunt
2 아빠의 남동생 삼촌 Dad's brother → uncle
3 삼촌의 아들 사촌 uncle's son → cousin
4 이모의 딸 외사촌 aunt's daughter → cousin

사람이나 동물을 소유격으로 사용할 때는 사람이나 동물 뒤에 's를 붙이고 '~의'라고 해석해요.

Ⓔ 우리말에 맞게 알맞은 단어를 찾아 써서 문장을 완성하세요.

1 외조부모님은 엄마의 부모님입니다.
Grandparents are Mom's parents.

2 딘 외삼촌은 엄마의 남동생입니다.
Uncle Dean is Mom's brother.

3 사촌 앤지는 딘 외삼촌의 딸입니다.
Cousin Angie is Uncle Dean's daughter.

보기 Uncle daughter parents Cousin

오늘의 단어를 떠올리며, 오늘의 문장을 두 번씩 읽고 ✓ 하세요.

- Aunt Jane is Dad's sister. 제인 고모는 아빠의 여동생입니다.
- Uncle Tim is Mom's brother. 팀 외삼촌은 엄마의 남동생입니다.
- Grandparents are Dad's parents. 조부모님은 아빠의 부모님입니다.

pp. 60~61

Ⓐ 그림을 보고, 알맞은 단어를 고르세요.

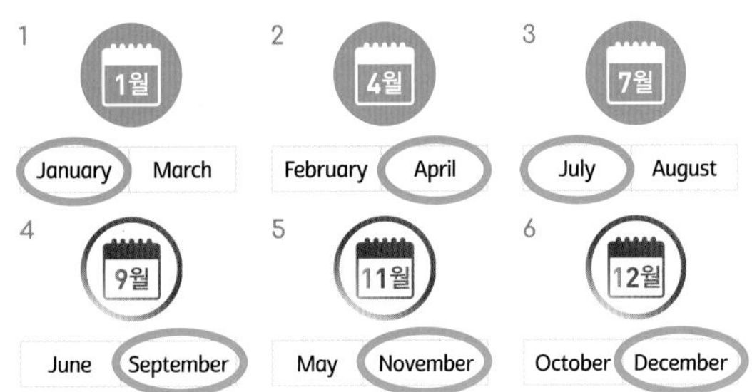

1 (January) March
2 February (April)
3 (July) August
4 June (September)
5 May (November)
6 October (December)

Ⓑ 우리말에 맞게 빈칸에 알맞은 알파벳을 써서 단어를 완성하세요.

1 2월 F e b r u a ry
2 3월 M a r c h ❶
3 5월 M a y ❷
4 6월 J u n e ❸
5 8월 A u g u s t ❹
6 10월 O c t o ber ❺

❷ ❺ ❸ ❹ ❶
M o n t h

Ⓒ 그림을 보고, 알맞은 단어를 연결하세요.

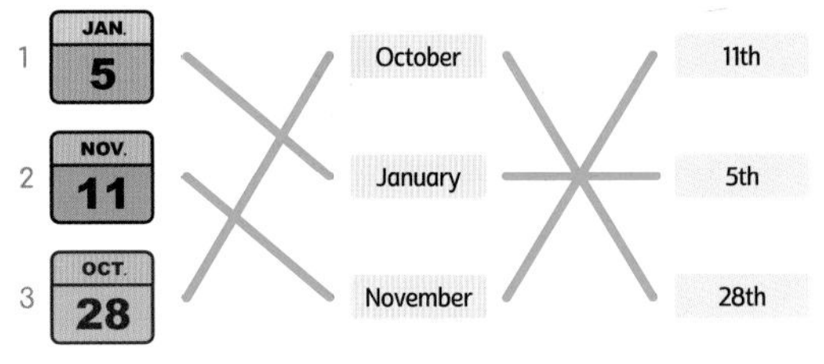

Ⓓ 우리말에 맞게 알맞은 단어를 써서 문장을 완성하세요.

1 내 생일은 4월 3일이야.
My birthday is April 3rd.

2 리나의 생일은 8월 7일이야.
Lina's birthday is August 7th.

3 크리스마스는 12월 25일이야.
Christmas is December 25th.

오늘의 단어를 떠올리며, 오늘의 문장을 두 번씩 읽고 ✓ 하세요.

- My birthday is June 10th. 내 생일은 6월 10일이야.
- His birthday is February 15th. 그의 생일은 2월 15일이야.
- Fall festival is September 29th. 가을 축제는 9월 29일이야.

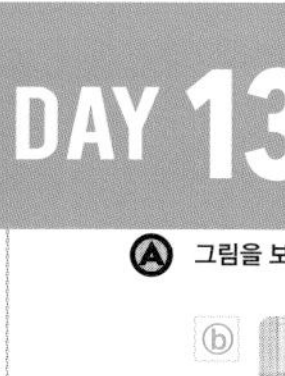
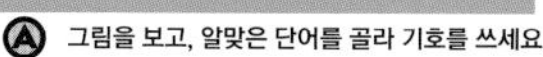

DAY 13 pp. 66~67

A 그림을 보고, 알맞은 단어를 골라 기호를 쓰세요.

ⓑ ⓐ ⓒ

보기 ⓐ library ⓑ hospital ⓒ restaurant

B 그림을 보고, 파랑새의 위치를 나타내는 단어를 완성하세요.

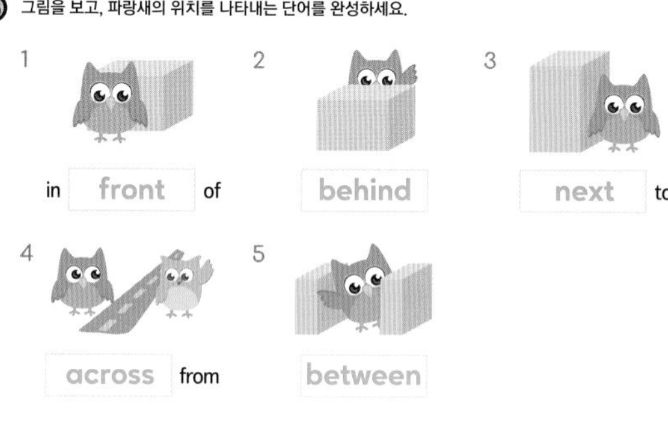

1 in front of
2 behind
3 next to
4 across from
5 between

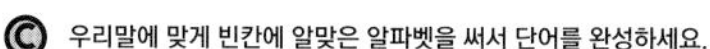

C 우리말에 맞게 빈칸에 알맞은 알파벳을 써서 단어를 완성하세요.

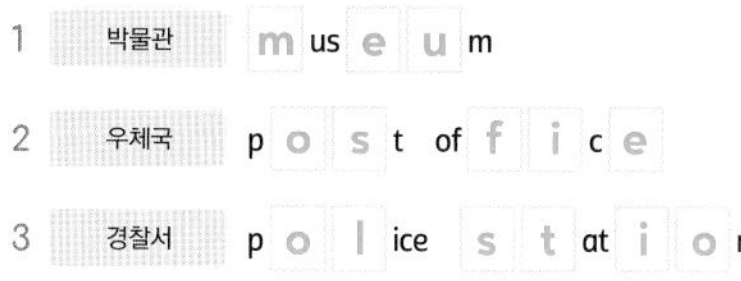

1 박물관 museum
2 우체국 post office
3 경찰서 police station

D 그림을 보고, 알맞은 단어를 써서 문장을 완성하세요.

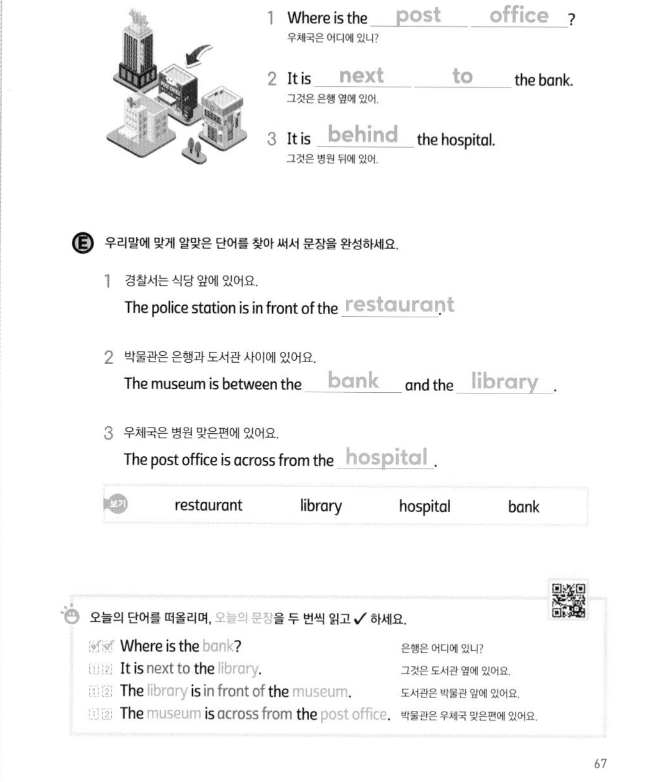

1 Where is the post office ?
우체국은 어디에 있니?
2 It is next to the bank.
그것은 은행 옆에 있어.
3 It is behind the hospital.
그것은 병원 뒤에 있어.

E 우리말에 맞게 알맞은 단어를 찾아 써서 문장을 완성하세요.

1 경찰서는 식당 앞에 있어요.
The police station is in front of the restaurant.
2 박물관은 은행과 도서관 사이에 있어요.
The museum is between the bank and the library.
3 우체국은 병원 맞은편에 있어요.
The post office is across from the hospital.

보기 restaurant library hospital bank

오늘의 단어를 떠올리며, 오늘의 문장을 두 번씩 읽고 ✓ 하세요.

- Where is the bank? 은행은 어디에 있니?
- It is next to the library. 그것은 도서관 옆에 있어요.
- The library is in front of the museum. 도서관은 박물관 앞에 있어요.
- The museum is across from the post office. 박물관은 우체국 맞은편에 있어요.

DAY 14 pp. 70~71

A 그림을 보고, 알맞은 단어를 고르세요.

1 block (corner)
2 (bakery) park
3 west (flower shop)

B 그림을 보고, 알맞은 단어와 우리말 뜻을 연결하세요.

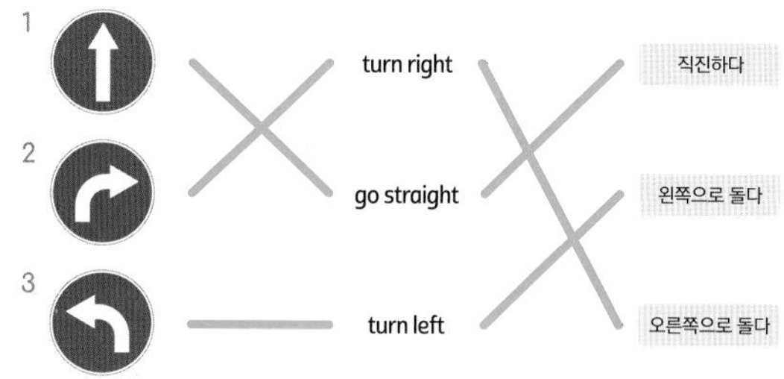

1 — go straight — 직진하다
2 — turn right — 오른쪽으로 돌다
3 — turn left — 왼쪽으로 돌다

C 우리말에 맞게 알맞은 단어를 쓰세요.

1 서쪽 west
2 북쪽 north
3 동쪽 east
4 남쪽 south

D 그림을 보고, 알맞은 단어를 골라 문장을 완성하세요.

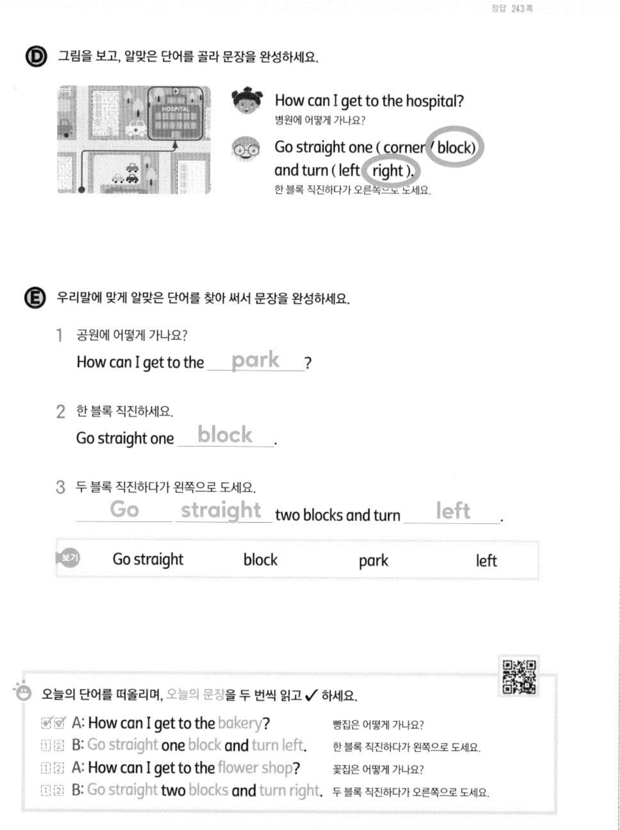

How can I get to the hospital?
병원에 어떻게 가나요?
Go straight one (corner / (block))
and turn (left / (right)).
한 블록 직진하다가 오른쪽으로 도세요.

E 우리말에 맞게 알맞은 단어를 찾아 써서 문장을 완성하세요.

1 공원에 어떻게 가나요?
How can I get to the park ?
2 한 블록 직진하세요.
Go straight one block .
3 두 블록 직진하다가 왼쪽으로 도세요.
Go straight two blocks and turn left .

보기 Go straight block park left

오늘의 단어를 떠올리며, 오늘의 문장을 두 번씩 읽고 ✓ 하세요.

- A: How can I get to the bakery? 빵집은 어떻게 가나요?
- B: Go straight one block and turn left. 한 블록 직진하다가 왼쪽으로 도세요.
- A: How can I get to the flower shop? 꽃집은 어떻게 가나요?
- B: Go straight two blocks and turn right. 두 블록 직진하다가 오른쪽으로 도세요.

DAY 15 pp. 74~75

Ⓐ 그림을 보고, 알맞은 단어를 고르세요.

1 ask / borrow — ask
2 use / speak — speak
3 drink / bring — drink

Ⓑ 그림을 보고, 알맞은 단어와 우리말 뜻을 연결하세요.

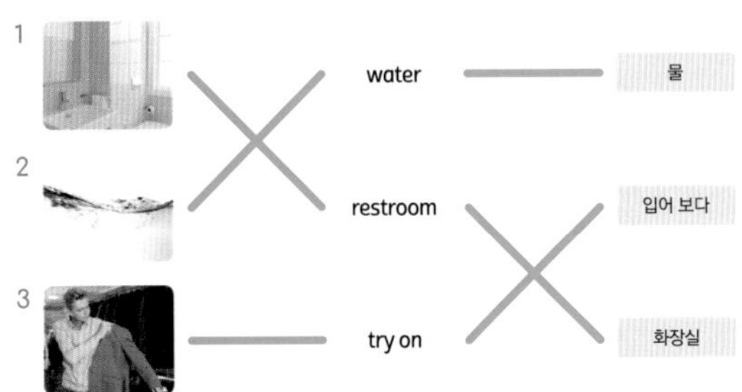

1 restroom — 화장실
2 water — 물
3 try on — 입어 보다

Ⓒ 우리말에 맞게 빈칸에 알맞은 알파벳을 써서 단어를 완성하세요.

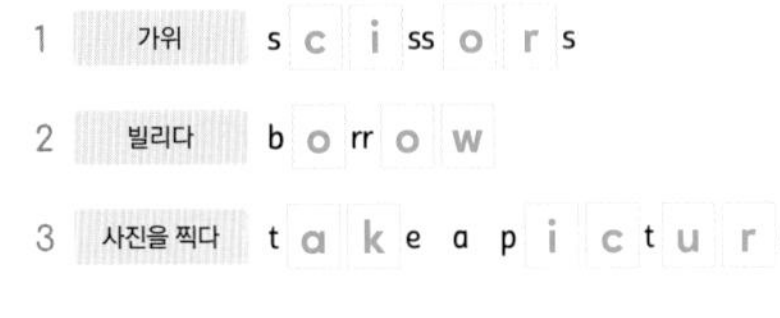

1 가위 s c i ss o r s
2 빌리다 b o rr o w
3 사진을 찍다 t a k e a p i c t u r e

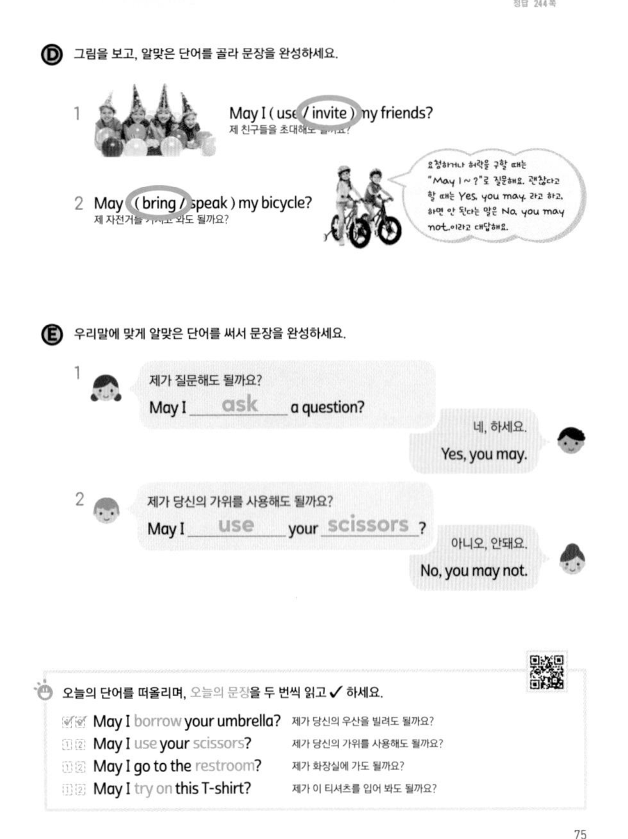

Ⓓ 그림을 보고, 알맞은 단어를 골라 문장을 완성하세요.

1 May I (use / invite) my friends? — invite
제 친구들을 초대해도 될까요?

2 May I (bring / speak) my bicycle? — bring
제 자전거를 가져와도 될까요?

요청하거나 허락을 구할 때는 "May I ~?"로 질문해요. 괜찮다고 할 때는 Yes, you may. 라고 하고, 하면 안 된다는 말은 No, you may not.이라고 대답해요.

Ⓔ 우리말에 맞게 알맞은 단어를 써서 문장을 완성하세요.

1 제가 질문해도 될까요?
May I __ask__ a question?
네, 하세요.
Yes, you may.

2 제가 당신의 가위를 사용해도 될까요?
May I __use__ your __scissors__?
아니오, 안돼요.
No, you may not.

오늘의 단어를 떠올리며, 오늘의 문장을 두 번씩 읽고 ✓ 하세요.

- May I borrow your umbrella? 제가 당신의 우산을 빌려도 될까요?
- May I use your scissors? 제가 당신의 가위를 사용해도 될까요?
- May I go to the restroom? 제가 화장실에 가도 될까요?
- May I try on this T-shirt? 제가 이 티셔츠를 입어 봐도 될까요?

DAY 16 pp. 78~79

Ⓐ 그림을 보고, 알맞은 단어를 고르세요.

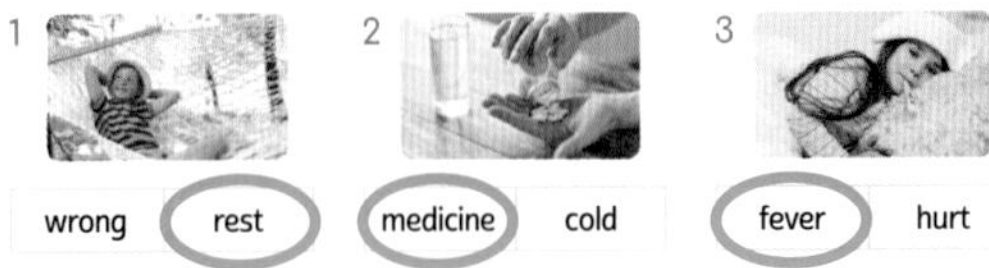

1 wrong / rest — rest
2 medicine / cold — medicine
3 fever / hurt — fever

Ⓑ 그림을 보고, 빈칸에 알맞은 단어를 찾아 쓰세요.

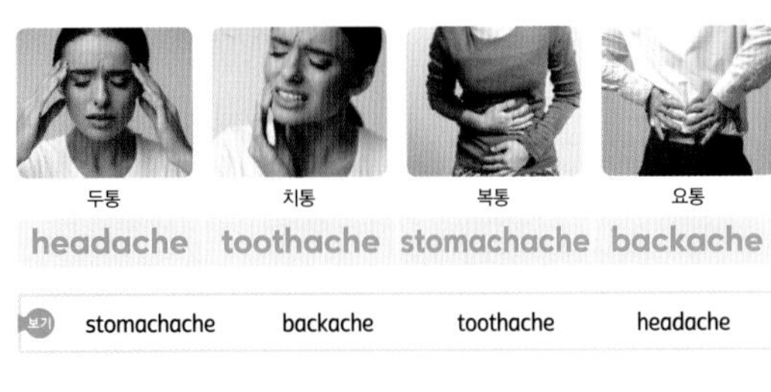

두통 headache
치통 toothache
복통 stomachache
요통 backache

보기: stomachache backache toothache headache

Ⓒ 우리말에 맞게 빈칸에 알맞은 알파벳을 써서 단어를 완성하세요.

1 감기 c o ld
2 아픈 s i c k
3 잘못된 w r o ng
4 다치게 하다 h u r t
5 콧물 r u n n y no s e

Ⓓ 그림을 보고, 여자아이가 필요한 것에 모두 ✓ 하세요

headache / hurt / rest ✓ / medicine ✓ / toothache

I have a fever and a runny nose. 저는 열이 나고 콧물이 나요.

Ⓔ <보기>를 보고, 우리말에 맞게 빈칸에 알맞은 단어를 쓰세요.

보기
A: What's wrong? 어디가 아프니?
B: I have a stomachache. 저는 배가 아파요.

1 저는 머리가 아파요.
I have a __headache__

2 저는 이가 아파요.
I have a __toothache__

3 저는 열이 나요.
I have a __fever__.

What's wrong?은 '무엇이 문제니?' 즉, '어디가 아프니?'라는 뜻으로, 아픈 곳을 물을 때 쓰는 말이에요. 대답은 「I have a + 아픈 증상」으로 말해요.

오늘의 단어를 떠올리며, 오늘의 문장을 두 번씩 읽고 ✓ 하세요.

- I have a headache. 저는 머리가 아파요.
- I have a fever and a runny nose. 저는 열이 나고 콧물이 나요.
- I have a cold. 저는 감기에 걸렸어요.

DAY 17 pp. 84~85

Ⓐ 그림을 보고, 알맞은 단어에 ✓ 하세요.

1  ☐ have breakfast ✓ brush my teeth
2  ✓ get up ☐ go to bed
3  ☐ come home ✓ wash the dishes

Ⓑ 우리말에 맞게 빈칸에 알맞은 알파벳을 써서 단어를 완성하세요.

1 늦게 l at e
2 학교에 가다 g o to s c h oo l
3 일찍 e a r l y

Ⓒ 우리말에 맞게 알맞은 단어를 쓰세요.

1  아침 식사 breakfast → 아침을 먹다 have breakfast
2  점심 식사 lunch → 점심을 먹다 have lunch
3  저녁 식사 dinner → 저녁을 먹다 have dinner

Ⓓ 우리말에 맞게 알맞은 단어를 연결하세요.

1 일어나다 — get — up
2 숙제를 하다 — do — my homework
3 집에 오다 — come — home

Ⓔ 그림을 보고, 알맞은 단어를 써서 문장을 완성하세요.

하루 일과를 나타낼 때는 「I + 일과를 나타내는 말 + at + 시각」으로 표현해요.

1  I have lunch at 12.
나는 12시에 점심을 먹어.

2  I do my homework at 5.
나는 5시에 숙제를 해.

3  I go to bed at 10:20.
나는 10시 20분에 잠자리에 들어.

오늘의 단어를 떠올리며, 오늘의 문장을 두 번씩 읽고 ✓ 하세요.

✓✓ I get up at 7:30. 나는 7시 30분에 일어나.
☐☐ I have breakfast at 8. 나는 8시에 아침을 먹어.
☐☐ I brush my teeth at 8:30. 나는 8시 30분에 이를 닦아.
☐☐ I go to school at 9. 나는 9시에 학교에 가.

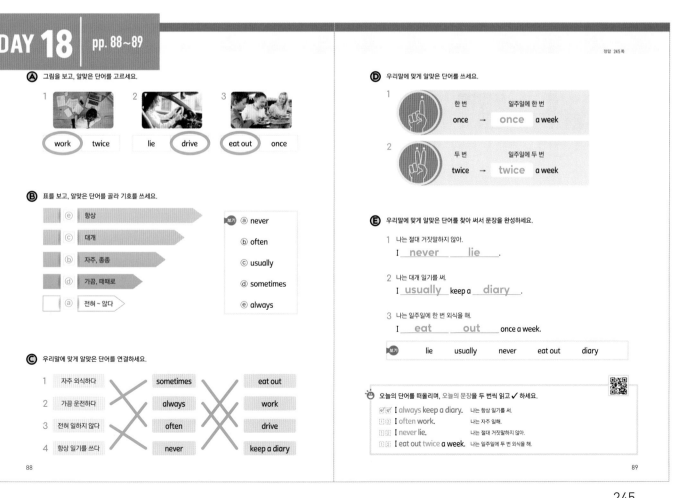

DAY 18 pp. 88~89

Ⓐ 그림을 보고, 알맞은 단어를 고르세요.

1  (work) twice
2  lie (drive)
3  (eat out) once

Ⓑ 표를 보고, 알맞은 단어를 골라 기호를 쓰세요.

ⓔ 항상
ⓒ 대개
ⓑ 자주, 종종
ⓓ 가끔, 때때로
ⓐ 전혀 ~ 않다

보기 ⓐ never ⓑ often ⓒ usually ⓓ sometimes ⓔ always

Ⓒ 우리말에 맞게 알맞은 단어를 연결하세요.

1 자주 외식하다 — often — eat out
2 가끔 운전하다 — sometimes — drive
3 전혀 일하지 않다 — never — work
4 항상 일기를 쓰다 — always — keep a diary

Ⓓ 우리말에 맞게 알맞은 단어를 쓰세요.

1  한 번 once → 일주일에 한 번 once a week
2  두 번 twice → 일주일에 두 번 twice a week

Ⓔ 우리말에 맞게 알맞은 단어를 찾아 써서 문장을 완성하세요.

1 나는 절대 거짓말하지 않아.
I never lie.

2 나는 대개 일기를 써.
I usually keep a diary.

3 나는 일주일에 한 번 외식을 해.
I eat out once a week.

보기 lie usually never eat out diary

오늘의 단어를 떠올리며, 오늘의 문장을 두 번씩 읽고 ✓ 하세요.

✓✓ I always keep a diary. 나는 항상 일기를 써.
☐☐ I often work. 나는 자주 일해.
☐☐ I never lie. 나는 절대 거짓말하지 않아.
☐☐ I eat out twice a week. 나는 일주일에 두 번 외식을 해.

DAY 19 pp. 92~93

Ⓐ 그림을 보고, 알맞은 단어를 고르세요.

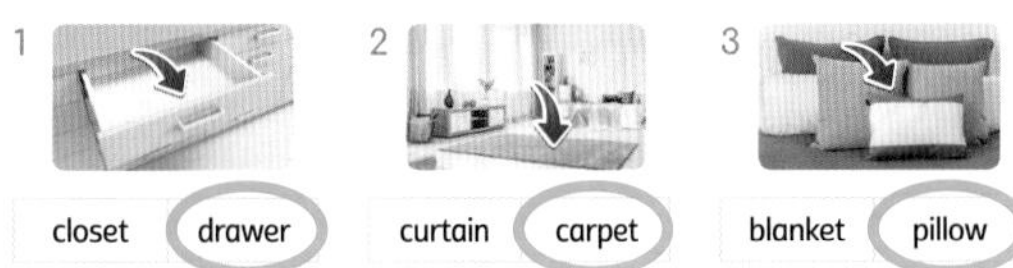

1 closet / drawer (○ drawer)
2 curtain / carpet (○ carpet)
3 blanket / pillow (○ pillow)

Ⓑ 그림을 보고, 알맞은 단어와 우리말 뜻을 연결하세요.

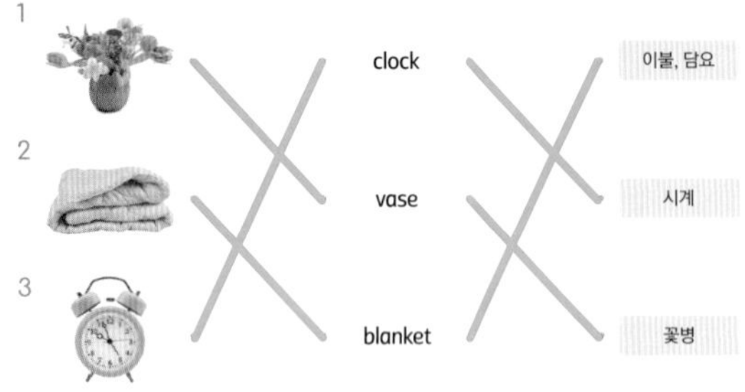

1	clock	이불, 담요
2	vase	시계
3	blanket	꽃병

Ⓒ 우리말에 맞게 빈칸에 알맞은 알파벳을 써서 단어를 완성하세요.

1 유용한 us e f u l
2 커튼 c u r t a i n
3 편안한 com f o r ta b l e

Ⓓ 그림을 보고, 알파벳을 바르게 배열하여 단어를 쓰세요.

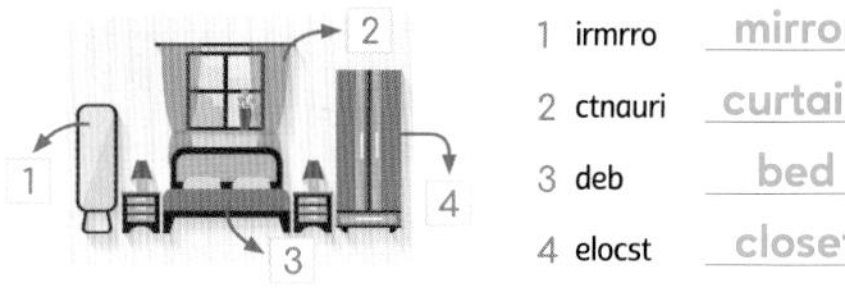

1 irmrro mirror
2 ctnauri curtain
3 deb bed
4 elocst closet

Ⓔ 우리말에 맞게 알맞은 단어를 찾아 써서 문장을 완성하세요.

1 내 거울과 시계는 유용해요.
My mirror and clock are useful.

2 내 벽장과 서랍은 유용해요.
My closet and drawer are useful.

3 내 침대와 베개는 편안해요.
My bed and pillow are comfortable.

보기 comfortable drawer useful pillow closet

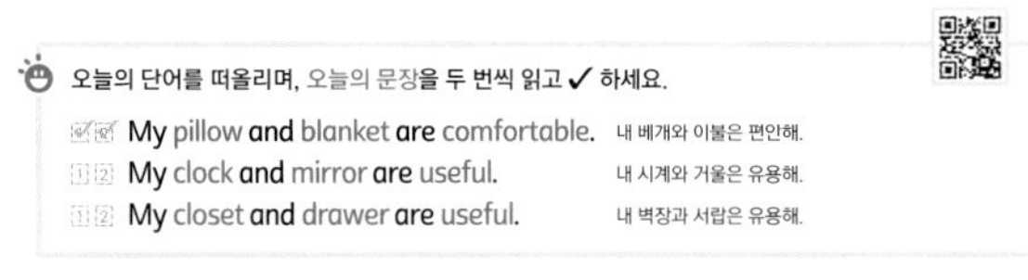

오늘의 단어를 떠올리며, 오늘의 문장을 두 번씩 읽고 ✓ 하세요.

- My pillow and blanket are comfortable. 내 베개와 이불은 편안해.
- My clock and mirror are useful. 내 시계와 거울은 유용해.
- My closet and drawer are useful. 내 벽장과 서랍은 유용해.

DAY 20 pp. 96~97

Ⓐ 그림을 보고, 알맞은 단어를 고르세요.

1 buy / medal (○ medal)
2 join / dive (○ dive)
3 learn / sell (○ learn)

Ⓑ 우리말에 맞게 알맞은 단어를 찾아 쓰세요.

1 보다 see
2 함께 하다 join
3 팔다 sell
4 사다 buy
5 낚시하러 가다 go fishing

Ⓒ 우리말에 맞게 알맞은 단어를 연결하세요.

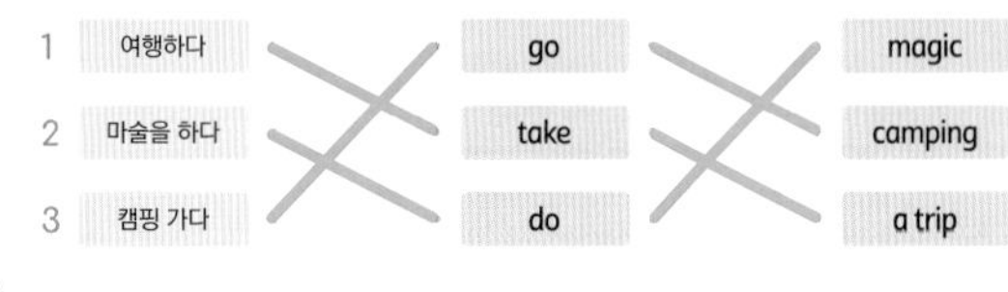

1 여행하다	go	magic
2 마술을 하다	take	camping
3 캠핑 가다	do	a trip

Ⓓ 그림을 보고, 알맞은 문장을 골라 기호를 쓰세요.

ⓑ

내가 하고 싶은 일을 표현할 때는 I want to 뒤에 동작을 나타내는 말을 넣어 나타냅니다.

ⓐ

보기 ⓐ I want to go fishing. 나는 낚시하러 가고 싶어. ⓑ I want to take a trip. 나는 여행하고 싶어.

Ⓔ 그림을 보고, 알맞은 단어를 써서 문장을 완성하세요.

1 I want to do magic. 나는 마술을 하고 싶어.
2 I want to jump rope. 나는 줄넘기를 하고 싶어.
3 I want to buy some flowers. 나는 꽃을 사고 싶어.

오늘의 단어를 떠올리며, 오늘의 문장을 두 번씩 읽고 ✓ 하세요.

- I want to take a trip. 나는 여행하고 싶어.
- I want to see the giraffe. 나는 기린을 보고 싶어.
- I want to go fishing. 나는 낚시하러 가고 싶어.
- I want to go camping. 나는 캠핑하러 가고 싶어.

DAY 21 pp. 102~103

Ⓐ 그림을 보고, 알맞은 단어를 골라 기호를 쓰세요.

ⓑ ⓓ ⓒ ⓐ

보기 ⓐ faster ⓑ bigger ⓒ slower ⓓ smaller

Ⓑ 각 단어의 우리말 뜻을 쓰고, 반대말끼리 연결하세요.

1 shorter 더 짧은 2 faster 더 빠른 3 smaller 더 작은 4 younger 나이가 더 어린

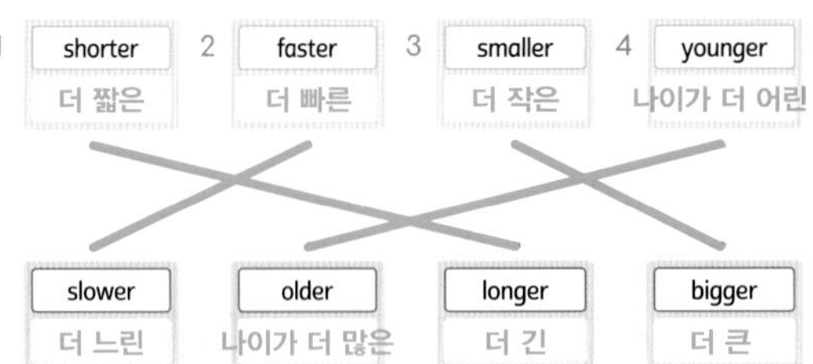

slower 더 느린 older 나이가 더 많은 longer 더 긴 bigger 더 큰

Ⓒ 그림을 보고, 주어진 알파벳으로 시작하는 단어를 쓰세요.

1 race 2 stronger 3 prize

Ⓓ 표를 보고, 알맞은 단어를 골라 문장을 완성하세요.

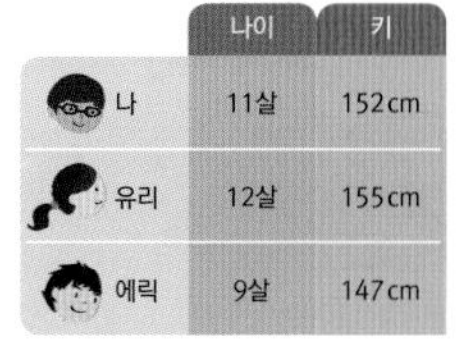

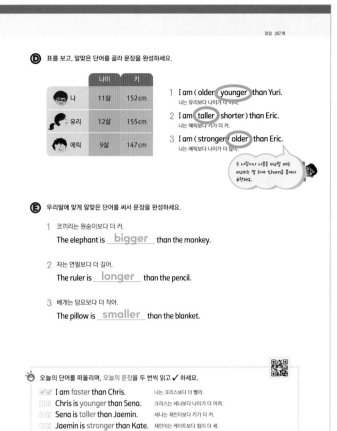

	나이	키
나	11살	152cm
유리	12살	155cm
에릭	9살	147cm

1 I am (older / younger) than Yuri. 나는 유리보다 나이가 더 어려.
2 I am (taller / shorter) than Eric. 나는 에릭보다 키가 더 커.
3 I am (stronger / older) than Eric. 나는 에릭보다 나이가 더 많아.

두 사람이나 사물을 비교할 때는 비교하는 말 뒤에 than을 붙여서 표현해요.

Ⓔ 우리말에 맞게 알맞은 단어를 써서 문장을 완성하세요.

1 코끼리는 원숭이보다 더 커.
The elephant is bigger than the monkey.

2 자는 연필보다 더 길어.
The ruler is longer than the pencil.

3 베개는 담요보다 더 작아.
The pillow is smaller than the blanket.

오늘의 단어를 떠올리며, 오늘의 문장을 두 번씩 읽고 ✓ 하세요.

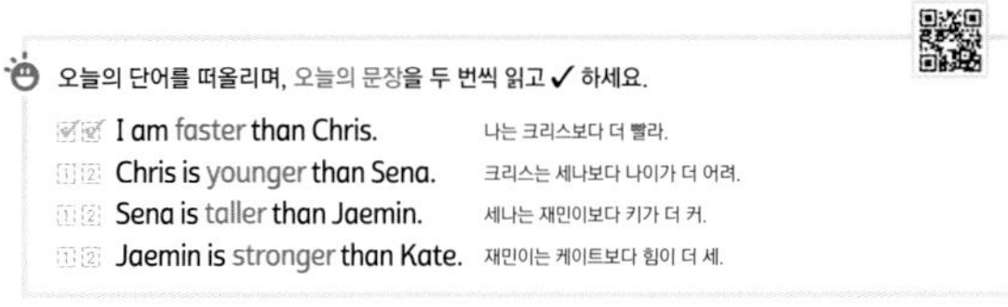

- I am faster than Chris. 나는 크리스보다 더 빨라.
- Chris is younger than Sena. 크리스는 세나보다 나이가 더 어려.
- Sena is taller than Jaemin. 세나는 재민이보다 키가 더 커.
- Jaemin is stronger than Kate. 재민이는 케이트보다 힘이 더 세.

DAY 22 pp. 106~107

Ⓐ 그림을 보고, 알맞은 단어를 고르세요.

1 energy / garbage 2 save / forget 3 light / plant

Ⓑ 우리말에 맞게 알맞은 단어를 찾아 쓰세요.

chcenergyeforgetturnoffelightngs

1 에너지 energy
2 잊다 forget
3 빛, 전등, 불 light
4 (불을) 끄다 turn off

Ⓒ 그림을 보고, 주어진 알파벳으로 시작하는 단어를 쓰세요.

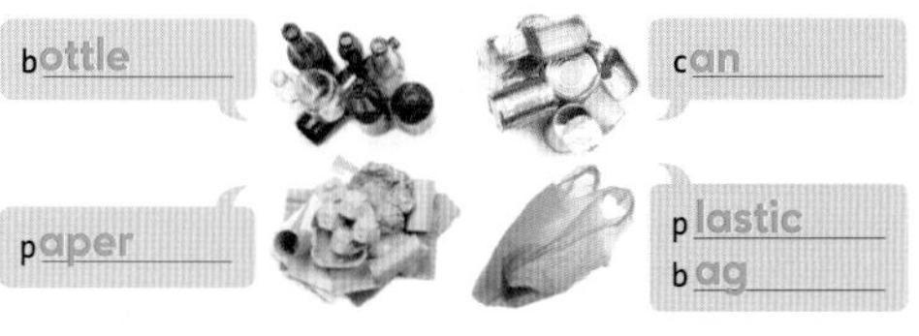

bottle can paper plastic bag

Ⓓ 우리말에 맞게 알맞은 단어를 연결하세요.

1 에너지를 절약하다 — save — energy
2 종이를 재활용하다 — recycle — paper
3 불을 끄다 — turn off — the lights

'(불을) 켜다'는 turn on이에요.

Ⓔ 그림을 보고, 알맞은 단어를 써서 문장을 완성하세요.

1 Don't forget to plant trees. 나무를 심는 것을 잊지 마세요.

2 Don't forget to recycle cans and bottles. 캔과 병을 재활용하는 것을 잊지 마세요.

3 Don't forget to turn off the lights. 불을 끄는 것을 잊지 마세요.

오늘의 단어를 떠올리며, 오늘의 문장을 두 번씩 읽고 ✓ 하세요.

- Don't forget to save energy. 에너지를 절약하는 것을 잊지 마세요.
- Don't forget to turn off the lights. 불을 끄는 것을 잊지 마세요.
- Don't forget to plant trees. 나무를 심는 것을 잊지 마세요.
- Don't forget to recycle paper. 종이를 재활용하는 것을 잊지 마세요.

DAY 23 pp. 110~111

Ⓐ 그림을 보고, 알맞은 단어를 골라 기호를 쓰세요.

보기 ⓐ puzzle ⓑ movie ⓒ cart ⓓ shopping

Ⓑ 우리말에 맞게 알맞은 단어를 연결하세요.

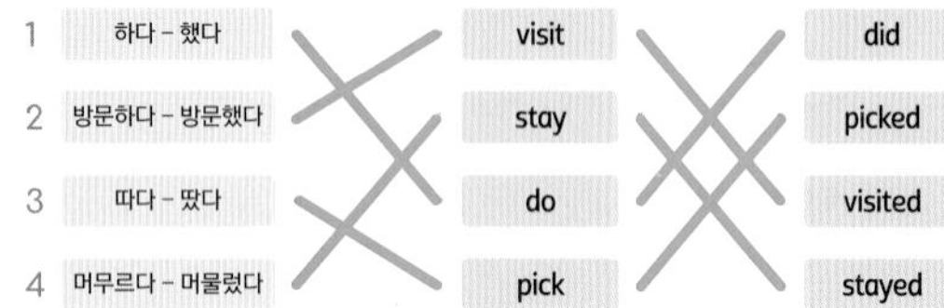

Ⓒ 우리말에 맞게 알파벳을 바르게 배열하여 단어를 쓰세요.

1 갔다 wtne went
2 고쳤다 xefid fixed
3 봤다 wadtech watched

Ⓓ 파란색 단어의 형태를 바꿔서 과거의 일을 나타내는 문장을 완성하세요.

1 I go to the zoo. → I went to the zoo.
나는 동물원에 가. 나는 동물원에 갔어.
2 I fix my bike. → I fixed my bike.
나는 내 자전거를 고쳐. 나는 내 자전거를 고쳤어.
3 I listen to the music. → I listened to the music.
나는 음악을 들어. 나는 음악을 들었어.

Ⓔ 우리말에 맞게 알맞은 단어를 써서 문장을 완성하세요.

1 나는 TV를 봤어.
I watched the TV.

2 나는 퍼즐을 했어.
I did the puzzles.

3 나는 내 이모를 방문했어.
I visited my aunt.

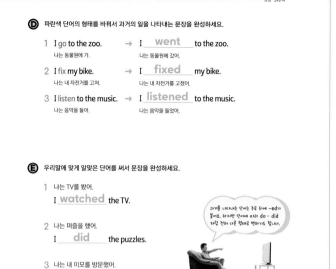

과거를 나타내는 단어는 주로 뒤에 -ed가 붙어요. 하지만 단어에 따라 do - did 처럼 전혀 다른 형태로 변하기도 합니다.

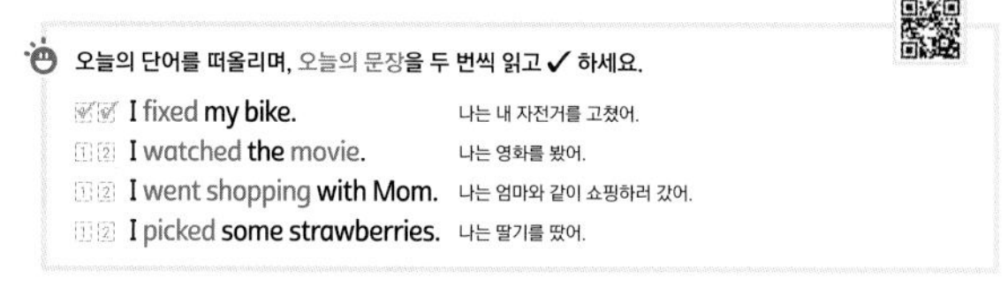

오늘의 단어를 떠올리며, 오늘의 문장을 두 번씩 읽고 ✓ 하세요.

I fixed my bike. 나는 내 자전거를 고쳤어.
I watched the movie. 나는 영화를 봤어.
I went shopping with Mom. 나는 엄마와 같이 쇼핑하러 갔어.
I picked some strawberries. 나는 딸기를 땄어.

DAY 24 pp. 114~115

Ⓐ 그림을 보고, 알맞은 단어를 고르세요.

1 worried / why (worried)
2 excited / shocked (excited)
3 upset / tired (tired)

Ⓑ 그림을 보고, 알맞은 단어와 우리말 뜻을 연결하세요.

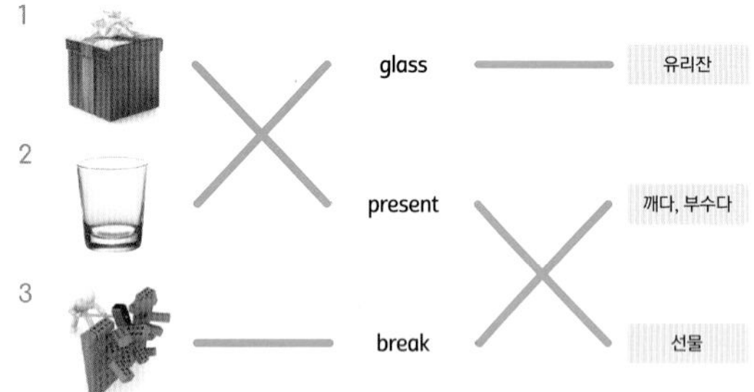

Ⓒ 우리말에 맞게 알파벳을 바르게 배열하여 단어를 쓰세요.

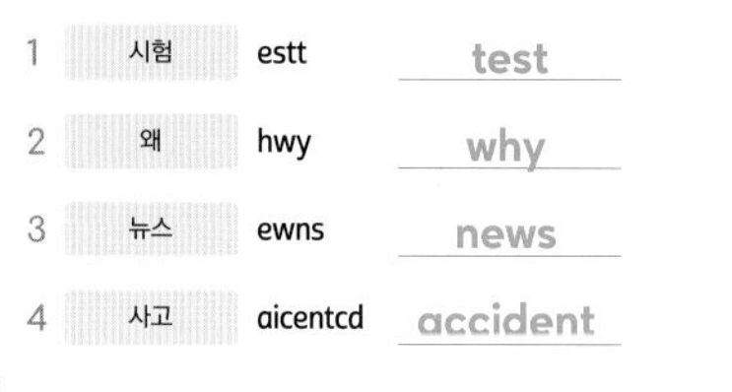

1 시험 estt test
2 왜 hwy why
3 뉴스 ewns news
4 사고 aicentcd accident

Ⓓ 그림을 보고, 질문에 알맞은 대답에 ✓ 하세요.

Why are you excited? 너는 왜 신났니?

☐ I have a glass. 나는 유리잔을 가지고 있어.
✓ Dad gave me a present. 아빠가 내게 선물을 주셨어.
☐ I have a math test. 나는 수학 시험이 있어.

Ⓔ 그림을 보고, 알맞은 단어를 써서 문장을 완성하세요.

1 Why are you upset ?
너는 왜 화났니?
2 Jake broke my glass .
제이크가 내 유리잔을 깼어.
3 Why are you shocked ?
너는 왜 놀랐니?

오늘의 단어를 떠올리며, 오늘의 문장을 두 번씩 읽고 ✓ 하세요.

A: Why are you worried? 너는 왜 걱정하니?
B: I have a test tomorrow. 나는 내일 시험이 있거든.
A: Why are you excited? 너는 왜 신났니?
B: Dad gave me a present. 아빠가 내게 선물을 주셨거든.

pp. 120~121

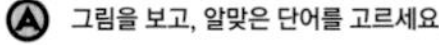

Ⓐ 그림을 보고, 알맞은 단어를 고르세요.

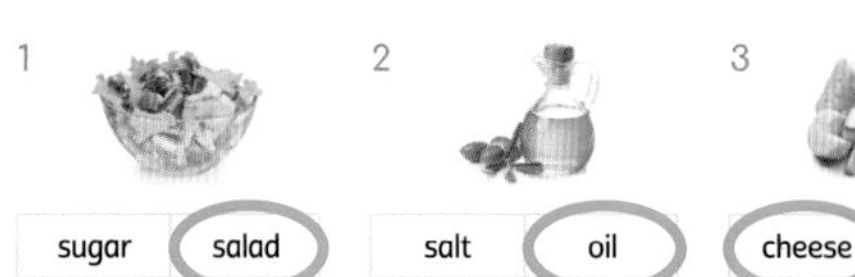

Ⓑ 우리말에 맞게 알파벳을 바르게 배열하여 단어를 쓰세요.

1 흔들다 eksah shake
2 튀기다, 굽다 yfr fry
3 설탕 sgura sugar
4 소금 stla salt
5 닭고기 cchekin chicken

Ⓒ 그림을 보고, 알맞은 단어를 찾아 쓰세요.

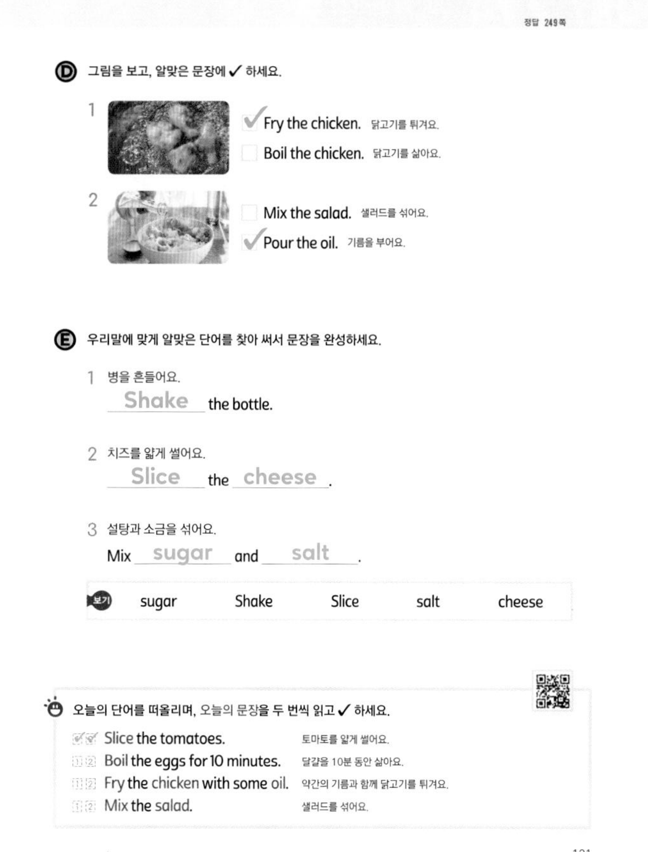

Ⓓ 그림을 보고, 알맞은 문장에 ✓ 하세요.
1 ✓ Fry the chicken. 닭고기를 튀겨요.
Boil the chicken. 닭고기를 삶아요.
2 Mix the salad. 샐러드를 섞어요.
✓ Pour the oil. 기름을 부어요.
Ⓔ 우리말에 맞게 알맞은 단어를 찾아 써서 문장을 완성하세요.
1 병을 흔들어요.
Shake the bottle.
2 치즈를 얇게 썰어요.
Slice the cheese.
3 설탕과 소금을 섞어요.
Mix sugar and salt.
보기 sugar Shake Slice salt cheese
오늘의 단어를 떠올리며, 오늘의 문장을 두 번씩 읽고 ✓ 하세요.
Slice the tomatoes. 토마토를 얇게 썰어요.
Boil the eggs for 10 minutes. 달걀을 10분 동안 삶아요.
Fry the chicken with some oil. 약간의 기름과 함께 닭고기를 튀겨요.
Mix the salad. 샐러드를 섞어요.

pp. 124~125

Ⓐ 그림을 보고, 알맞은 단어에 ✓ 하세요.

Ⓑ 우리말에 맞게 빈칸에 알맞은 알파벳을 써서 단어를 완성하세요.

1 바다 s e a
2 휴가, 방학 v a c a t io n
3 다음의 ne x t
4 구명조끼 l if e ja c k e t
5 배구 vol l e y ba l l

Ⓒ 그림을 보고, 그림 속에서 찾을 수 있는 단어를 모두 고르세요.

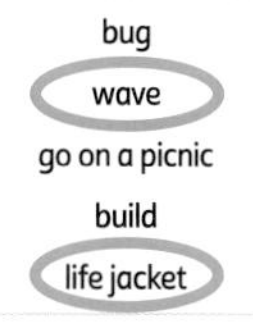

bug
(wave)
go on a picnic
build
(life jacket)

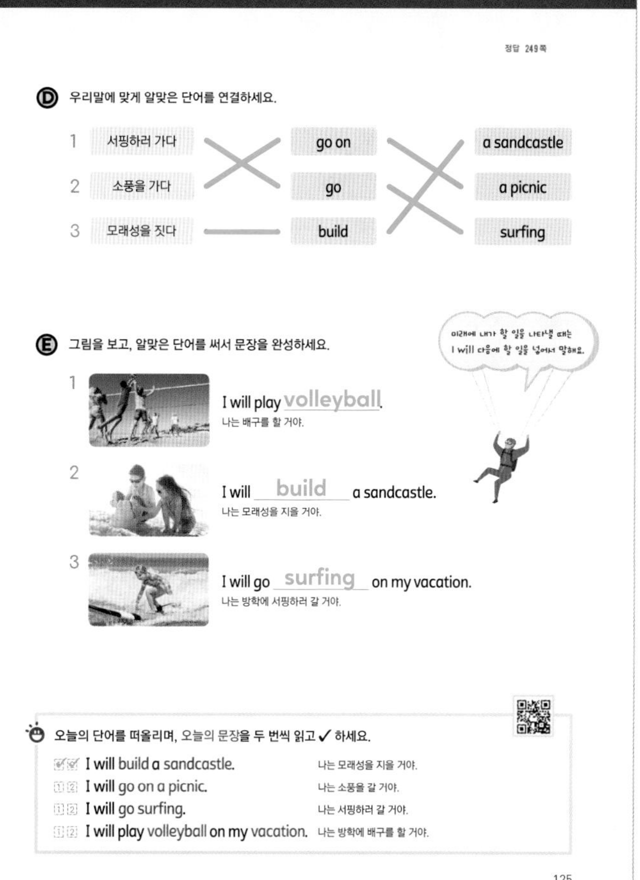

Ⓓ 우리말에 맞게 알맞은 단어를 연결하세요.
1 서핑하러 가다 — go — surfing
2 소풍을 가다 — go on — a picnic
3 모래성을 짓다 — build — a sandcastle
Ⓔ 그림을 보고, 알맞은 단어를 써서 문장을 완성하세요.
1 I will play volleyball. 나는 배구를 할 거야.
2 I will build a sandcastle. 나는 모래성을 지을 거야.
3 I will go surfing on my vacation. 나는 방학에 서핑하러 갈 거야.
오늘의 단어를 떠올리며, 오늘의 문장을 두 번씩 읽고 ✓ 하세요.
I will build a sandcastle. 나는 모래성을 지을 거야.
I will go on a picnic. 나는 소풍을 갈 거야.
I will go surfing. 나는 서핑하러 갈 거야.
I will play volleyball on my vacation. 나는 방학에 배구를 할 거야.

DAY 27 pp. 128~129

Ⓐ 그림을 보고, 알맞은 단어에 ✓ 하세요.

1 

☐ supper ✓ exam

2 

✓ tour ☐ hour

Ⓑ 우리말에 맞게 알파벳을 바르게 배열하여 단어를 쓰세요.

1 도착하다 arevri arrive
2 끝나다 ned end
3 오늘 밤 notthgi tonight
4 시작하다 gebin begin
5 저녁 (식사) srppeu supper

Ⓒ 그림을 보고, 알맞은 단어를 찾아 쓰세요.

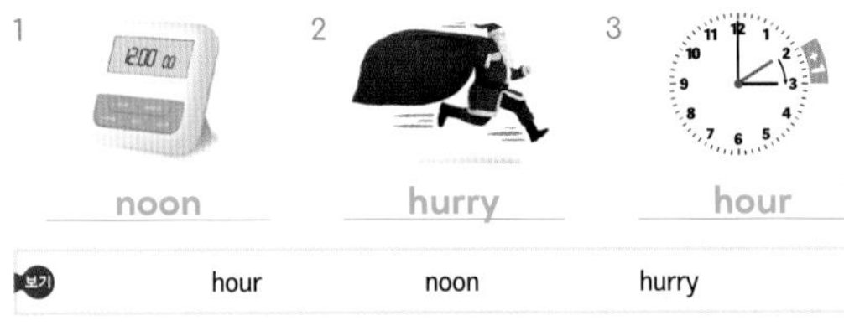

1 noon 2 hurry 3 hour

보기 hour noon hurry

Ⓓ 시간을 나타내는 그림을 보고, 알맞은 단어를 써서 문장을 완성하세요

1 

The exam begins at 9 a.m.

시험은 오전 9시에 시작해요.

2 

The tour ends at 7:10 p.m.

관광은 오후 7시 10분에 끝나요.

Ⓔ 주어진 단어를 바르게 배열하여 문장을 쓰세요.

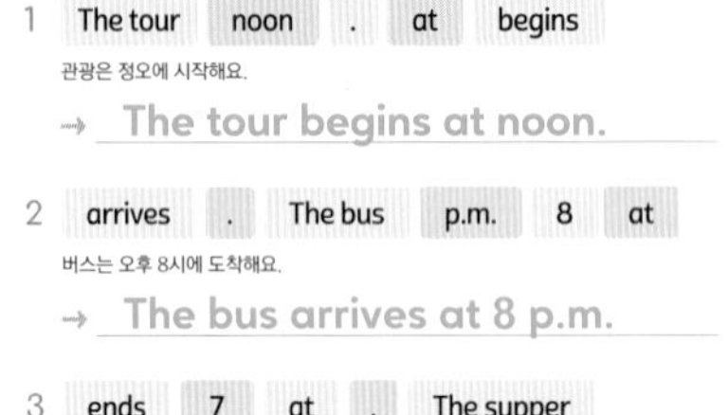

1 The tour | noon | . | at | begins

관광은 정오에 시작해요.

→ The tour begins at noon.

2 arrives | . | The bus | p.m. | 8 | at

버스는 오후 8시에 도착해요.

→ The bus arrives at 8 p.m.

3 ends | 7 | at | . | The supper

저녁 식사는 7시에 끝나요.

→ The supper ends at 7.

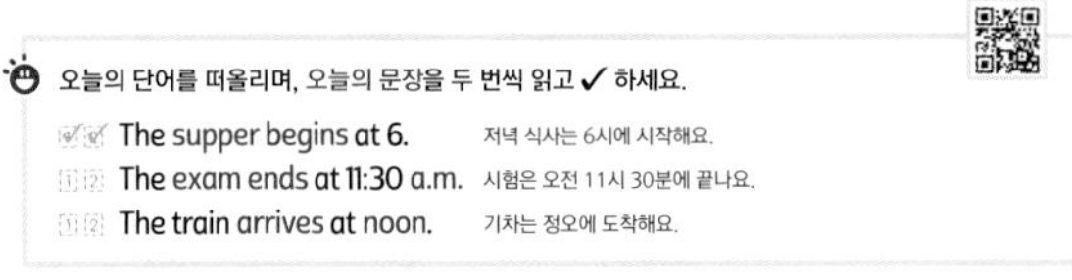

오늘의 단어를 떠올리며, 오늘의 문장을 두 번씩 읽고 ✓ 하세요.

- The supper begins at 6. 저녁 식사는 6시에 시작해요.
- The exam ends at 11:30 a.m. 시험은 오전 11시 30분에 끝나요.
- The train arrives at noon. 기차는 정오에 도착해요.

DAY 28 pp. 132~133

Ⓐ 그림을 보고, 알맞은 단어를 골라 기호를 쓰세요.

보기 ⓐ bat ⓑ witch ⓒ pumpkin ⓓ spider

Ⓑ 그림을 보고, 알맞은 단어와 우리말 뜻을 연결하세요.

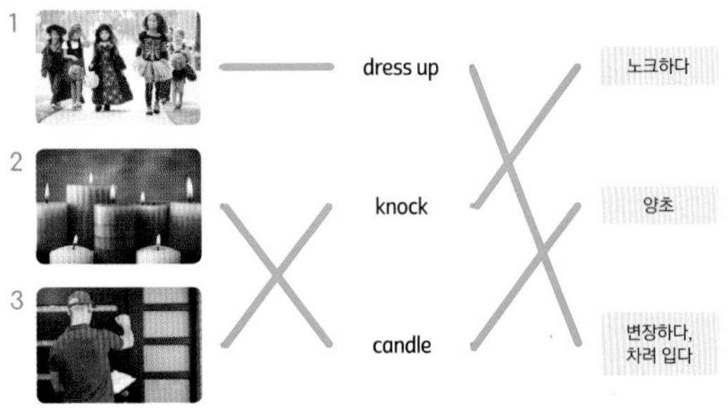

1 dress up 노크하다
2 knock 양초
3 candle 변장하다, 차려 입다

Ⓒ 우리말에 맞게 알맞은 단어를 찾아 쓰세요.

up trick ng neighbor a treat er get on

1 장난, 속임수 trick 2 이웃 (사람) neighbor
3 받다 get 4 특별한 것, 기쁨 treat

Ⓓ 그림을 보고, 알맞은 단어를 써서 문장을 완성하세요.

1 

We get candies on Halloween.

우리는 핼러윈에 사탕을 받아요.

2 

We eat pumpkin cookies on Halloween.

우리는 핼러윈에 호박 쿠키를 먹어요.

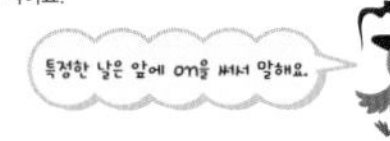

Ⓔ 우리말에 맞게 알맞은 단어를 찾아 써서 문장을 완성하세요.

1 우리는 핼러윈에 변장해요.

We dress up on Halloween.

2 우리는 핼러윈에 "사탕 아니면 장난!"이라고 말해요.

We say " Trick or Treat!" on Halloween.

3 우리는 핼러윈에 호박 바구니를 만들어요.

We make pumpkin baskets on Halloween.

보기 Trick dress up pumpkin Halloween

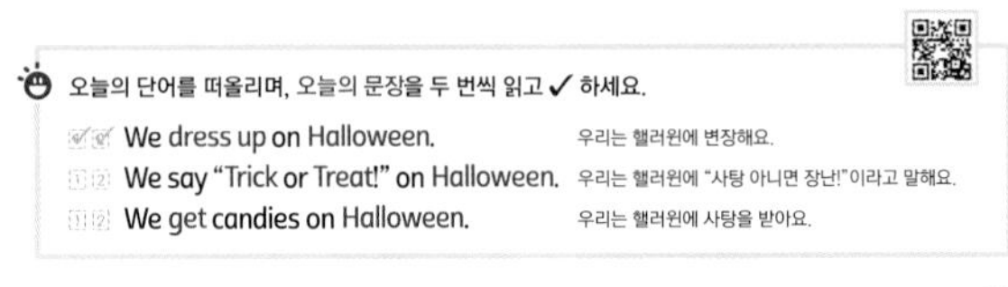

오늘의 단어를 떠올리며, 오늘의 문장을 두 번씩 읽고 ✓ 하세요.

- We dress up on Halloween. 우리는 핼러윈에 변장해요.
- We say "Trick or Treat!" on Halloween. 우리는 핼러윈에 "사탕 아니면 장난!"이라고 말해요.
- We get candies on Halloween. 우리는 핼러윈에 사탕을 받아요.

DAY 29 pp. 138~139

정답 251쪽

Ⓐ 그림을 보고, 알맞은 단어를 골라 기호를 쓰세요.

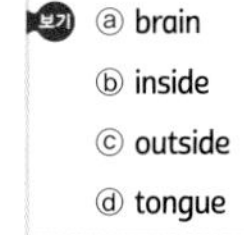

ⓑ ⓐ ⓓ ⓒ

보기 ⓐ brain ⓑ inside ⓒ outside ⓓ tongue

Ⓑ 우리말에 맞게 빈칸에 알맞은 알파벳을 써서 단어를 완성하세요.

1 피부 s k in
2 찾다, 발견하다 f i n d
3 부분, 일부 p ar t
4 피, 혈액 b l o o d
5 근육 m u s c le
6 몸, 몸통 b o d y

Ⓒ 그림을 보고, 알맞은 단어를 찾아 쓰세요.

1 blood
2 muscle
3 bone

보기 blood bone muscle

Ⓓ 그림을 보고, 알맞은 단어를 써서 문장을 완성하세요.

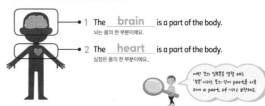

1 The brain is a part of the body.
뇌는 몸의 한 부분이에요.

2 The heart is a part of the body.
심장은 몸의 한 부분이에요.

Ⓔ 우리말에 맞게 알맞은 단어를 써서 문장을 완성하세요.

1 심장은 몸의 한 부분이에요.
The heart is a part of the body.

2 혀는 몸의 한 부분이에요.
The tongue is a part of the body.

3 뇌는 몸의 한 부분이에요.
The brain is a part of the body.

오늘의 단어를 떠올리며, 오늘의 문장을 두 번씩 읽고 ✓ 하세요.

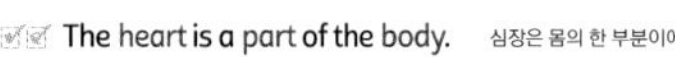
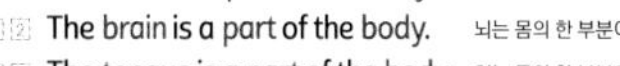

- The heart is a part of the body. 심장은 몸의 한 부분이에요.
- The brain is a part of the body. 뇌는 몸의 한 부분이에요.
- The tongue is a part of the body. 혀는 몸의 한 부분이에요.

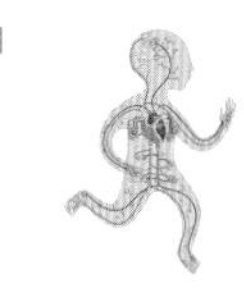

DAY 30 pp. 142~143

정답 251쪽

Ⓐ 그림을 보고, 알맞은 단어에 ✓ 하세요.

1 ✓ soup ☐ steak
2 ☐ beef ✓ bean
3 ✓ cake ☐ cotton

Ⓑ 우리말에 맞게 알파벳을 바르게 배열하여 단어를 쓰세요.

1 국수 endolos noodles
2 수건 telwo towel
3 책장 esholfbok bookshelf
4 면, 솜 ctoont cotton
5 초콜릿 lachcoteo chocolate

Ⓒ 그림을 보고, 알맞은 단어를 찾아 쓰세요.

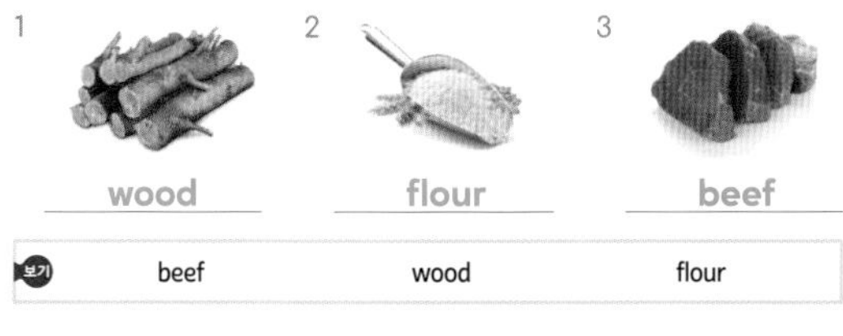

1 wood
2 flour
3 beef

보기 beef wood flour

Ⓓ 우리말에 맞게 알맞은 단어에 ✓ 해서 문장을 완성하세요.

1 이 책장은 나무로 만든 거예요.
This bookshelf is made of ________.
☐ cotton
✓ wood

2 이 스테이크는 소고기로 만든 거예요.
This ________ is made of beef.
✓ steak
☐ bean

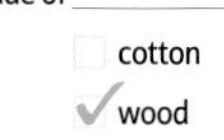

Ⓔ 그림을 보고, 알맞은 단어를 써서 문장을 완성하세요.

1

This cake is made of chocolate.
이 케이크는 초콜릿으로 만든 거예요.

2

This towel is made of cotton.
이 수건은 면으로 만든 거예요.

3
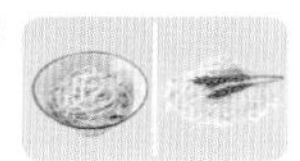
These noodles are made of flour.
이 국수는 밀가루로 만든 거예요.

오늘의 단어를 떠올리며, 오늘의 문장을 두 번씩 읽고 ✓ 하세요.

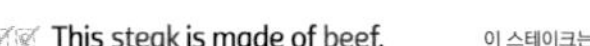

- This steak is made of beef. 이 스테이크는 소고기로 만든 거예요.
- This cake is made of chocolate. 이 케이크는 초콜릿으로 만든 거예요.
- These noodles are made of flour. 이 국수는 밀가루로 만든 거예요.

DAY 31 pp. 146~147

Ⓐ 그림을 보고, 알맞은 단어를 고르세요.

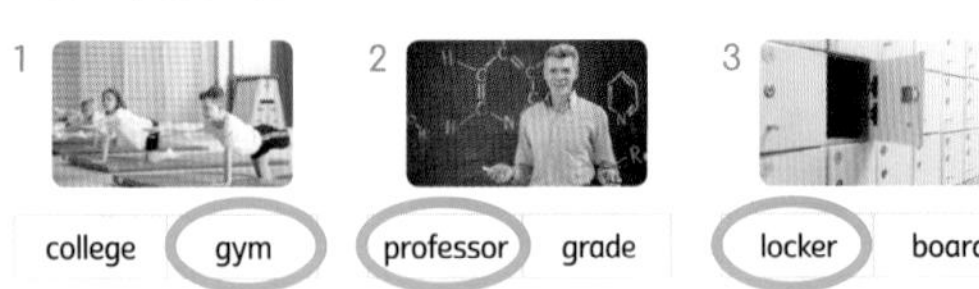

1 college / **gym**　2 **professor** / grade　3 **locker** / board

Ⓑ 그림을 보고, 알맞은 단어와 우리말 뜻을 연결하세요.

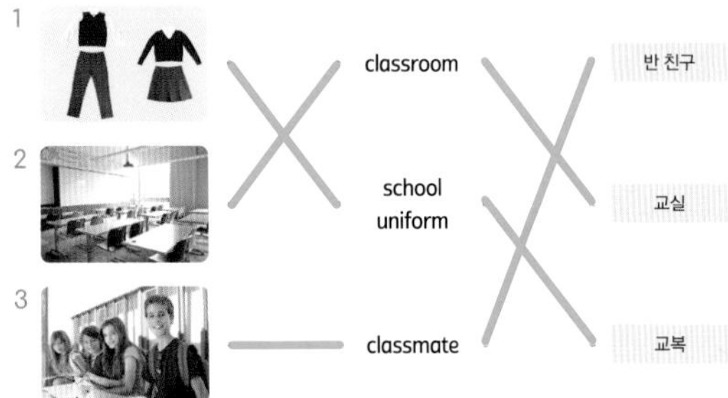

1 – school uniform – 교복
2 – classroom – 교실
3 – classmate – 반 친구

Ⓒ 우리말에 맞게 빈칸에 알맞은 알파벳을 써서 단어를 완성하세요.

1 대학교 co l l e g e　2 학년 g r ad e
3 게시판 b o a rd　4 사물함 l o c k er

Ⓓ 우리말에 맞게 퍼즐 조각을 맞추어 단어를 쓰세요.

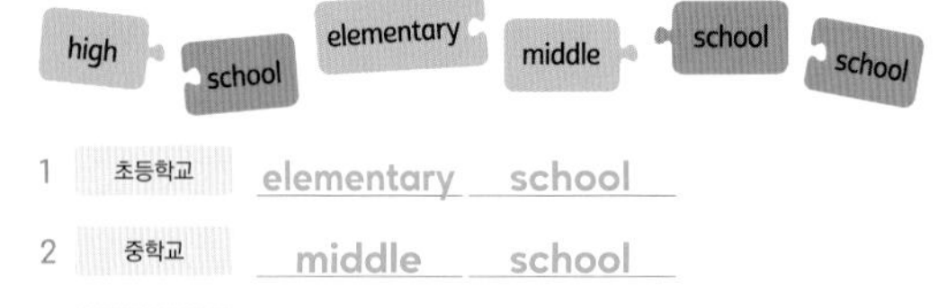

1 초등학교 elementary school
2 중학교 middle school
3 고등학교 high school

Ⓔ 우리말에 맞게 알맞은 단어를 써서 문장을 완성하세요.

1 나는 초등학교에 다녀요.
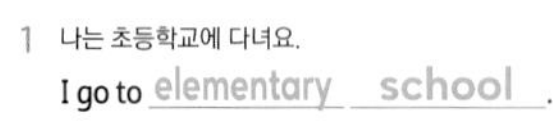
I go to elementary school.

2 그는 고등학교에 다녀요.
He goes to high school.

3 우리는 대학교에 다녀요.
We go to college.

go는 '(학교에) 다니다'라는 뜻으로도 쓰여요. 문장에 He, She, 사람 이름이 나올 때는 go를 goes로 바꿔 써요.

오늘의 단어를 떠올리며, 오늘의 문장을 두 번씩 읽고 ✓ 하세요.

- I go to elementary school. 나는 초등학교에 다녀요.
- He goes to middle school. 그는 중학교에 다녀요.
- She goes to high school. 그녀는 고등학교에 다녀요.
- They go to college. 그들은 대학교에 다녀요.

DAY 32 pp. 150~151

Ⓐ 그림을 보고, 알맞은 단어를 골라 기호를 쓰세요.

1 ⓑ　2 ⓓ　3 ⓐ　4 ⓔ　5 ⓒ

보기 ⓐ bottom　ⓑ top　ⓒ store　ⓓ middle　ⓔ pool

Ⓑ 그림을 보고, 공룡의 위치와 모습을 나타내는 단어를 찾아 쓰세요.

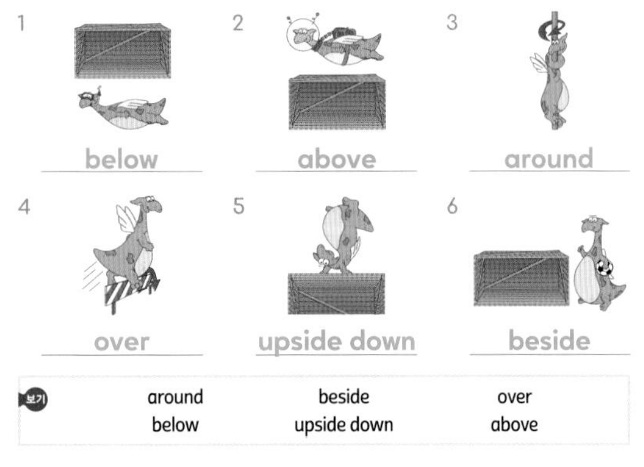

1 below　2 above　3 around
4 over　5 upside down　6 beside

보기 around　beside　over　below　upside down　above

Ⓒ 그림을 보고, 알맞은 단어를 골라 문장을 완성하세요.

1 The tree is on (bottom / **top**) of the hill.
나무는 언덕 꼭대기에 있어요.

2 The cat is sleeping (**beside** / below) the store.
고양이는 상점 옆에서 잠자고 있어요.

Ⓓ 우리말에 맞게 알맞은 단어를 써서 문장을 완성하세요.

1 제과점은 모퉁이를 돌아서 있어요.
The bakery is around the corner.

2 남자아이는 수영장 옆에 서 있어요.
The boy is standing beside the pool.

3 상점은 언덕 꼭대기에 있어요.
The store is on top of the hill.

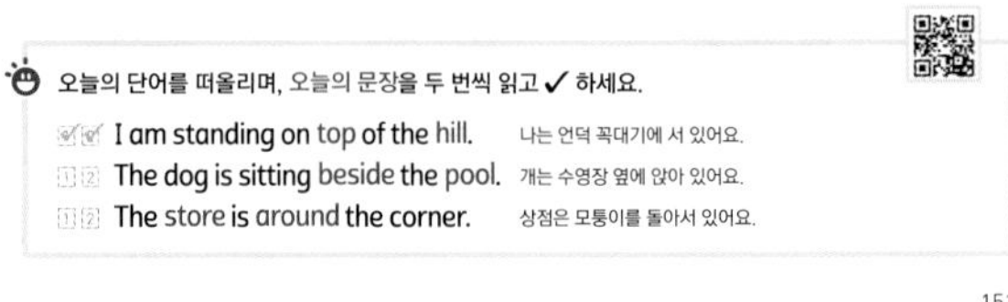

오늘의 단어를 떠올리며, 오늘의 문장을 두 번씩 읽고 ✓ 하세요.

- I am standing on top of the hill. 나는 언덕 꼭대기에 서 있어요.
- The dog is sitting beside the pool. 개는 수영장 옆에 앉아 있어요.
- The store is around the corner. 상점은 모퉁이를 돌아서 있어요.

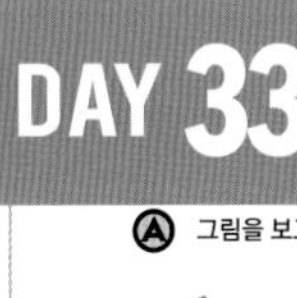

DAY 33 pp. 156~157

정답 253쪽

Ⓐ 그림을 보고, 알맞은 단어에 ✓ 하세요.

1 
✓ compass
☐ clothes

2 
☐ first-aid kit
✓ flashlight

3 
✓ snack
☐ sleeping bag

Ⓑ 우리말에 맞게 빈칸에 알맞은 알파벳을 써서 단어를 완성하세요.

1 ~에 가까이 n e a r
2 태우다 bu r n
3 떠나다, 두고 오다 l e a v e
4 구급상자 fir s t -a i d k it
5 침낭 s l eep i ng b a g

Ⓒ 그림을 보고, 주어진 알파벳으로 시작하는 단어를 쓰세요.

1  backpack
2 tent
3  clothes

Ⓓ 목록을 보고, 목록에 있는 준비물에 모두 ✓ 해서 문장을 완성하세요.

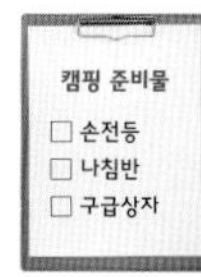

You should carry ________.
✓ a flashlight
✓ a first-aid kit
☐ some snacks
✓ a compass

해야 하는 일을 나타낼 때는 단어 should를 사용합니다. 반대로 하지 말아야 하는 것은 should not (shouldn't)으로 나타낼 수 있어요.

Ⓔ 그림을 보고, 알맞은 단어를 써서 문장을 완성하세요.

1  O You should carry a backpack.
배낭을 들고 가야 해.

2  O You should carry a sleeping bag.
침낭을 들고 가야 해.

3  X You shouldn't leave the garbage behind.
뒤에 쓰레기를 두고 오지 말아야 해.

오늘의 단어를 떠올리며, 오늘의 문장을 두 번씩 읽고 ✓ 하세요.

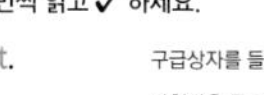
✓✓ You should carry a first-aid kit. 구급상자를 들고 가야 해.
☐☐ You should carry a compass. 나침반을 들고 가야 해.
☐☐ You should carry warm clothes. 따뜻한 옷을 들고 가야 해.
☐☐ You shouldn't leave the garbage behind. 뒤에 쓰레기를 두고 오지 말아야 해.

DAY 34 pp. 160~161

정답 253쪽

Ⓐ 그림을 보고, 알맞은 단어에 ✓ 하세요.

1 
☐ start
✓ finish

2  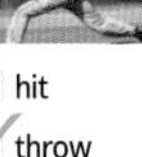
☐ hit
✓ throw

3 
✓ cheer
☐ coach

Ⓑ 우리말에 맞게 알파벳을 바르게 배열하여 단어를 쓰세요.

1 (공을) 주고받다 saps pass
2 (운동) 선수 erlpay player
3 경기장 deifl field
4 시작하다 sttra start
5 던지다 rthwo throw

Ⓒ 그림을 보고, 알맞은 단어를 골라 기호를 쓰세요.

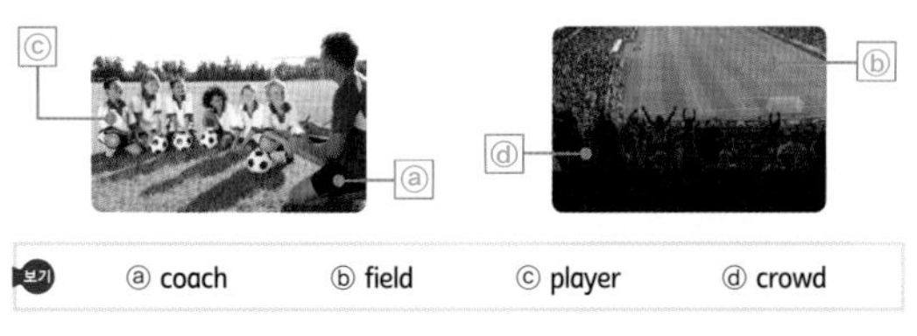

보기 ⓐ coach ⓑ field ⓒ player ⓓ crowd

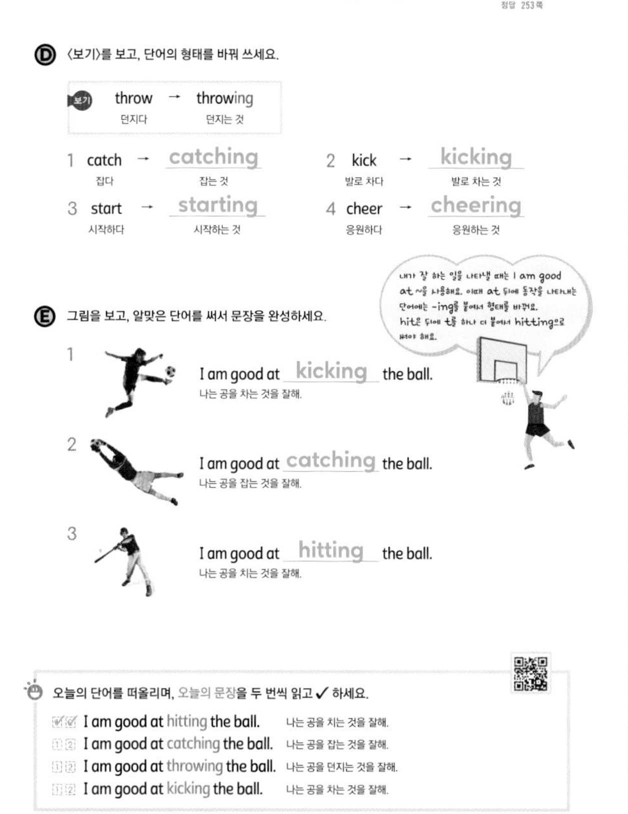

Ⓓ <보기>를 보고, 단어의 형태를 바꿔 쓰세요.

보기 throw 던지다 → throwing 던지는 것

1 catch 잡다 → catching 잡는 것
2 kick 발로 차다 → kicking 발로 차는 것
3 start 시작하다 → starting 시작하는 것
4 cheer 응원하다 → cheering 응원하는 것

Ⓔ 그림을 보고, 알맞은 단어를 써서 문장을 완성하세요.

1 I am good at kicking the ball.
나는 공을 차는 것을 잘해.

2 I am good at catching the ball.
나는 공을 잡는 것을 잘해.

3 I am good at hitting the ball.
나는 공을 치는 것을 잘해.

오늘의 단어를 떠올리며, 오늘의 문장을 두 번씩 읽고 ✓ 하세요.

✓✓ I am good at hitting the ball. 나는 공을 치는 것을 잘해.
☐☐ I am good at catching the ball. 나는 공을 잡는 것을 잘해.
☐☐ I am good at throwing the ball. 나는 공을 던지는 것을 잘해.
☐☐ I am good at kicking the ball. 나는 공을 차는 것을 잘해.

DAY 35 pp. 164~165

Ⓐ 그림을 보고, 각 단어가 나타내는 도형이 몇 개인지 숫자를 쓰세요.

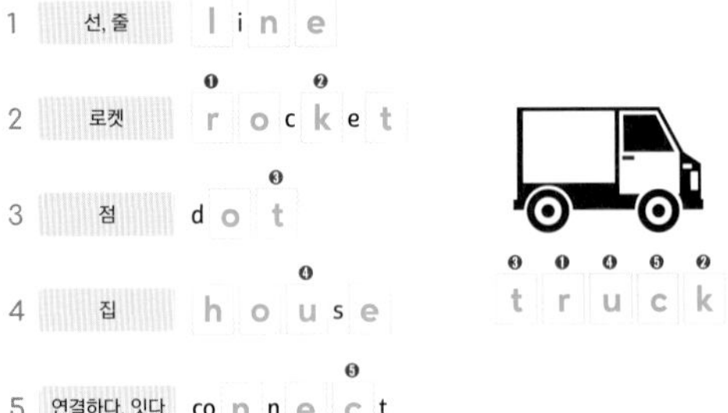

1 circle 8 개
2 triangle 6 개
3 square 7 개

Ⓑ 우리말에 맞게 빈칸에 알맞은 알파벳을 써서 단어를 완성하세요.

1 선, 줄 line
2 로켓 rocket
3 점 dot
4 집 house
5 연결하다, 잇다 connect

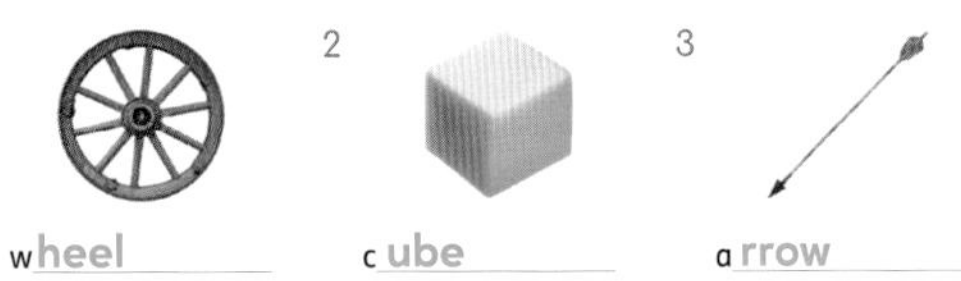

truck

Ⓒ 그림을 보고, 주어진 알파벳으로 시작하는 단어를 쓰세요.

1 wheel
2 cube
3 arrow

Ⓓ 그림을 보고, 알맞은 단어를 써서 문장을 완성하세요.

1 How about drawing a rocket ?
로켓을 그리는 게 어때?

2 How about drawing a truck ?
트럭을 그리는 게 어때?

3 How about drawing a house ?
집을 그리는 게 어때?

Ⓔ 빨간색으로 표시된 점을 이어 도형을 그리고, 문장을 완성하세요.

1 How about drawing a square ?
정사각형을 그리는 게 어때?

2 How about drawing a triangle ?
삼각형을 그리는 게 어때?

3 How about drawing an arrow ?
화살표를 그리는 게 어때?

오늘의 단어를 떠올리며, 오늘의 문장을 두 번씩 읽고 ✓ 하세요.

- How about drawing a triangle? 삼각형을 그리는 게 어때?
- How about drawing a circle? 원을 그리는 게 어때?
- How about drawing a square? 정사각형을 그리는 게 어때?

DAY 36 pp. 168~169

Ⓐ 그림을 보고, 알맞은 단어를 고르세요.

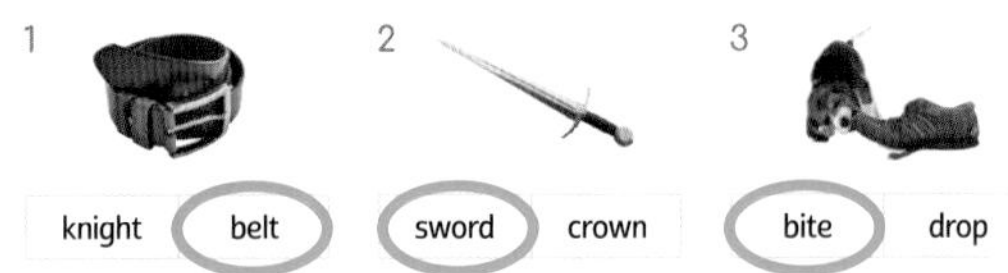

1 knight / belt (belt)
2 sword / crown (sword)
3 bite / drop (bite)

Ⓑ 그림을 보고, 알맞은 단어와 우리말 뜻을 연결하세요.

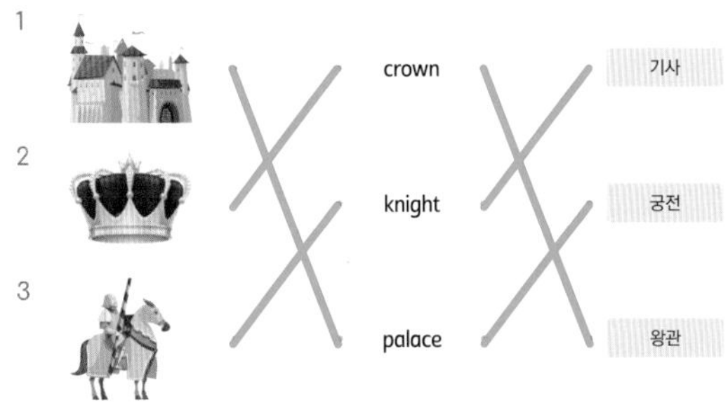

1 palace - 궁전
2 crown - 왕관
3 knight - 기사

Ⓒ 우리말에 맞게 알맞은 단어를 찾아 쓰세요.

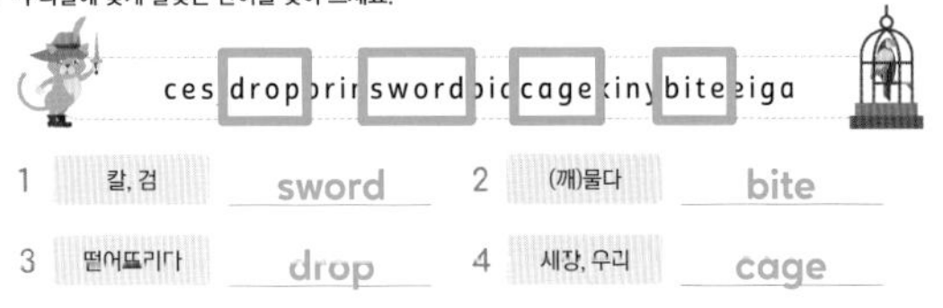

1 칼, 검 sword
2 (깨)물다 bite
3 떨어뜨리다 drop
4 새장, 우리 cage

Ⓓ 그림을 보고, 알맞은 단어를 골라 문장을 완성하세요.

1 There was an old (king / knight). → king
나이 든 왕이 있었어요.

2 There was a handsome (prince / princess). → prince
잘생긴 왕자가 있었어요.

3 The queen and the (palace / princess) were smart. → princess
여왕과 공주는 똑똑했어요.

Ⓔ 우리말에 맞게 알맞은 단어를 써서 문장을 완성하세요.

1 커다란 궁전이 있었어요.
There was a big palace .

2 기사는 친절하고 용감했어요.
The knight was kind and brave.

3 여왕과 왕자는 행복했어요.
The queen and the prince were happy.

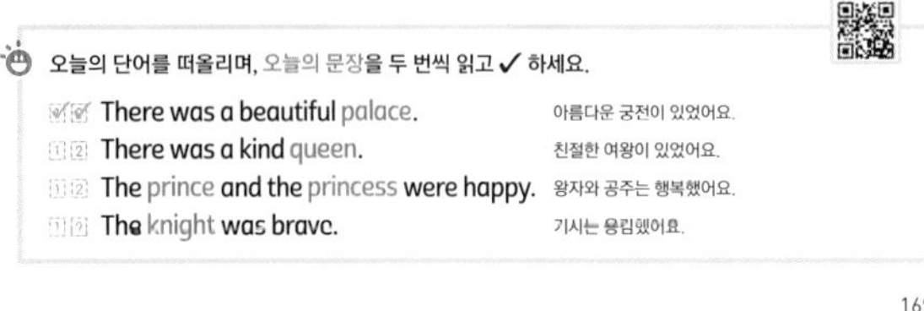

오늘의 단어를 떠올리며, 오늘의 문장을 두 번씩 읽고 ✓ 하세요.

- There was a beautiful palace. 아름다운 궁전이 있었어요.
- There was a kind queen. 친절한 여왕이 있었어요.
- The prince and the princess were happy. 왕자와 공주는 행복했어요.
- The knight was brave. 기사는 용감했어요.

DAY 37 pp. 174~175

Ⓐ 그림을 보고, 알맞은 단어에 ✓ 하세요.

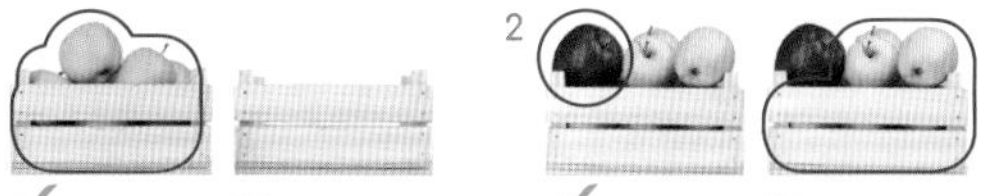

1 ✓ all / nothing — all / ✓ nothing
2 ✓ only / most — only / ✓ most

Ⓑ 그림을 보고, 알맞은 단어를 찾아 쓰세요.

비어 있는	가득 찬	둘 다	두 배
empty	full	both	double

보기 both double empty full

Ⓒ 우리말에 맞게 알맞은 단어를 연결하세요.

돈, 빵, 액체나 가루로 된 것은 셀 수 없어요.

1 약간의 책 — a few — books
2 많은 설탕 — much — sugar
3 많은 친구 — many — friends
4 약간의 돈 — a little — money

Ⓓ 그림을 보고, 알맞은 단어를 골라 문장을 완성하세요.

1 I have (a few / many) friends.
나는 약간의 친구들이 있어.

2 I have (a little / much) money.
나는 많은 돈이 있어.

셀 수 있는 것 앞에는 many와 a few가 오고, 셀 수 없는 것 앞에는 much와 a little이 와요.

Ⓔ 우리말에 맞게 알맞은 단어를 써서 문장을 완성하세요.

1 대부분의 책들이 유용해.
Most books are useful.

2 모든 개들이 귀여워.
All dogs are cute.

3 두 케이크가 다 초콜릿으로 만든 거야.
Both cakes are made of chocolate.

오늘의 단어를 떠올리며, 오늘의 문장을 두 번씩 읽고 ✓ 하세요.

I have many flowers in my garden. 나는 정원에 꽃이 많아.
Most flowers are red. 대부분의 꽃들이 빨간색이야.
Both flowers are yellow. 두 송이의 꽃이 다 노란색이야.
All flowers are pretty. 모든 꽃들이 예뻐.

DAY 38 pp. 178~179

Ⓐ 그림을 보고, 알맞은 단어에 ✓ 하세요.

1 ✓ raise / meaning
2 put / ✓ bend
3 fist / ✓ wish

Ⓑ 그림을 보고, 알맞은 단어와 우리말 뜻을 연결하세요.

1 — palm — 손바닥
2 — fist — 주먹
3 — thumb — 엄지손가락
4 — lip — 입술

Ⓒ 우리말에 맞게 빈칸에 알맞은 알파벳을 써서 단어를 완성하세요.

1 의미 m e a ning
2 행운 l u c k
3 놓다, 두다 p u t
4 몸짓, 제스처 ge s t u re

Ⓓ 그림을 보고, 관련 있는 단어를 두 개씩 찾아 쓰세요.

1 손가락을 겹치다	2 엄지손가락을 들어 올리다	3 손바닥을 마주 대다
cross fingers	raise thumb	put palms

보기 raise put cross palms fingers thumb

Ⓔ 우리말에 맞게 알맞은 단어를 찾아 써서 문장을 완성하세요.

보기 luck crosses palms wishes

1 그는 손가락을 겹쳐.
He crosses his fingers.

2 그는 행운을 빌어.
He wishes a good luck.

3 그녀는 두 손바닥을 마주 대.
She puts her palms together.

오늘의 단어를 떠올리며, 오늘의 문장을 두 번씩 읽고 ✓ 하세요.

She crosses her fingers. 그녀는 손가락을 겹쳐.
She wishes a good luck. 그녀는 행운을 빌어.
He raises his thumb up. 그는 엄지손가락을 들어 올려.

DAY 39 pp. 182~183

Ⓐ 그림을 보고, 알맞은 단어에 ✓ 하세요.

1 ✓choose / believe

2 remember / ✓practice

3 guess / ✓thank

Ⓑ 우리말에 맞게 빈칸에 알맞은 알파벳을 써서 단어를 완성하세요.

1 ~을 필요로 하다 n e e d
2 믿다 be l i e v e
3 조언하다 a d v i s e
4 연습하다 p r a c ti c e

s p e l l

Ⓒ 우리말에 맞게 알맞은 단어를 찾아 쓰세요.

1 결정하다 decide
2 기억하다 remember
3 이해하다 understand
4 철자를 쓰다 spell

Ⓓ 그림을 보고, 알맞은 단어를 찾아 쓰세요.

1 discuss
2 need
3 guess

보기 guess discuss need

Ⓔ 우리말에 맞게 주어진 알파벳을 이용하여 빈칸에 알맞은 단어를 쓰세요.

1 '고르다'의 철자는 무엇이니?
How do you spell "choose"? sochoe

2 '토론하다'의 철자는 무엇이니?
How do you spell "discuss"? sdcissu

3 '감사하다'의 철자는 무엇이니?
How do you spell "thank"? kathn

오늘의 단어를 떠올리며, 오늘의 문장을 두 번씩 읽고 ✓ 하세요.

- How do you spell "guess"? '추측하다'의 철자는 무엇이니?
- How do you spell "decide"? '결정하다'의 철자는 무엇이니?
- How do you spell "remember"? '기억하다'의 철자는 무엇이니?

DAY 40 pp. 186~187

Ⓐ 그림을 보고, 알맞은 단어를 골라 기호를 쓰세요.

1 ⓓ 2 ⓑ 3 ⓒ 4 ⓐ

보기 ⓐ the longest ⓑ the biggest ⓒ the deepest ⓓ the highest

Ⓑ 우리말에 맞게 알파벳을 바르게 배열하여 단어를 쓰세요.

1 땅 daln land
2 나라 cyotrun country
3 섬 ilansd island
4 바다 neaoc ocean
5 시골, 지방 cnesidoutry countryside

Ⓒ 그림을 보고, 주어진 알파벳으로 시작하는 단어를 쓰세요.

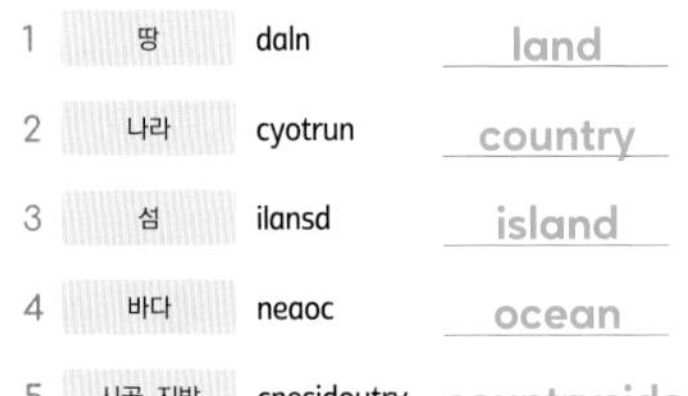

1 curious
2 animal
3 city

Ⓓ 우리말에 맞게 알맞은 단어를 연결하세요.

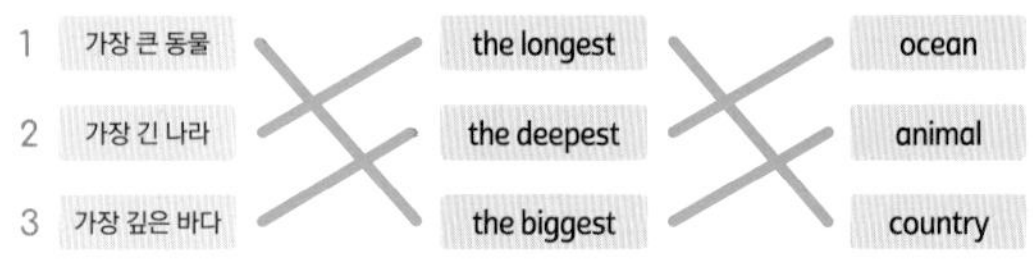

1 가장 큰 동물 — the biggest — animal
2 가장 긴 나라 — the longest — country
3 가장 깊은 바다 — the deepest — ocean

Ⓔ 그림을 보고, 알맞은 단어를 써서 문장을 완성하세요.

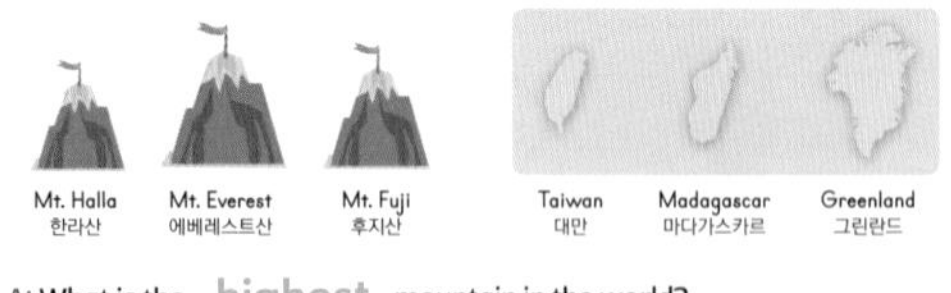

1 A: What is the highest mountain in the world?
세계에서 가장 높은 산은 무엇이니?
B: It is Mt. Everest. 에베레스트산이야.

2 A: What is the biggest island in the world?
세계에서 가장 큰 섬은 무엇이니?
B: It is Greenland. 그린란드야.

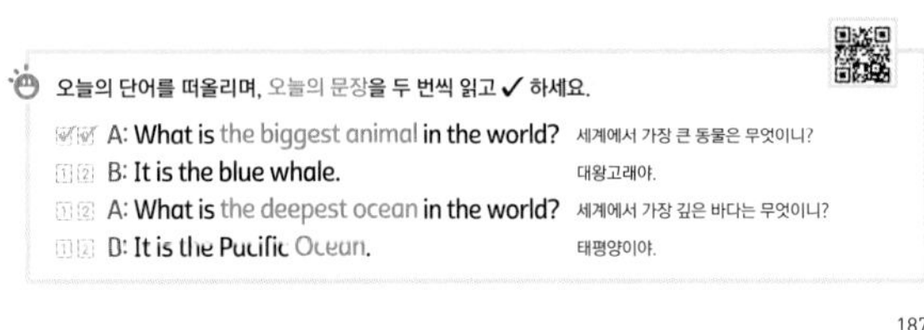

오늘의 단어를 떠올리며, 오늘의 문장을 두 번씩 읽고 ✓ 하세요.

- A: What is the biggest animal in the world? 세계에서 가장 큰 동물은 무엇이니?
- B: It is the blue whale. 대왕고래야.
- A: What is the deepest ocean in the world? 세계에서 가장 깊은 바다는 무엇이니?
- B: It is the Pacific Ocean. 태평양이야.

DAY 41 | pp. 192~193

Ⓐ 그림을 보고, 알맞은 단어에 ✓ 하세요.

1 
- [ ] pay
- [x] factory

2 
- [x] credit card
- [ ] cash

3 
- [x] add
- [ ] divide

Ⓑ 그림을 보고, 알맞은 단어를 골라 기호를 쓰세요.

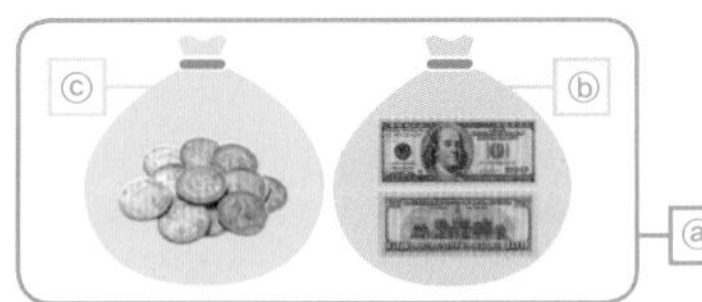

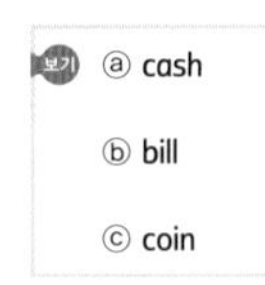

Ⓒ 우리말에 맞게 알파벳을 바르게 배열하여 단어를 쓰세요.

1 지불하다 yap — pay
2 (숫자를) 세다 ouctn — count
3 사업 biussne — business
4 나누다 ieddvi — divide
5 신용 카드 ccreaditrd — credit card

192

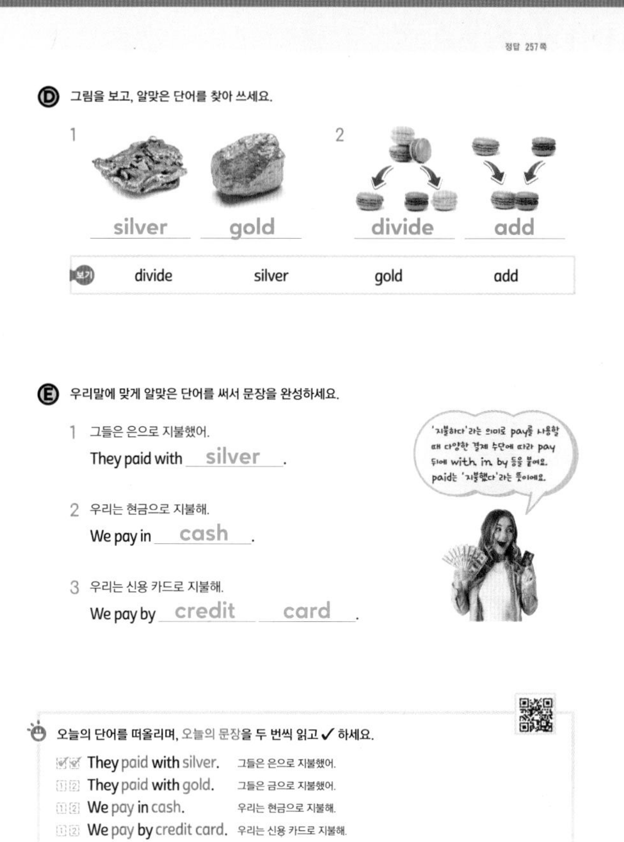

정답 257쪽

Ⓓ 그림을 보고, 알맞은 단어를 찾아 쓰세요.

1 silver gold
2 divide add

보기 divide silver gold add

Ⓔ 우리말에 맞게 알맞은 단어를 써서 문장을 완성하세요.

1 그들은 은으로 지불했어.
They paid with silver.

2 우리는 현금으로 지불해.
We pay in cash.

3 우리는 신용 카드로 지불해.
We pay by credit card.

'지불하다'라는 의미로 pay를 사용할 때 다양한 결제 수단에 따라 pay 뒤에 with, in, by 등을 붙여요. paid는 '지불했다'라는 뜻이에요.

오늘의 단어를 떠올리며, 오늘의 문장을 두 번씩 읽고 ✓ 하세요.

- ✓✓ They paid with silver. 그들은 은으로 지불했어.
- 1 2 They paid with gold. 그들은 금으로 지불했어.
- 1 2 We pay in cash. 우리는 현금으로 지불해.
- 1 2 We pay by credit card. 우리는 신용 카드로 지불해.

193

DAY 42 | pp. 196~197

Ⓐ 그림을 보고, 알맞은 단어를 고르세요.

1 
(clever) honest

2 
dead (fresh)

3 
(agree) think

Ⓑ 우리말에 맞게 빈칸에 알맞은 알파벳을 써서 단어를 완성하세요.

1 안전한 s a f e
2 정직한 h o n e s t
3 충분한 e nou g h
4 유명한 f a m ou s
5 위험한 dan g e r ou s

❶ ❺ ❷ ❹ ❸
f r e s h

Ⓒ 우리말에 맞게 알맞은 단어를 찾아 쓰세요.

1 생각하다 think　2 기막히게 좋은 fantastic
3 죽은 dead　4 중요한 important

196

정답 257쪽

Ⓓ 그림을 보고, 알맞은 단어를 골라 문장을 완성하세요.

1 I think he is (clever important).
나는 그가 영리하다고 생각해.

2 I think she is (fresh famous).
나는 그녀가 유명하다고 생각해.

자신의 의견을 표현할 때는 I think 다음에 자신의 생각을 말해요.

Ⓔ 주어진 단어를 바르게 배열하여 문장을 쓰세요.

1 I / it is / . / think / dangerous
나는 그것이 위험하다고 생각해.
→ I think it is dangerous.

2 think / . / fresh / it is / I
나는 그것이 신선하다고 생각해.
→ I think it is fresh.

3 he is / I / think / honest / .
나는 그가 정직하다고 생각해.
→ I think he is honest.

오늘의 단어를 떠올리며, 오늘의 문장을 두 번씩 읽고 ✓ 하세요.

- ✓✓ I think you are clever. 나는 네가 영리하다고 생각해.
- 1 2 I think he is honest. 나는 그가 정직하다고 생각해.
- 1 2 I think she is famous. 나는 그녀가 유명하다고 생각해.
- 1 2 I think it is important. 나는 그것이 중요하다고 생각해.

197

DAY 43 pp. 200~201

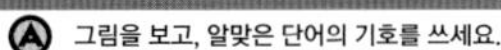

Ⓐ 그림을 보고, 알맞은 단어의 기호를 쓰세요.

ⓒ ⓑ ⓐ

보기 ⓐ stop ⓑ brakes ⓒ traffic jam

Ⓑ 우리말에 맞게 빈칸에 알맞은 알파벳을 써서 단어를 완성하세요.

1 기다리다 w a i t
2 속도 s pe e d
3 조용히 하다 k e e p q u i et
4 교통 체증 t r affi c j am
5 신호등 t r a f f ic l i g h t

Ⓒ 그림을 보고, 주어진 알파벳으로 시작하는 단어를 쓰세요.

1 helmet 2 quickly 3 crosswalk

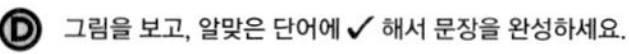

정답 258쪽

Ⓓ 그림을 보고, 알맞은 단어에 ✓ 해서 문장을 완성하세요.

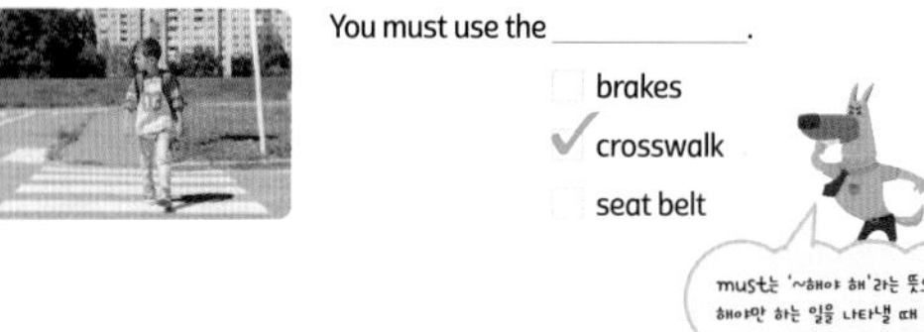

You must use the ________.

brakes
✓ crosswalk
seat belt

must는 '~해야 해'라는 뜻으로, 꼭 해야만 하는 일을 나타낼 때 써요.

Ⓔ 우리말에 맞게 알맞은 단어를 찾아 써서 문장을 완성하세요.

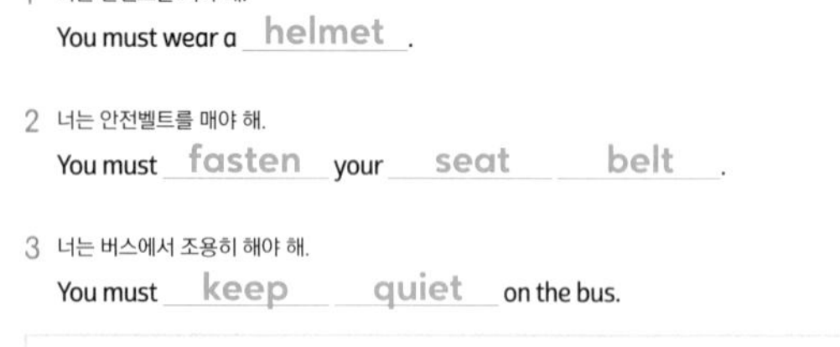

1 너는 안전모를 써야 해.
You must wear a helmet .

2 너는 안전벨트를 매야 해.
You must fasten your seat belt .

3 너는 버스에서 조용히 해야 해.
You must keep quiet on the bus.

보기 helmet seat belt keep quiet fasten

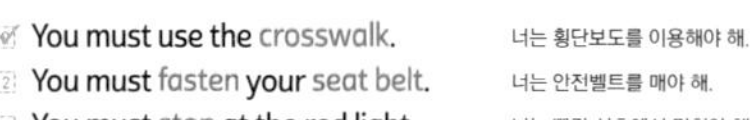

오늘의 단어를 떠올리며, 오늘의 문장을 두 번씩 읽고 ✓ 하세요.

- ✓✓ You must use the crosswalk. 너는 횡단보도를 이용해야 해.
- You must fasten your seat belt. 너는 안전벨트를 매야 해.
- You must stop at the red light. 너는 빨간 신호에서 멈춰야 해.
- You must keep quiet on the subway. 너는 지하철에서 조용히 해야 해.

DAY 44 pp. 204~205

Ⓐ 그림을 보고, 알맞은 단어를 골라 기호를 쓰세요.

ⓒ ⓓ ⓐ ⓑ

보기 ⓐ hike ⓑ bake ⓒ travel ⓓ exercise

Ⓑ 그림을 보고, 알맞은 단어와 우리말 뜻을 연결하세요.

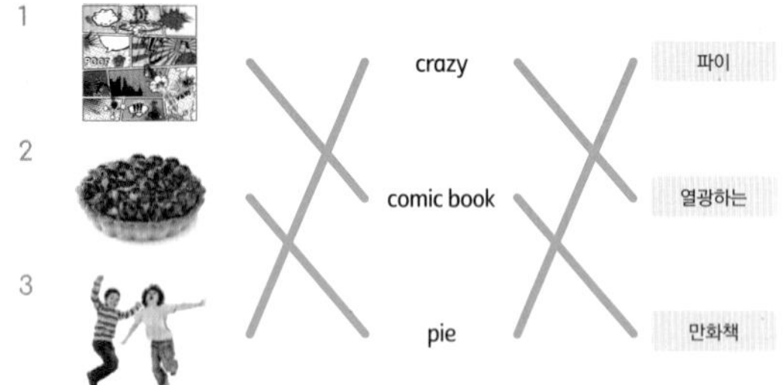

1 crazy 파이
2 comic book 열광하는
3 pie 만화책

Ⓒ 우리말에 맞게 알파벳을 바르게 배열하여 단어를 쓰세요.

1 취미 boyhb hobby
2 시간을 보내다 densp spend
3 즐기다 yeojn enjoy
4 자유 시간 teeefirm free time

정답 258쪽

Ⓓ 그림을 보고, 알맞은 단어를 찾아 쓰세요.

1 enjoy baking cookies
쿠키 굽는 것을 즐기다

2 enjoy traveling
여행하는 것을 즐기다

3 enjoy collecting toy cars
장난감 자동차를 모으는 것을 즐기다

enjoy 다음에 오는 동작을 나타내는 단어는 뒤에 -ing를 붙여요. 이때 bake는 e가 빠지고 baking으로 바뀌어요.

보기 collecting baking traveling

Ⓔ 주어진 단어를 바르게 배열하여 문장을 쓰세요.

1 enjoy comic books . reading I
나는 만화책 보는 것을 즐겨.
→ I enjoy reading comic books.

2 I . exercising enjoy in my free time
나는 여가 시간에 운동하는 것을 즐겨.
→ I enjoy exercising in my free time.

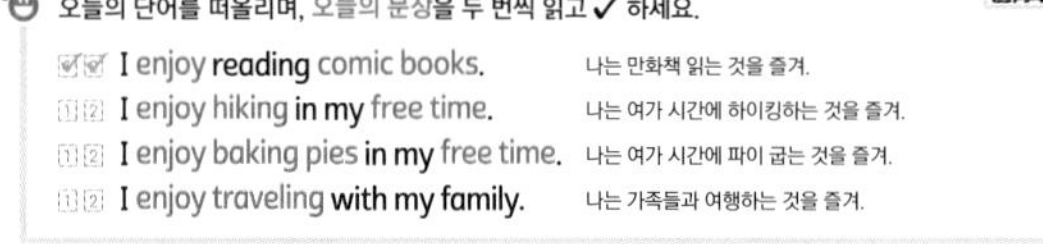

오늘의 단어를 떠올리며, 오늘의 문장을 두 번씩 읽고 ✓ 하세요.

- ✓✓ I enjoy reading comic books. 나는 만화책 읽는 것을 즐겨.
- I enjoy hiking in my free time. 나는 여가 시간에 하이킹하는 것을 즐겨.
- I enjoy baking pies in my free time. 나는 여가 시간에 파이 굽는 것을 즐겨.
- I enjoy traveling with my family. 나는 가족들과 여행하는 것을 즐겨.

DAY 45 pp. 210~211

정답 259쪽

Ⓐ 그림을 보고, 알맞은 단어에 ✓ 하세요.

1 
✓ wedding
☐ guest

2 
✓ song
☐ congratulations

3
☐ love
✓ smile

Ⓑ 그림을 보고, 알맞은 단어를 골라 기호를 쓰세요.

보기 ⓐ gift ⓑ groom ⓒ love ⓓ bride

Ⓒ 우리말에 맞게 빈칸에 알맞은 알파벳을 써서 단어를 완성하세요.

1 손뼉을 치다 c l a p
2 싫어하다 h a t e
3 손님 g ues t
4 사랑하다 l o v e

c on g r a t u l a tions

Ⓓ 그림을 보고, 알맞은 단어를 골라 문장을 완성하세요.

1 
The (bride / groom) is smiling.
신부는 미소 짓고 있어요.

2 
The (guest / photographer) is taking a picture.
사진사는 사진을 찍고 있어요.

Ⓔ 우리말에 맞게 알맞은 단어를 찾아 써서 문장을 완성하세요.

1 신부는 손뼉을 치고 있어요.
The bride is clapping her hands.

2 신랑은 노래를 부르고 있어요.
The groom is singing a song.

3 손님들은 신부와 신랑에게 선물을 주고 있어요.
The guests are giving gifts to the bride and groom.

보기 clapping gifts song guests

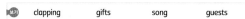

오늘의 단어를 떠올리며, 오늘의 문장을 두 번씩 읽고 ✓ 하세요.

- ✓✓ The bride and groom are smiling. 신부와 신랑은 미소 짓고 있어요.
- ①② The photographer is taking a picture. 사진사는 사진을 찍고 있어요.
- ①② The guests are clapping their hands. 손님들은 손뼉을 치고 있어요.

DAY 46 pp. 214~215

정답 259쪽

Ⓐ 그림을 보고, 알맞은 단어를 고르세요.

1 

church (castle)

2 

(treasure) tower

3 (bridge) map

Ⓑ 우리말에 맞게 알파벳을 바르게 배열하여 단어를 쓰세요.

1 사냥하다 nuht hunt
2 죽다 edi die
3 돌아가다 nrretu return
4 거인 iatng giant
5 유령 hogts ghost

Ⓒ 그림을 보고, 알맞은 단어를 찾아 쓰세요.

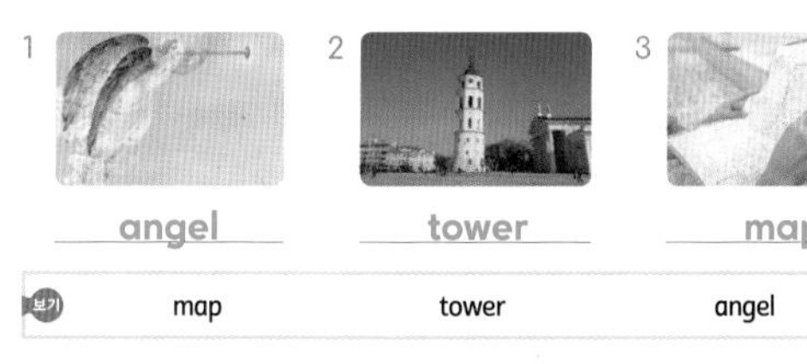

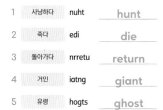

1 angel
2 tower
3 map

보기 map tower angel

Ⓓ 그림을 보고, 알맞은 단어를 써서 문장을 완성하세요.

1 Go to the church.
교회에 가세요.

2 You will meet an angel.
당신은 천사를 만날 거예요.

3 Return to the castle.
성으로 돌아가세요.

4 You will find the treasure.
당신은 보물을 찾을 거예요.

Ⓔ 우리말에 맞게 알맞은 단어를 써서 문장을 완성하세요.

1 지도를 보면, 당신은 다리를 찾을 거예요.
Look at the map, and you will find a bridge.

2 성으로 가면, 당신은 유령을 볼 거예요.
Go to the castle, and you will see a ghost.

3 거인을 사냥하면, 당신은 보물을 얻을 거예요.
Hunt the giant, and you will get the treasure.

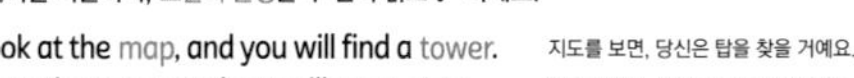

오늘의 단어를 떠올리며, 오늘의 문장을 두 번씩 읽고 ✓ 하세요.

- ✓✓ Look at the map, and you will find a tower. 지도를 보면, 당신은 탑을 찾을 거예요.
- ①② Go to the tower, and you will see a giant. 탑으로 가면, 당신은 거인을 볼 거예요.
- ①② Hunt the giant, and you will get the treasure. 거인을 사냥하면, 당신은 보물을 얻을 거예요.

DAY 47 pp. 218~219

정답 260쪽

Ⓐ 그림을 보고, 알맞은 단어를 고르세요.

1 become / chance
2 actor / job
3 future / vet

Ⓑ 우리말에 맞게 빈칸에 알맞은 알파벳을 써서 단어를 완성하세요.

1 바리스타 ba r i s t a
2 ~이 되다 b e c o m e
3 꿈꾸다 d r e a m
4 직업 j o b
5 기회 c h a n c e

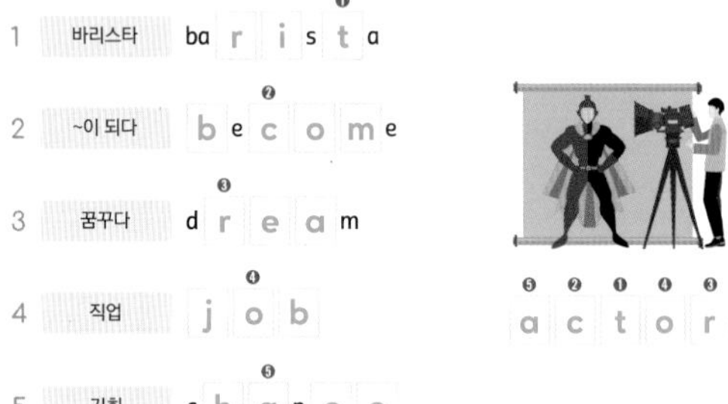

a c t o r

Ⓒ 우리말에 맞게 알맞은 단어를 찾아 쓰세요.

nyfuturejplanabtfashionmodelening

1 미래 future 2 계획 plan
3 패션모델 fashion model

Ⓓ 그림을 보고, 알맞은 문장에 ✓ 하세요.

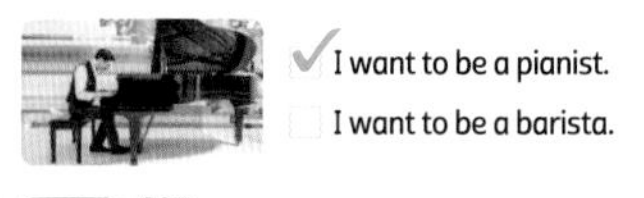

1 ✓ I want to be a pianist.
I want to be a barista.

2 I want to be an announcer.
✓ I want to be a fashion model.

Ⓔ 우리말에 맞게 알맞은 단어를 찾아 쓰세요.

1 너는 미래에 무엇이 되고 싶니?
What do you want to be in the future?

2 나는 아나운서가 되고 싶어.
I want to be an announcer

3 지훈이는 수의사가 되고 싶어 해.
Jihun wants be to a vet.

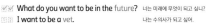

보기 announcer vet future

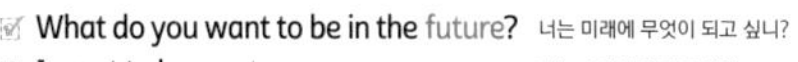

오늘의 단어를 떠올리며, 오늘의 문장을 두 번씩 읽고 ✓ 하세요.

- What do you want to be in the future? 너는 미래에 무엇이 되고 싶니?
- I want to be a vet. 나는 수의사가 되고 싶어.
- Brian wants to be an actor. 브라이언은 배우가 되고 싶어 해.
- Mina wants to be a barista. 미나는 바리스타가 되고 싶어 해.

DAY 48 pp. 224~225

정답 260쪽

Ⓐ 그림을 보고, 알맞은 단어를 고르세요.

1 pilot / passport
2 ground / luggage
3 flight / airport

Ⓑ 각 단어의 우리말 뜻을 쓰고, 짝을 이루는 단어와 연결하세요.

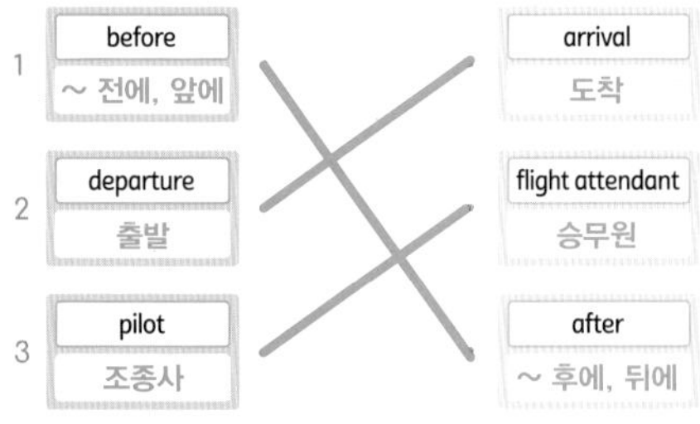

1 before ~ 전에, 앞에 — after ~ 후에, 뒤에
2 departure 출발 — arrival 도착
3 pilot 조종사 — flight attendant 승무원

Ⓒ 우리말에 맞게 알파벳을 바르게 배열하여 단어를 쓰세요.

1 땅, 지면 gunord ground
2 공항 aorpirt airport
3 찾다, 수색하다 chaers search
4 여권 rtasspop passport

Ⓓ 그림을 보고, 알맞은 문장과 연결하세요.

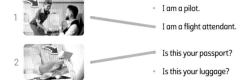

1 I am a pilot.
I am a flight attendant. (✓ 1)

2 Is this your passport? (✓ 2)
Is this your luggage?

Ⓔ 우리말에 맞게 알맞은 단어를 찾아 써서 문장을 완성하세요.

1 비행기는 3시 이후에 출발해.
The flight leaves after 3.

2 비행기는 정오 이전에 출발해.
The flight leaves before noon.

3 이곳은 부산 공항이야.
This is Busan airport.

보기 airport after flight before

오늘의 단어를 떠올리며, 오늘의 문장을 두 번씩 읽고 ✓ 하세요.

- This is Incheon airport. 이곳은 인천 공항이야.
- He is a pilot. 그는 조종사야.
- She is a flight attendant. 그녀는 승무원이야.
- The flight leaves after 12. 비행기는 12시 이후에 출발해.

DAY 49 pp. 228~229

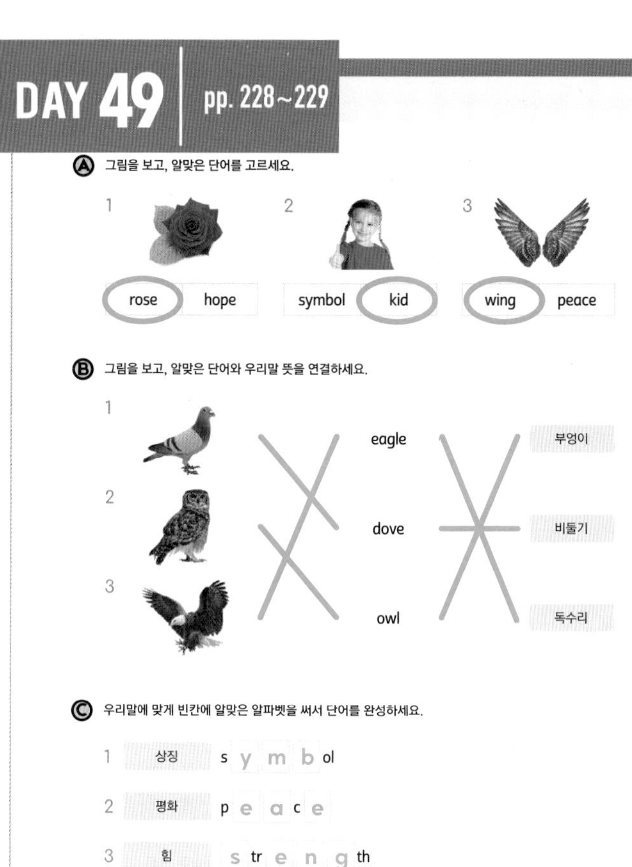

Ⓐ 그림을 보고, 알맞은 단어를 고르세요.

1 rose / hope (answer: rose)
2 symbol / kid (answer: kid)
3 wing / peace (answer: wing)

Ⓑ 그림을 보고, 알맞은 단어와 우리말 뜻을 연결하세요.

1 eagle — 부엉이
2 dove — 비둘기
3 owl — 독수리

Ⓒ 우리말에 맞게 빈칸에 알맞은 알파벳을 써서 단어를 완성하세요.

1 상징 s y m b ol
2 평화 p e a c e
3 힘 s tr e n g th
4 지혜 w i s d om

228

정답 261쪽

Ⓓ 우리말에 맞게 알맞은 단어를 찾아 쓰세요.

1 부엉이 owl
지혜의 상징 a symbol of wisdom
2 날개 wing
자유의 상징 a symbol of freedom

보기 wisdom wing owl freedom

Ⓔ 우리말에 맞게 알맞은 단어를 써서 문장을 완성하세요.

1 장미는 사랑의 상징이야.
The rose is a symbol of love.
2 어린이들은 희망의 상징이야.
The kids are a symbol of hope.
3 독수리는 힘의 상징이야.
The eagle is a symbol of strength.

오늘의 단어를 떠올리며, 오늘의 문장을 두 번씩 읽고 ✓ 하세요.

The owl is a symbol of wisdom. 부엉이는 지혜의 상징이야.
The dove is a symbol of peace. 비둘기는 평화의 상징이야.
The kids are a symbol of hope. 어린이들은 희망의 상징이야.
The wings are a symbol of freedom. 날개는 자유의 상징이야.

229

DAY 50 pp. 232~233

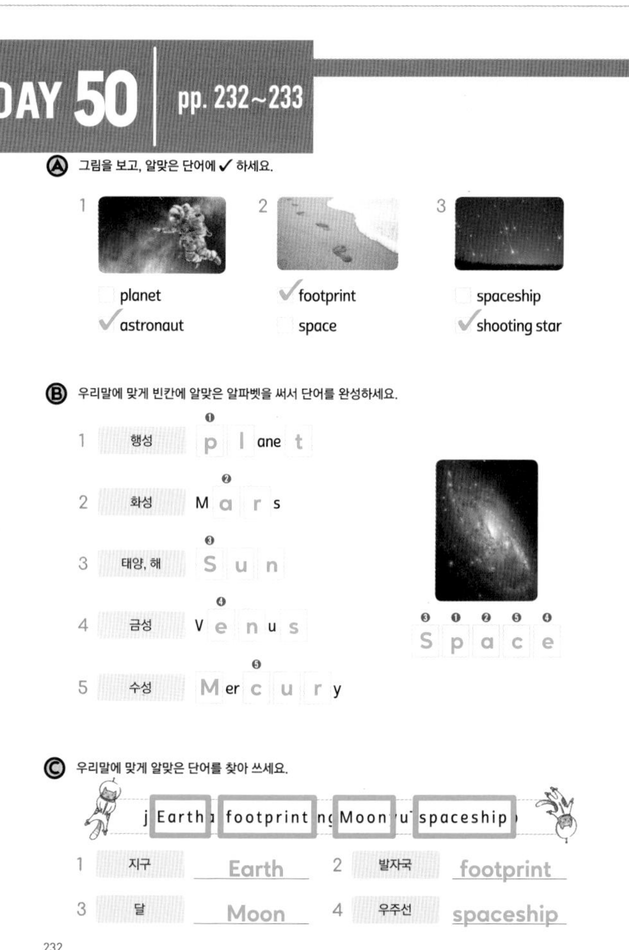

Ⓐ 그림을 보고, 알맞은 단어에 ✓ 하세요.

1 planet / ✓ astronaut
2 ✓ footprint / space
3 spaceship / ✓ shooting star

Ⓑ 우리말에 맞게 빈칸에 알맞은 알파벳을 써서 단어를 완성하세요.

1 행성 ❶ p l ane t
2 화성 ❷ M a r s
3 태양, 해 ❸ S u n
4 금성 ❹ V e n u s
5 수성 ❺ M er c u r y

❸ ❶ ❷ ❺ ❹
S p a c e

Ⓒ 우리말에 맞게 알맞은 단어를 찾아 쓰세요.

j Earth footprint ng Moon u spaceship

1 지구 Earth 2 발자국 footprint
3 달 Moon 4 우주선 spaceship

232

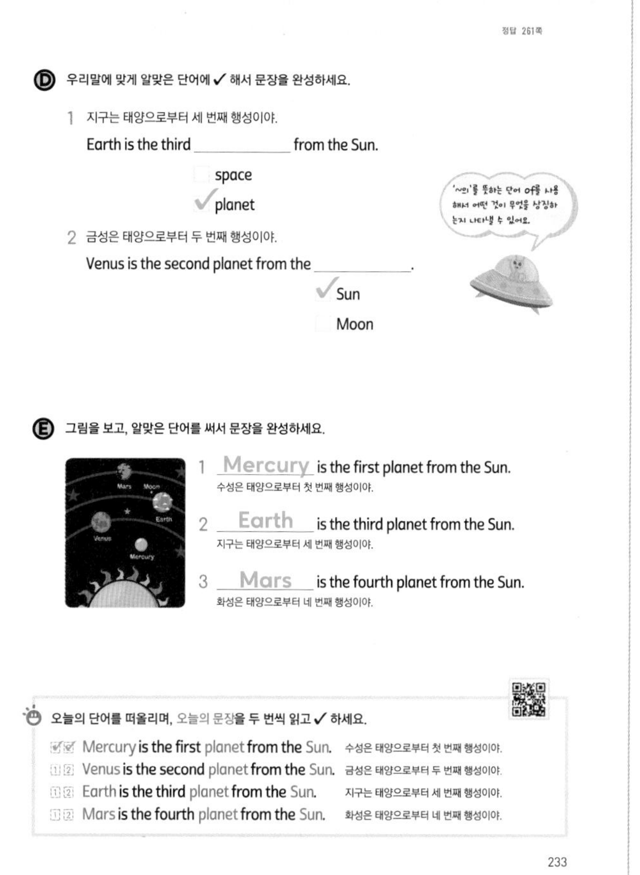

정답 261쪽

Ⓓ 우리말에 맞게 알맞은 단어에 ✓ 해서 문장을 완성하세요.

1 지구는 태양으로부터 세 번째 행성이야.
Earth is the third ______ from the Sun.
space / ✓ planet
2 금성은 태양으로부터 두 번째 행성이야.
Venus is the second planet from the ______.
✓ Sun / Moon

Ⓔ 그림을 보고, 알맞은 단어를 써서 문장을 완성하세요.

1 Mercury is the first planet from the Sun.
수성은 태양으로부터 첫 번째 행성이야.
2 Earth is the third planet from the Sun.
지구는 태양으로부터 세 번째 행성이야.
3 Mars is the fourth planet from the Sun.
화성은 태양으로부터 네 번째 행성이야.

오늘의 단어를 떠올리며, 오늘의 문장을 두 번씩 읽고 ✓ 하세요.

Mercury is the first planet from the Sun. 수성은 태양으로부터 첫 번째 행성이야.
Venus is the second planet from the Sun. 금성은 태양으로부터 두 번째 행성이야.
Earth is the third planet from the Sun. 지구는 태양으로부터 세 번째 행성이야.
Mars is the fourth planet from the Sun. 화성은 태양으로부터 네 번째 행성이야.

233

Review Test

pp. 26~27

A

1 옥수수	2 자연	3 인도	4 미술	5 당근
6 호수	7 세계	8 국어	9 돼지	10 동굴
11 언어	12 돌	13 체육	14 깃발	15 바닷가
16 농장	17 과목	18 미국	19 기르다, 키우다	20 동아리
21 국가, 나라	22 산	23 소	24 과학	

B

1 math	2 forest	3 culture	4 fence	5 Korea
6 class	7 live in	8 horse	9 social studies	10 leaf
11 sand	12 gate	13 France	14 roof	15 grass
16 English	17 branch	18 duck	19 capital	20 favorite
21 river	22 sweet potato	23 China	24 music	

C 1 lake 2 favorite, subject 3 sweet potato 4 Korea

D
1 Is this a horse?
2 Let's go to the forest together.
3 They are from the United States.
4 My favorite subject is science.

pp. 44~45

A

1 지갑	2 다섯 번째	3 안내하다	4 선풍기	5 음식
6 두 번째	7 주다	8 간호사	9 엔지니어, 기술자	10 열 번째
11 필통	12 결혼하다	13 첫 번째	14 보여 주다	15 누구의
16 전화하다	17 소방관	18 열쇠	19 열두 번째	20 자르다
21 요리사, 요리하다	22 일곱 번째	23 반지	24 문제	

B

1 fire	2 yours	3 ninth	4 people	5 letter
6 cell phone	7 sixth	8 umbrella	9 police officer	10 solve
11 question	12 fourth	13 ticket	14 hair designer	15 eighth
16 third	17 answer	18 toothbrush	19 dentist	20 send
21 ruler	22 eleventh	23 doctor	24 mine	

C 1 fourth 2 cooks, food 3 Whose, ring 4 send, letter

D
1 He is a hair designer.
2 Can you show me your ticket?
3 She is the second.
4 Whose umbrella is this?

A	1 키가 큰	2 찾다	3 (외)사촌	4 5월	5 2월
	6 (양, 가격이) 얼마	7 아내	8 아름다운	9 이것들(의)	10 백, 100
	11 (외)조부모	12 11월	13 탄생	14 멋진, 잘생긴	15 8월
	16 점원, 직원	17 남편	18 뚱뚱한	19 12월	20 (가격이) 싼
	21 아들	22 곧은, 똑바른	23 7월	24 포니테일	
B	1 March	2 weight	3 expensive	4 care	5 October
	6 uncle	7 those	8 June	9 height	10 aunt
	11 September	12 thousand	13 curly	14 daughter	15 how many
	16 January	17 money	18 ugly	19 blond	20 parent
	21 April	22 customer	23 family	24 slim	
C	1 January	2 tall, beautiful	3 How much	4 Uncle	

D
1 They are nine thousand won.
2 Their birthday is August 18th.
3 Cousin Ben is Aunt Jo's son.
4 He has curly hair.

A	1 은행	2 (옷 등을) 입어 보다	3 요통, 허리 아픔	4 북쪽	5 도서관
	6 가위	7 콧물	8 ~ 앞에	9 사용하다	10 말하다
	11 꽃 가게, 꽃집	12 잘못된, 문제가 있는		13 마시다	14 오른쪽으로 돌다
	15 모서리, 모퉁이	16 아픈	17 ~ 옆에	18 동쪽	19 두통, 머리 아픔
	20 묻다, 물어보다	21 구역, 블록	22 병원	23 휴식	24 ~의 바로 맞은편에
B	1 behind	2 bring	3 go straight	4 borrow	5 park
	6 museum	7 take a picture	8 west	9 medicine	10 between
	11 stomachache	12 invite	13 south	14 hurt	15 restaurant
	16 bakery	17 fever	18 restroom	19 turn left	20 post office
	21 toothache	22 water	23 cold	24 police station	
C	1 headache	2 drink, water	3 behind, museum		
	4 blocks, turn right				

D
1 May I try on these shoes?
2 The hospital is next to the police station.
3 I have a runny nose.
4 Go straight one block and turn left.

Review Test

pp. 98~99

A

1 대개	2 꽃병	3 잠자리에 들다	4 팔다	5 일찍
6 외식하다	7 가끔, 때때로	8 함께 하다	9 거짓말하다	10 (물에) 뛰어들다
11 벽장, 옷장	12 점심을 먹다	13 베개	14 사다	15 늦게
16 여행하다	17 두 번	18 보다	19 유용한, 쓸모 있는	20 집에 오다
21 자주, 종종	22 서랍	23 시계	24 일어나다	

B

1 drive	2 carpet	3 do magic	4 never	5 have breakfast
6 blanket	7 go camping	8 learn	9 keep a diary	10 curtain
11 do my homework		12 comfortable	13 once	14 go to school
15 jump rope	16 mirror	17 medal	18 go fishing	19 brush my teeth
20 always	21 work	22 bed	23 have dinner	24 wash the dishes

C

1 have breakfast 2 see 3 never, drive 4 mirror, useful

D

1 I do my homework at 3:30.
2 My pillow and blanket are comfortable.
3 I eat out once a week.
4 I want to go fishing.

pp. 116~117

A

1 종이	2 경주	3 보았다	4 카트, 손수레	5 고쳤다
6 더 짧은	7 비닐봉지	8 신난	9 했다	10 충격을 받은, 놀란
11 (유리)병	12 나이가 더 어린	13 머물렀다	14 빛, 전등, 불	15 시험
16 힘이 더 센	17 절약하다, 모으다	18 화난	19 땄다	20 유리잔
21 더 빠른	22 사고	23 더 큰	24 (전기, 물을) 끄다, 잠그다	

B

1 visited	2 forget	3 energy	4 older	5 movie
6 listened	7 worried	8 slower	9 prize	10 puzzle
11 can	12 news	13 longer	14 recycle	15 shopping
16 present	17 plant	18 went	19 tired	20 taller
21 why	22 smaller	23 break	24 garbage	

C

1 watched, movie 2 younger 3 Why, worried 4 forget, lights

D

1 Don't forget to recycle paper.
2 Why are you upset?
3 I am taller than my brother.
4 I visited my grandparents.

A
1 양초 2 끝나다 3 배구 4 샐러드 5 바다
6 시작하다 7 핼러윈 8 치즈 9 박쥐 10 다음의
11 도착하다 12 서핑하러 가다 13 기름 14 정오, 낮 12시 15 시험
16 변장하다, 차려입다 17 끓이다, 삶다 18 오후 19 특별한 것, 기쁨
20 모래성 21 붓다, 따르다 22 받다 23 (건물 등을) 짓다 24 닭고기

B
1 hurry 2 pumpkin 3 go on a picnic 4 mix 5 a.m.
6 shake 7 life jacket 8 supper 9 sugar 10 witch
11 trick 12 vacation 13 hour 14 neighbor 15 salt
16 net 17 knock 18 wave 19 slice 20 tour
21 bug 22 spider 23 fry 24 tonight

C
1 arrives 2 Mix, salt 3 get, Halloween 4 volleyball, vacation

D
1 Fry the egg with some oil. 2 I will go on a picnic on my vacation.
3 We dress up on Halloween. 4 The exam begins at noon.

A
1 체육관 2 ~(보다) 위에 3 근육 4 나무 5 피부
6 교수 7 찾다, 발견하다 8 수프 9 겉, 바깥 10 거꾸로
11 학년 12 국수 13 언덕 14 뇌 15 초콜릿
16 게시판 17 ~을 건너, 넘어 18 부분, 일부 19 바닥, 맨 아래 20 케이크
21 고등학교 22 소고기 23 가게, 상점 24 대학교

B
1 flour 2 classroom 3 body 4 below 5 towel
6 tongue 7 classmate 8 pool 9 inside 10 bean
11 middle 12 elementary school 13 blood 14 beside
15 cotton 16 bookshelf 17 heart 18 top 19 middle school
20 around 21 steak 22 bone 23 locker 24 school uniform

C
1 flour 2 elementary school 3 beside, pool 4 brain, body

D
1 This towel is made of cotton. 2 The heart is a part of the body.
3 She goes to middle school. 4 The store is on top of the hill.

Review Test

pp. 170~171

A 1 왕자 2 정육면체 3 들고 가다, 가지고 다니다 4 (공을) 치다
5 텐트 6 공주 7 경기장 8 간식 9 잡다, 받다
10 왕 11 정사각형 12 떠나다, 두고 오다 13 허리띠 14 (운동) 선수
15 나침반 16 트럭 17 궁전 18 군중 19 화살표, 화살
20 ~에 가까이 21 여왕 22 끝나다 23 점 24 연결하다, 잇다

B 1 cheer 2 crown 3 flashlight 4 cage 5 throw
6 start 7 circle 8 sword 9 pass 10 backpack
11 triangle 12 wheel 13 sleeping bag 14 house 15 kick
16 bite 17 clothes 18 knight 19 rocket 20 burn
21 coach 22 line 23 drop 24 first-aid kit

C 1 catching 2 circle 3 carry, clothes 4 king, queen

D 1 I am good at throwing the ball. 2 There was a brave knight.
3 How about drawing a house? 4 You should carry a compass.

pp. 188~189

A 1 가득 찬 2 추측하다 3 약간의(셀 수 있는 것) 4 겹치다, 교차하다 5 가장 긴
6 고르다 7 바다 8 들어 올리다 9 두 배 10 토론하다
11 바라다, 원하다 12 아무것도 ~ 없음 13 땅 14 조언하다 15 모든
16 나라 17 굽히다, (머리를) 숙이다 18 놓다, 두다 19 가장 깊은
20 많은(셀 수 있는 것) 21 연습하다 22 입술 23 ~을 필요로 하다 24 약간의(셀 수 없는 것)

B 1 only 2 luck 3 remember 4 animal 5 decide
6 the highest 7 meaning 8 both 9 curious 10 understand
11 fist 12 countryside 13 spell 14 thank 15 much
16 city 17 believe 18 most 19 island 20 thumb
21 the biggest 22 empty 23 gesture 24 palm

C 1 Both, empty 2 spell, remember 3 raises, thumb 4 the biggest

D 1 She crosses her fingers. 2 What is the highest mountain in the world?
3 Most tomatoes are red. 4 How do you spell "thank"?

A

1 매다	2 현금	3 안전한	4 파이	5 신용 카드
6 죽은	7 브레이크	8 수집하다	9 신선한	10 운동하다
11 충분한	12 멈추다	13 즐기다	14 빠르게	15 은
16 기막히게 좋은, 엄청난		17 (숫자를) 세다	18 여행하다	19 열광하는
20 안전벨트	21 지불하다	22 생각하다	23 사업	24 교통 체증

B

1 bake	2 hobby	3 divide	4 crosswalk	5 bill
6 important	7 free time	8 gold	9 helmet	10 honest
11 factory	12 keep quiet	13 clever	14 hike	15 add
16 agree	17 spend	18 dangerous	19 wait	20 comic book
21 coin	22 speed	23 famous	24 traffic light	

C 1 enjoy, collecting　2 think, clever　3 paid, gold　4 seat belt

D
1 We pay by credit card.
2 I think it is fresh.
3 You must use the crosswalk.
4 I enjoy baking apple pies.

A

1 다리	2 미래	3 죽다	4 신랑	5 유령
6 아나운서	7 싫어하다	8 보물	9 노래	10 ~이 되다
11 교회	12 수의사	13 기회	14 피아니스트	15 사랑하다
16 직업	17 거인	18 결혼(식)		

B

1 dream	2 angel	3 photographer	4 tower	5 smile
6 castle	7 return	8 barista	9 map	10 actor
11 gift	12 hunt	13 clap	14 bride	15 plan
16 congratulations		17 guest	18 fashion model	

C 1 announcer　2 bride, smiling　3 clapping　4 map, bridge

D
1 Go to the castle, and you will find the treasure.
2 She wants to be a vet.
3 Hunt the giant, and you will meet an angel.
4 The photographer is taking a picture.

Review Test

pp. 234~235

A
1 우주 2 조종사 3 부엉이 4 상징 5 금성
6 날개 7 공항 8 우주 비행사 9 지구 10 달
11 지혜 12 찾다, 수색하다 13 독수리 14 태양, 해 15 ~ 전에, 앞에
16 비행, 항공편 17 평화 18 도착

B
1 flight attendant 2 Mars 3 hope 4 spaceship
5 ground 6 Mercury 7 dove 8 departure 9 shooting star
10 strength 11 kid 12 planet 13 luggage 14 freedom
15 footprint 16 after 17 rose 18 passport

C
1 strength 2 flight, after 3 kids, hope 4 Earth, Sun

D
1 Mercury is the first planet from the Sun.
2 The wings are a symbol of freedom.
3 The flight leaves before noon.
4 Venus is the second planet from the Sun.